2025年度版
TAC税理士講座
税理士受験シリーズ

19

相続税法

個別計算問題集

TAC出版
TAC PUBLISHING Group

はじめに

　相続税法の計算問題は、ほとんどが、納付すべき相続税額までを算出させる総合問題である。

　総合問題といってもその内容は個別問題の集合体にすぎず、総合問題を解く力をつけるためには、その個々の論点を1つずつつぶしていくことが最良の方法である。そこで、本書の執筆にあたり、最少の問題で合格レベルに達することができるように、収録した問題は、過去の出題傾向に基づき、受験上必要な規定だけを使用した。

　本書は、相続税法、同施行令、同基本通達のうちでも本試験の出題可能性の高いものを中心に、かつ必要な関連条文は網羅するという斬新な構成をとっている。

　本書及び「財産評価問題集」、そして、「総合計算問題集 基礎編」「総合計算問題集 応用編」の4冊をマスターすれば、計算問題に関してはどんな出題がなされても楽に合格レベルに達することができる。

ＴＡＣ税理士講座

本書の特長

1 出題可能性の高い論点を中心に収録

　過去の出題傾向に基づき、本試験に出題可能性の高い、受験上必要な規定だけを使用しています。

　また、解答プロセスが十分理解できるように、参照すべき条文番号と解答への道を詳しく書いてあります。

2 最新の改正に対応

　最新の税法等の改正等に対応しています。

　（令和6年7月までの法令に準拠）

3 重要度を明示

　問題ごとに、本試験の出題実績に応じた重要度を明示しています。重要度に応じたメリハリをつけた学習を行うことが可能です。

　　　　Aランク…条文の規定を理解するための基本問題

　　　　Bランク…応用問題を中心とした本試験レベルの問題

　　　　Cランク…他項目との関連を重視した複合問題または研究問題

4 本試験の出題の傾向と分析を掲載

　本試験の出題傾向と分析を掲載しています。学習を進めるにあたって、参考にしてください。

　（注）本書掲載の「出題の傾向と分析」は、「2024年版　相続税法　過去問題集」に掲載されていたものになります。

本書の利用方法

1　実際に問題を解く

　本書は参考書ではないため、目で読むだけの学習はしないようにしてください。実際に、電卓とペンを手に持ち、いわゆる"体で読む"ようにしてください。

2　解答時間を計って解く

　時間を意識しないトレーニングは意味がなく、上達も期待できません。解き始めの時間と終了時間を必ずチェックし、解答時間を記録しておきます。反復学習を通じて、解答スピードを身に付けてください。

3　間違えた問題はもう一度解く

　間違えた問題をそのままにしておくと、後日同じような問題を解いたときに再度間違える可能性が高くなります。そのため、間違えた問題は条文で必ず確認し、条文で計算問題を理解するようにしてください。そして、二度、三度と反復して解き、少しずつ苦手な問題（論点）を少なくしてください。

4　チェック欄の利用方法

　目次には問題ごとにチェック欄を設けてあります。実際に問題を解いた後に、日付、得点、解答時間などを記入することにより、計画的な学習、弱点の発見ができます。

目 次

出題の傾向と分析

計算問題について

① 出題形式について

イ 過去の出題内容

内　容 ＼ 回　数	第59回	第60回	第61回	第62回	第63回	第64回	第65回	第66回	第67回	第68回	第69回	第70回	第71回	第72回	第73回
1　相続税の総合問題	○	○	○	○	○	○	○	○	○	○	○	○	○	○	○
2　個別問題															
（1）財産評価															
（2）贈与税額の計算							○	○							
（3）申告書の提出期限及び提出先															
（4）延　納															
（5）相続税の納税猶予															
（6）相続時精算課税選択届出書の提出期限及び提出先															

ロ　過去の出題内容の傾向と分析

　　納付すべき相続税額を求める問題は、毎年必ず出題されるのであるが、それ以外にも、5点から20点の範囲で個別問題も出題されている。

　　その個別問題の中では、延納に関する問題が出題されている回数が最も多く、過去72回中5回を数えており、また、正確に解答することが求められるため、常に正解を出せるように学習を重ねておく必要性が高まっている。

　　他の出題については、さほど難解なものはないので、出題の形式のみ過去の試験問題で理解しておけばよいと思われる。

　　なお、上記表中において、項目名は記載されていても○がいずれの回の試験においても付されていないものがあるが、これは1回も出題されていないということではなく、第57回以前の税理士試験においては出題されていたが、この15年の間には出題がなされなかったものであることを示している。

② 相続人と相続分について

イ 過去の出題内容

内　　容 ＼ 回数	第59回	第60回	第61回	第62回	第63回	第64回	第65回	第66回	第67回	第68回	第69回	第70回	第71回	第72回	第73回
1　相続人の順位	1	1	3	1	1	1	1	1	1	1	1	1	1	1	3
2　法定相続人の順位	1	1	3	1	1	1	1	1	1	1	1	1	1	1	2
3　相続人及び相続分の個別論点															
（1）内縁関係者				○			○	○							
（2）非嫡出子				○			○	○							
（3）胎　児															
（4）養子縁組	○	○		○	○	○	○	○	○	○	○	○	○	○	
（5）配偶者の連れ子						○					○				
（6）半血兄弟姉妹			○												
（7）代襲相続人が存在	○	○		○	○	○		○	○	○	○	○			○
（8）兄弟姉妹の代襲相続				○											○
（9）同時死亡															
（10）相続人の相続開始後の死亡															
（11）身分関係が重複		○							○	○		○			
（12）指定相続分															
（13）法定相続人の数の算入制限						○								○	

ロ 過去の出題内容の傾向と分析

　　　血族相続人の順位については、最もノーマルで問題が作りやすい第1順位の出題がやはり圧倒的に多くなっているが、第3順位も稀に出題されている。

③ **納税義務者について**

イ 過去の出題内容

内　　容　＼回数	第59回	第60回	第61回	第62回	第63回	第64回	第65回	第66回	第67回	第68回	第69回	第70回	第71回	第72回	第73回
1 法施行地に住所を有しない者が存在	○	○	○		○		○		○						
2 特定納税義務者					○				○						
3 納税義務者に関する個別論点															
(1) 公益法人等	○												○		
(2) 外国からの留学生															
(3) 海外出張															
4 財産の所在	○		○												

ロ 過去の出題内容の傾向と分析

　　法施行地に住所を有しない者の取扱いについては、平成29年度の改正において納税義務を負う範囲が拡大されたことにより、第66回以前の本試験問題と第67回以後の本試験とでは論点が異なることとなった。

　　新法適用後における本試験は実施回数が少ないため、出題傾向を分析するのは困難である。

　　したがって、法施行地に住所を有しない者に関連する項目すべてについて対策をたてておく必要がある。

④ みなし財産について

イ 過去の出題内容

内　　容 ＼ 回数	第59回	第60回	第61回	第62回	第63回	第64回	第65回	第66回	第67回	第68回	第69回	第70回	第71回	第72回	第73回
1　生命保険金等	○	○	○	○	○	○	○	○	○	○	○	○	○	○	○
(1) 本来の相続財産である保険金															
(2) 契約者貸付金等がある場合				○						○		○	○		
(3) 受取人が既に死亡している場合															
(4) 雇用主が保険料を負担している場合															
(5) 過去に権利課税を受けている場合の負担割合															
(6) 定期金で支払われる保険金	○									○			○		
(7) 贈与により取得したものとみなされる保険金							○								
2　退職手当金等	○	○		○	○	○	○	○		○	○				
(1) 退職手当金等の実質判定															
(2) 弔慰金等の取扱い	○	○		○	○	○	○	○			○				
(3) 退職手当金支給目的の保険契約															
(4) 退職年金の継続受給権															
(5) 生前退職に係る退職手当金等															
(6) 定期金で支払われる退職手当金															
(7) 相続開始時において支給期の到来していない給与等	○														
3　生命保険契約に関する権利				○	○	○	○	○	○	○		○	○	○	
(1) 本来の相続財産となる場合								○						○	
(2) 掛捨保険契約							○			○			○		
(3) 振替貸付に係る保険料がある場合															
4　定期金に関する権利															
5　契約に基づかない定期金に関する権利															
6　保証期間付定期金に関する権利								○				○			
7　特別障害者扶養信託契約に基づく信託受益権															
8　低額譲受益・債務免除益					○		○						○		
9　その他の利益の享受															
(1) 婚姻の取消し又は離婚により財産の取得があった場合															

内　　　容 ＼ 回　　数	第59回	第60回	第61回	第62回	第63回	第64回	第65回	第66回	第67回	第68回	第69回	第70回	第71回	第72回	第73回
(2) 負担付遺贈による利益															
(3) 借地権の目的となっている土地をその借地権者以外の者が取得し地代の授受が行われないこととなった場合															

ロ　過去の出題内容の傾向と分析

　　みなし財産の出題は、過去においても、現在においても、みなし相続・遺贈財産たる「生命保険金等」、「退職手当金等」及び「生命保険契約に関する権利」に集中しているのが特徴である。

　　したがって、この３つの財産に関しては、「基本通達」に収録されている内容も含めてマスターしておく必要があるといえる。

⑤ 相続税の課税価格の計算について

イ 過去の出題内容

内容 ＼ 回数	第59回	第60回	第61回	第62回	第63回	第64回	第65回	第66回	第67回	第68回	第69回	第70回	第71回	第72回	第73回
1 遺産は分割されていない															
(1) みなし財産等の資料中に未分割遺産に該当するものがある															
(2) 未分割遺産中に小規模宅地等の特例又は立木の評価の適用を受けるものがある															
(3) 特別受益の対象となる制限納税義務者が取得した在外財産															
(4) 特別受益の対象となる財産中に小規模宅地等の特例又は立木の評価の適用を受けているものがある															
(5) 特別受益の対象となる財産中に贈与税の配偶者控除の適用を受けているものがある															
(6) 生前贈与財産のうちに特別受益の対象とならないみなし贈与財産の信託受益権がある															
2 相続税の非課税財産	○	○	○	○	○	○	○	○	○	○	○	○	○	○	○
(1) 墓地、祭具等					○		○	○							
(2) 相続人の取得した生命保険金等	○	○	○	○	○	○	○	○	○	○	○	○	○	○	○
(3) 相続人の取得した退職手当金等	○	○		○	○	○	○	○			○				
(4) 国等に贈与した場合の非課税等	○								○				○		○
① 贈与財産															
イ 本来の相続・遺贈財産									○						
ロ みなし相続・遺贈財産											○				
ハ 生前贈与財産															
ニ 香典返しに代えてする寄附															
ホ 申告期限後に贈与									○						
② 贈与先															
イ 国											○				
ロ ○○市（又は市役所）															○
ハ 独立行政法人															
ニ 日本赤十字社															
ホ 学校法人															
ヘ 社会福祉法人															

内容 \ 回数	第59回	第60回	第61回	第62回	第63回	第64回	第65回	第66回	第67回	第68回	第69回	第70回	第71回	第72回	第73回
ト　公益財団法人									○						
チ　宗教法人													○		
リ　科学技術に関する試験研究を主たる目的とする法人															
ヌ　特定公益法人等の設立のため	○												○		
ル　母の会（人格のない社団）															
(5)　特定公益信託の信託財産として支出した場合															
3　相続時精算課税及び贈与税額控除		○		○	○	○	○	○	○	○	○				
相続又は遺贈により財産を取得していない者に対する贈与					○				○						
4　債務控除	○	○	○	○	○	○	○	○	○	○	○	○	○	○	○
(1)　債務の負担は未確定															
(2)　債務の論点															
①　法施行地に住所を有しない者も負担															
②　債務の細目															
イ　非課税財産に係る債務	○						○								
ロ　相続財産に関する費用															
ハ　公租公課				○		○	○	○	○	○	○	○			
ニ　保証債務・連帯債務					○		○								
ホ　消滅時効の完成した債務															
ヘ　邦貨換算															
(3)　葬式費用の論点															
①　放棄した者も負担												○			○
②　控除できる葬式費用の細目		○	○	○	○	○	○	○	○	○	○		○	○	○
5　生前贈与加算及び贈与税額控除	○	○	○	○	○	○	○	○	○	○	○				
(1)　相続又は遺贈により財産を取得していない者に対する贈与			○	○	○		○								
(2)　課税対象外となる財産															
(3)　相続又は遺贈により国外財産しか取得していない制限納税義務者		○													
(4)　特別障害者扶養信託契約															
(5)　贈与税の配偶者控除	○											○			
(6)　贈与税の申告納付をしていない場合															

内　　　容 ＼ 回　数	第59回	第60回	第61回	第62回	第63回	第64回	第65回	第66回	第67回	第68回	第69回	第70回	第71回	第72回	第73回
(7) 相続開始年分の贈与				○	○	○	○	○	○						
(8) 住宅取得等資金の非課税											○		○		
(9) 教育資金・結婚子育て資金の非課税												○			
6　その他の論点															
(1) 従たる権利															
(2) 譲渡担保												○			
(3) 負担付遺贈												○			
(4) 代償分割															
(5) 災害減免法による特例															

　ロ　過去の出題内容の傾向と分析

　　近年において最も出題量及び出題内容が容易になってきたのが、このテーマである。過去の税理士試験においては、これらのテーマは計算問題の中心を占めてきたのであるが、出題内容が一巡した時点で急激に出題量が減少してきたのである。こういった傾向は他のテーマについても同様にいえることであるが、あるテーマについての出題は、その論点とされる部分の出題が一巡すると減少し、他のテーマに出題が移るのであるが、しばらくしてそのテーマに関する出題に行き詰まると、また元の出題テーマに出題が戻ってくるのである。これが、よくいわれる「〜年周期」説の理由となっている。

　　なお、このテーマに関する出題は、近年、新しいタイプの出題はなされていないため、ここで取り上げた項目に関しては、確実に処理することができるようにしておかなければならない。

⑥ 納付すべき相続税額の計算について

イ 過去の出題内容

内　　容 ＼ 回　数	第59回	第60回	第61回	第62回	第63回	第64回	第65回	第66回	第67回	第68回	第69回	第70回	第71回	第72回	第73回
1　相続税額の加算	○	○	○		○		○			○	○	○	○	○	○
2　贈与税額控除（暦年課税分）	○	○	○		○		○			○	○	○	○	○	○
3　配偶者に対する相続税額の軽減	○	○	○	○		○	○		○		○	○	○	○	○
（1）一般的な形式	○	○	○	○		○	○		○		○	○	○	○	○
（2）遺産が未分割である															
4　未成年者控除				○	○	○		○		○		○	○	○	○
（1）一般的な形式					○	○				○		○	○		
（2）制限納税義務者のため適用なし															
（3）既に控除の適用を受けている															
（4）法定相続人でないため適用なし					○		○						○		○
5　障害者控除				○	○		○	○	○		○	○			
（1）一般的な形式				○	○		○					○			
（2）既に控除の適用を受けている								○			○				
（3）障害の程度が変化している															
（4）扶養義務者から控除する									○						
6　相次相続控除								○							
7　在外財産に対する相続税額の控除															
8　贈与税額控除（精算課税分）	○	○		○		○	○	○			○				

ロ 過去の出題内容の傾向と分析

　このテーマに関しては、相続税額の加算、贈与税額控除、配偶者に対する相続税額の軽減、未成年者控除及び障害者控除のように頻繁に出題される項目と、相次相続控除及び在外財産に対する相続税額の控除のように数年から10数年に1回程度の割合で出題される項目とに区分することができる。

　頻繁に出題される項目については、出題のパターンが固定化されており、常に同じ論点を中心としているので、その論点を確実にこなせるように練習を積んでおけば対策としては十分であろう。

　また、めったに出題されていない項目に関しては、特殊な論点で、かつ十分な時間が残されていない段階で処理する論点であったため、まったく手を付けなくても合否には影響がなかった。したがって、これらの項目については、対策を考えるというよりは、時間が余ったときに手を付けてみようという程度に考えておいたほうがよいであろう。

相続税及び贈与税の課税体系

◆ 1 相続税の課税体系

日本の相続税は、財産を取得した者がその取得した財産の価額に応じて税額を算出する形式をとっている。その体系は、次のとおりである。

第一段階　各人の相続税の課税価格の計算（各人の取得した財産の価額の計算）

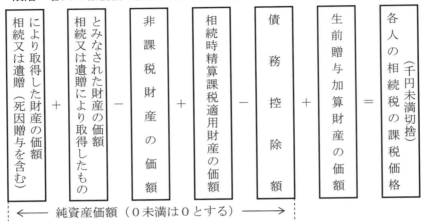

第二段階　相続税の総額及び各人の算出相続税額の計算

（各人の納付税額の基となる金額の計算）

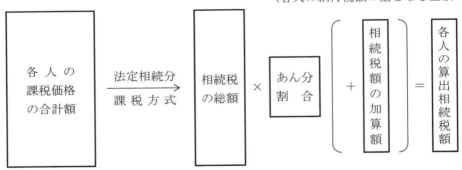

第三段階　各人の納付すべき相続税額の計算

（各人の実際に納付すべき又は還付される相続税額の計算）

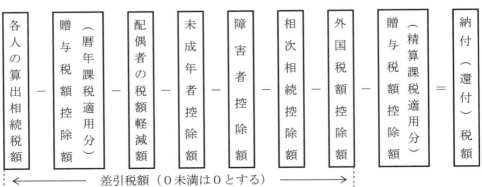

◆2　贈与税の課税体系

　日本の贈与税は、財産を取得した者が1暦年（その年の1月1日から12月31日まで）にその取得した財産の価額に応じて算出する形式をとっている。その体系は、次のとおりである。

第一段階　各人の贈与税の課税価格の計算（各人の取得した財産の価額の計算）

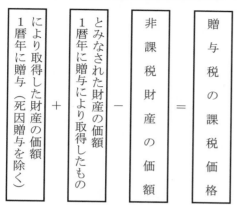

1暦年に贈与により取得した財産の価額（死因贈与を除く）　＋　1暦年に贈与により取得したものとみなされた財産の価額　－　非課税財産の価額　＝　贈与税の課税価格

第二段階　各人の算出贈与税額の計算（各人の納付税額の基となる金額の計算）

《暦年課税贈与税の場合》

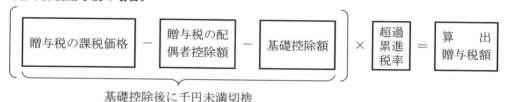

［贈与税の課税価格　－　贈与税の配偶者控除額　－　基礎控除額］　×　超過累進税率　＝　算出贈与税額

基礎控除後に千円未満切捨

《相続時精算課税贈与税の場合》

［特定贈与者ごとの贈与税の課税価格　－　基礎控除額（令和6年1月1日以後の贈与から適用）　－　贈与税の特別控除額］　×　20%　＝　算出贈与税額

特別控除後に千円未満切捨

第三段階　各人の納付すべき贈与税額の計算（各人の実際に納付すべき贈与税額の計算）

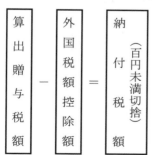

算出贈与税額　－　外国税額控除額　＝　納付税額（百円未満切捨）

1　贈与税の速算表

(1)　特例税率

課　税　価　格	税率	控除額	課　税　価　格	税率	控除額
2,000千円以下	10%	―　千円	15,000千円以下	40%	1,900千円
4,000	15	100	30,000	45	2,650
6,000	20	300	45,000	50	4,150
10,000	30	900	45,000　　超	55	6,400

(2)　一般税率

課　税　価　格	税率	控除額	課　税　価　格	税率	控除額
2,000千円以下	10%	―　千円	10,000千円以下	40%	1,250千円
3,000	15	100	15,000	45	1,750
4,000	20	250	30,000	50	2,500
6,000	30	650	30,000　　超	55	4,000

2　相続税の速算表

法定相続分に応ずる取　得　金　額	税率	控除額	法定相続分に応ずる取　得　金　額	税率	控除額
10,000千円以下	10%	―　千円	200,000千円以下	40%	17,000千円
30,000	15	500	300,000	45	27,000
50,000	20	2,000	600,000	50	42,000
100,000	30	7,000	600,000　　超	55	72,000

凡　例

法	･･･････	相続税法
令	･･･････	相続税法施行令
規	･･･････	相続税法施行規則
基　通	･･･････	相続税法基本通達
個　通	･･･････	相続税個別通達
		（租税特別措置法通達を除く。）
措　法	･･･････	租税特別措置法
措　令	･･･････	租税特別措置法施行令
措　規	･･･････	租税特別措置法施行規則
措　通	･･･････	租税特別措置法通達
民　法	･･･････	民　法
災免法	･･･････	災害被害者に対する租税の減免、
		徴収猶予等に関する法律

引　用　例

法３①二	･･･	相続税法第３条第１項第二号
基通3-35	･･･	相続税法基本通達３－35

第1章

相続人と相続分

相続税の期限内申告書を作成する時点での、相続人とその相続分及び法定相続人とその相続分を求めなさい。

＜設例1＞

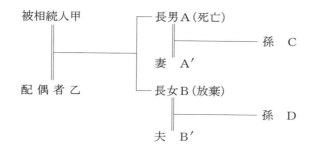

＜設例2＞

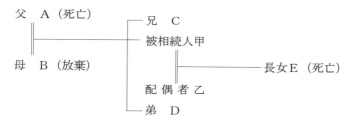

＜設例3＞

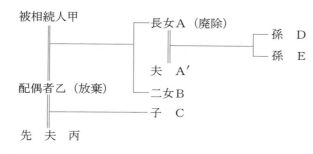

＜設例4＞

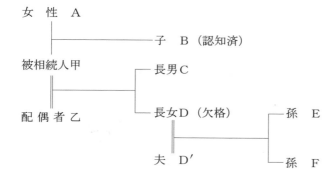

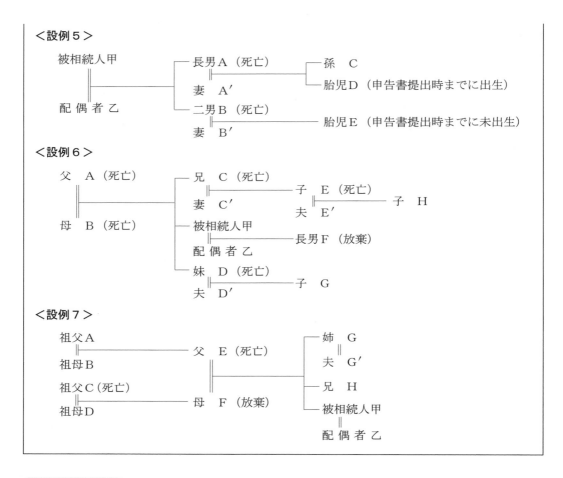

＜設例５＞

被相続人甲 ─┬─ 長男Ａ（死亡）─┬─ 孫　Ｃ
配偶者乙 　│　　妻　Ａ′　　　└─ 胎児Ｄ（申告書提出時までに出生）
　　　　　└─ 二男Ｂ（死亡）──── 胎児Ｅ（申告書提出時までに未出生）
　　　　　　　妻　Ｂ′

＜設例６＞

父　Ａ（死亡）─┬─ 兄　Ｃ（死亡）───── 子　Ｅ（死亡）────── 子　Ｈ
母　Ｂ（死亡）　│　妻　Ｃ′　　　　　　　夫　Ｅ′
　　　　　　　├─ 被相続人甲　　　　── 長男Ｆ（放棄）
　　　　　　　│　配偶者乙
　　　　　　　└─ 妹　Ｄ（死亡）─── 子　Ｇ
　　　　　　　　　夫　Ｄ′

＜設例７＞

祖父Ａ　　　　　　　　　　　　　┌─ 姉　Ｇ
祖母Ｂ ─── 父　Ｅ（死亡）─┤　　夫　Ｇ′
祖父Ｃ（死亡）　　　　　　　　├─ 兄　Ｈ
祖母Ｄ ─── 母　Ｆ（放棄）─└─ 被相続人甲
　　　　　　　　　　　　　　　　　配偶者乙

解　答

	相　続　人	相　続　分	法定相続人	相　続　分
設例1	配偶者乙	$\dfrac{1}{2}$	配偶者乙	$\dfrac{1}{2}$
	孫　　Ｃ	$\dfrac{1}{2}$	長女　Ｂ	$\dfrac{1}{2} \times \dfrac{1}{2} = \dfrac{1}{4}$
			孫　　Ｃ	$\dfrac{1}{2} \times \dfrac{1}{2} = \dfrac{1}{4}$
設例2	配偶者乙	$\dfrac{3}{4}$	配偶者乙	$\dfrac{2}{3}$
	兄　　Ｃ	$\dfrac{1}{4} \times \dfrac{1}{2} = \dfrac{1}{8}$	母　　Ｂ	$\dfrac{1}{3}$
	弟　　Ｄ	$\dfrac{1}{4} \times \dfrac{1}{2} = \dfrac{1}{8}$		

	相　続　人	相　続　分	法定相続人	相　続　分
設例3	二　女　B	$\dfrac{1}{2}$	配偶者乙	$\dfrac{1}{2}$
	孫　　　D	$\dfrac{1}{2} \times \dfrac{1}{2} = \dfrac{1}{4}$	二　女　B	$\dfrac{1}{2} \times \dfrac{1}{2} = \dfrac{1}{4}$
	孫　　　E	$\dfrac{1}{2} \times \dfrac{1}{2} = \dfrac{1}{4}$	孫　　　D	$\dfrac{1}{2} \times \dfrac{1}{2} \times \dfrac{1}{2} = \dfrac{1}{8}$
			孫　　　E	$\dfrac{1}{2} \times \dfrac{1}{2} \times \dfrac{1}{2} = \dfrac{1}{8}$
設例4	配偶者乙	$\dfrac{1}{2}$	配偶者乙	$\dfrac{1}{2}$
	子　　　B	$\dfrac{1}{2} \times \dfrac{1}{3} = \dfrac{1}{6}$	子　　　B	$\dfrac{1}{2} \times \dfrac{1}{3} = \dfrac{1}{6}$
	長　男　C	$\dfrac{1}{2} \times \dfrac{1}{3} = \dfrac{1}{6}$	長　男　C	$\dfrac{1}{2} \times \dfrac{1}{3} = \dfrac{1}{6}$
	孫　　　E	$\dfrac{1}{2} \times \dfrac{1}{3} \times \dfrac{1}{2} = \dfrac{1}{12}$	孫　　　E	$\dfrac{1}{2} \times \dfrac{1}{3} \times \dfrac{1}{2} = \dfrac{1}{12}$
	孫　　　F	$\dfrac{1}{2} \times \dfrac{1}{3} \times \dfrac{1}{2} = \dfrac{1}{12}$	孫　　　F	$\dfrac{1}{2} \times \dfrac{1}{3} \times \dfrac{1}{2} = \dfrac{1}{12}$
設例5	配偶者乙	$\dfrac{1}{2}$	配偶者乙	$\dfrac{1}{2}$
	孫　　　C	$\dfrac{1}{2} \times \dfrac{1}{2} = \dfrac{1}{4}$	孫　　　C	$\dfrac{1}{2} \times \dfrac{1}{2} = \dfrac{1}{4}$
	胎　児　D	$\dfrac{1}{2} \times \dfrac{1}{2} = \dfrac{1}{4}$	胎　児　D	$\dfrac{1}{2} \times \dfrac{1}{2} = \dfrac{1}{4}$
設例6	配偶者乙	$\dfrac{3}{4}$	配偶者乙	$\dfrac{1}{2}$
	子　　　G	$\dfrac{1}{4}$	長　男　F	$\dfrac{1}{2}$

	相 続 人	相 続 分	法定相続人	相 続 分
設例7	配偶者乙	$\dfrac{2}{3}$	配偶者乙	$\dfrac{2}{3}$
	祖 父 A	$\dfrac{1}{3} \times \dfrac{1}{3} = \dfrac{1}{9}$	母　　F	$\dfrac{1}{3}$
	祖 母 B	$\dfrac{1}{3} \times \dfrac{1}{3} = \dfrac{1}{9}$		
	祖 母 D	$\dfrac{1}{3} \times \dfrac{1}{3} = \dfrac{1}{9}$		

解答への道

相続人 ┬── 配偶者相続人………………………………… 常に相続人（民法890）
　　　　└── 血族相続人（自然血族、法定血族）…… 一定の順位あり

《血族相続人の順位》

第1順位　被相続人の子及びその代襲相続人たる直系卑属（民法887）

第2順位　被相続人の直系尊属（民法889①一）

第3順位　被相続人の兄弟姉妹及びその代襲相続人たる兄弟姉妹の子（民法889①二）

《法定相続分》（民法900）

配偶者相続人と血族相続人が相続人となる場合

第　1　順　位		第　2　順　位		第　3　順　位	
被相続人の配偶者	$\dfrac{1}{2}$	被相続人の配偶者	$\dfrac{2}{3}$	被相続人の配偶者	$\dfrac{3}{4}$
被相続人の子	$\dfrac{1}{2}$	被相続人の直系尊属※	$\dfrac{1}{3}$	被相続人の兄弟姉妹	$\dfrac{1}{4}$

⇨　⇨

※　直系尊属

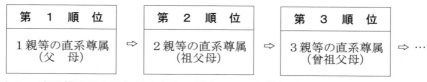

第　1　順　位	第　2　順　位	第　3　順　位	
1親等の直系尊属（父　母）	2親等の直系尊属（祖父母）	3親等の直系尊属（曾祖父母）	⇨ …

⇨　⇨

なお、直系尊属が血族相続人となる場合には、代襲相続はない。

《共通事項》

①	子、直系尊属、兄弟姉妹が数人あるときの相続分	各自の相続分は相等しい。	
③	半血兄弟姉妹の相続分	全血兄弟姉妹の相続分×$\dfrac{1}{2}$	

(1) 配偶者相続人が存在しない場合

　　《共通事項》に従って、血族相続人間で分割する。

(2) 血族相続人が存在しない場合

　　配偶者相続人が、相続分のすべてを取得する。

《代襲相続分》（民法901）

	代襲相続人の人数	相　　　　続　　　　分
①	1人の場合	被代襲者が受けるべきであった相続分と同じ。
②	2人以上の場合	被代襲者が受けるべきであった相続分を、法定相続分における《共通事項》に従って分割する。

(1) 相続の放棄をした者は、その相続に関しては、初めから相続人とならなかったものとみなす。

　　（民法939）

(2) 代襲原因（民法887②、③）

　① 相続の開始以前に死亡

　② 相続人の欠格事由に該当

　③ 推定相続人の廃除

(3) 非嫡出子の取扱い

　　母子関係の場合には、出産の事実に基づいて法律上の血族関係が認められるが、父子関係の場合には、法律上の血族関係が不明確であるため、認知という制度を通じ、法律上の血族関係を認めることとしている。

親　子　関　係		非嫡出子との法律上の血族関係	取　扱　い
母子関係		有	母の相続人となる。
父子関係	認知した場合	有	父の相続人となる。
	認知していない場合	無	父の相続人とならない。

(4) 胎児がいる場合の相続分（基通11の2－3）

　　胎児　──┬→　相続税の申告書提出時までに出生　⇨　胎児を含めて相続分を計算
　　　　　　└→　相続税の申告書提出時までに未出生　⇨　胎児がいないものとして相続分を計算

(5) 兄弟姉妹の代襲相続人は、兄弟姉妹の子に限定される。（民法889②）

《相続人の２つの概念》（法３①、民法第５編第２章）

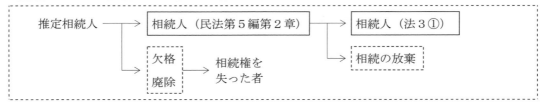

(1) 相続人（民法第５編第２章）

　相続の放棄があった場合には、その放棄がなかったものとした場合における相続人をいう。

　なお、被相続人に養子がある場合には、一定の規定により人数の制限を受ける。（法15②）

(2) 相続人（法３①）

　相続を放棄した者及び相続権を失った者を含まない。

問 題 2 法定相続分・代襲相続分 －その2－

重要度 A

相続人とその相続分及び法定相続人とその相続分を求めなさい。

＜設例1＞

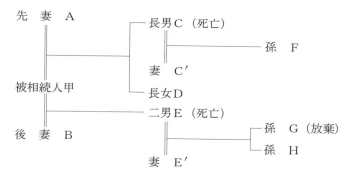

＜設例2＞

＜設例3＞

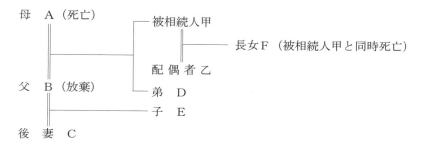

＜設例4＞

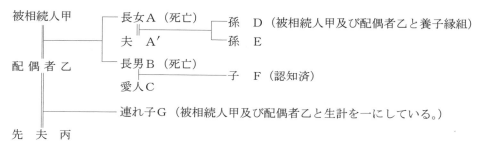

<設例5>

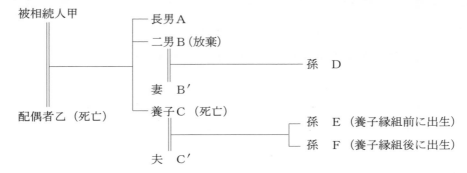

被相続人甲　　　　　　　　長男A
　　　　　　　　　　　　　二男B（放棄）
　　　　　　　　　　　　　　　　　　　　　　　　　　孫　D
　　　　　　　　　　　　　妻　B′
配偶者乙（死亡）　　　　　養子C（死亡）
　　　　　　　　　　　　　　　　　　　　　　孫　E（養子縁組前に出生）
　　　　　　　　　　　　　　　　　　　　　　孫　F（養子縁組後に出生）
　　　　　　　　　　　　　夫　C′

<設例6>

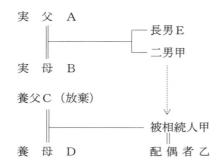

実　父　A　　　　　　　　長男E
　　　　　　　　　　　　　二男甲
実　母　B

養父C（放棄）
　　　　　　　　　　　　　被相続人甲
養　母　D　　　　　　　　配偶者乙

<設例7>

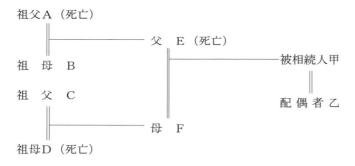

祖父A（死亡）
　　　　　　　　　　　　　父　E（死亡）
　　　　　　　　　　　　　　　　　　　　　　被相続人甲
祖　母　B
　　　　　　　　　　　　　　　　　　　　　　配偶者乙
祖　父　C
　　　　　　　　　　　　　母　F
祖母D（死亡）

<設例8>

被相続人甲
　　　　　　　　　　　　　長男A
　　　　　　　　　　　　　長女B
先　妻　乙

（注）被相続人甲及び先妻乙は離婚している。なお先妻乙、長男A、長女Bは生計を一に
　　しており甲とは姓が異なっている。

解 答

	相 続 人	相 続 分	法定相続人	相 続 分
設例1	後 妻 B	$\dfrac{1}{2}$	後 妻 B	$\dfrac{1}{2}$
	長 女 D	$\dfrac{1}{2}\times\dfrac{1}{3}=\dfrac{1}{6}$	長 女 D	$\dfrac{1}{2}\times\dfrac{1}{3}=\dfrac{1}{6}$
	孫　F	$\dfrac{1}{2}\times\dfrac{1}{3}=\dfrac{1}{6}$	孫　F	$\dfrac{1}{2}\times\dfrac{1}{3}=\dfrac{1}{6}$
	孫　H	$\dfrac{1}{2}\times\dfrac{1}{3}=\dfrac{1}{6}$	孫　G	$\dfrac{1}{2}\times\dfrac{1}{3}\times\dfrac{1}{2}=\dfrac{1}{12}$
			孫　H	$\dfrac{1}{2}\times\dfrac{1}{3}\times\dfrac{1}{2}=\dfrac{1}{12}$
設例2	配偶者乙	$\dfrac{1}{2}$	配偶者乙	$\dfrac{1}{2}$
	子　B	$\dfrac{1}{2}\times\dfrac{1}{4}=\dfrac{1}{8}$	子　B	$\dfrac{1}{2}\times\dfrac{1}{4}=\dfrac{1}{8}$
	長 男 D	$\dfrac{1}{2}\times\dfrac{1}{4}=\dfrac{1}{8}$	長 男 D	$\dfrac{1}{2}\times\dfrac{1}{4}=\dfrac{1}{8}$
	二 男 E	$\dfrac{1}{2}\times\dfrac{1}{4}=\dfrac{1}{8}$	二 男 E	$\dfrac{1}{2}\times\dfrac{1}{4}=\dfrac{1}{8}$
	三 男 F	$\dfrac{1}{2}\times\dfrac{1}{4}=\dfrac{1}{8}$	三 男 F	$\dfrac{1}{2}\times\dfrac{1}{4}=\dfrac{1}{8}$
設例3	配偶者乙	$\dfrac{3}{4}$	配偶者乙	$\dfrac{2}{3}$
	弟　D	$\dfrac{1}{4}\times\dfrac{2}{3}=\dfrac{1}{6}$	父　B	$\dfrac{1}{3}$
	子　E	$\dfrac{1}{4}\times\dfrac{1}{3}=\dfrac{1}{12}$		
設例4	配偶者乙	$\dfrac{1}{2}$	配偶者乙	$\dfrac{1}{2}$
	孫　D	$\dfrac{1}{2}\times\dfrac{1}{3}+\dfrac{1}{2}\times\dfrac{1}{3}\times\dfrac{1}{2}=\dfrac{1}{4}$	孫　D	$\dfrac{1}{2}\times\dfrac{1}{3}+\dfrac{1}{2}\times\dfrac{1}{3}\times\dfrac{1}{2}=\dfrac{1}{4}$
	孫　E	$\dfrac{1}{2}\times\dfrac{1}{3}\times\dfrac{1}{2}=\dfrac{1}{12}$	孫　E	$\dfrac{1}{2}\times\dfrac{1}{3}\times\dfrac{1}{2}=\dfrac{1}{12}$
	子　F	$\dfrac{1}{2}\times\dfrac{1}{3}=\dfrac{1}{6}$	子　F	$\dfrac{1}{2}\times\dfrac{1}{3}=\dfrac{1}{6}$

	相 続 人	相 続 分	法定相続人	相 続 分
設例5	長 男 A	$\dfrac{1}{2}$	長 男 A	$\dfrac{1}{3}$
	孫　　F	$\dfrac{1}{2}$	二 男 B	$\dfrac{1}{3}$
			孫　　F	$\dfrac{1}{3}$
設例6	配偶者乙	$\dfrac{2}{3}$	配偶者乙	$\dfrac{2}{3}$
	実 父 A	$\dfrac{1}{3}\times\dfrac{1}{3}=\dfrac{1}{9}$	実 父 A	$\dfrac{1}{3}\times\dfrac{1}{4}=\dfrac{1}{12}$
	実 母 B	$\dfrac{1}{3}\times\dfrac{1}{3}=\dfrac{1}{9}$	実 母 B	$\dfrac{1}{3}\times\dfrac{1}{4}=\dfrac{1}{12}$
	養 母 D	$\dfrac{1}{3}\times\dfrac{1}{3}=\dfrac{1}{9}$	養 父 C	$\dfrac{1}{3}\times\dfrac{1}{4}=\dfrac{1}{12}$
			養 母 D	$\dfrac{1}{3}\times\dfrac{1}{4}=\dfrac{1}{12}$
設例7	配偶者乙	$\dfrac{2}{3}$	配偶者乙	$\dfrac{2}{3}$
	母　　F	$\dfrac{1}{3}$	母　　F	$\dfrac{1}{3}$
設例8	長 男 A	$\dfrac{1}{2}$	長 男 A	$\dfrac{1}{2}$
	長 女 B	$\dfrac{1}{2}$	長 女 B	$\dfrac{1}{2}$

解答への道

＜設例1＞

先妻Ａとの間に出生している子である長男Ｃ、長女Ｄも、後妻Ｂとの間に出生している子である二男Ｅも、被相続人甲の嫡出子である。

＜設例3＞

同時死亡は、相続開始以前の死亡に該当するため、長女Ｆは相続人とならない。

子Ｅは、被相続人甲と父Ｂのみを同じくする半血兄弟姉妹に該当する。したがって、子Ｅの相続分は、全血兄弟姉妹である弟Ｄの2分の1となる。

＜設例4＞

孫Ｄは、長女Ａの代襲相続人としての相続分と、被相続人甲の養子としての相続分の双方を有する二重身分を有する者に該当する。

長男Ｂの代襲相続人は子Ｆ1人だけであるため、子Ｆは長男Ｂが受けるべきであった相続分をすべて取得する。

連れ子Ｇは、被相続人甲の血族ではないため、相続人にはならない。

＜設例5＞

養子縁組前に生まれている養子の子は、養親の孫にはならない。

したがって、孫Ｅは、養子Ｃの代襲相続人にはなれない。

＜設例6＞

養子と養親及びその血族との間においては、養子縁組の日から血族間におけるものと同一の親族関係が生じる。したがって、被相続人の直系尊属には、実父母とともに養父母も含まれることとなる。なお、特別養子縁組でない限り、養子となっても実親側との親族関係はなくならない。

＜設例7＞

第2順位により相続人となるのは被相続人の直系尊属である。なお、親等の異なる者の間では、その近い者が先に相続人となる。

母Ｆは一親等の直系尊属であり、祖母Ｂ及び祖父Ｃは二親等の直系尊属であるため、母Ｆのみが血族相続人となる。

なお、第2順位の場合には、代襲相続人の規定は存在しないことに注意すること。

＜設例8＞

父母が離婚している場合においても、その子は父母双方の相続人となる。

相続人と法定相続人とその相続分を求めなさい。

＜設例1＞

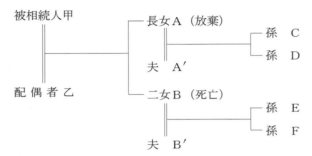

（注）配偶者乙の相続分を5分の3とする旨の遺言による指定があった。

＜設例2＞

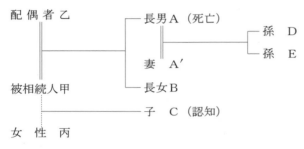

（注）長女Bの相続分を2分の1とする旨の遺言による指定があった。

＜設例3＞

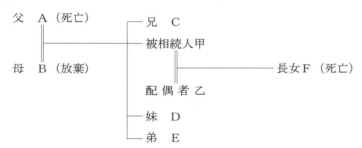

（注）兄C及び弟Eの相続分を各々5分の1とする旨の遺言による指定があった。

解　答

	相　続　人	相　続　分	法定相続人	相　続　分
設例1	配偶者乙	$\dfrac{3}{5}$	配偶者乙	$\dfrac{1}{2}$
	孫　　E	$\left(1-\dfrac{3}{5}\right)\times\dfrac{1}{2}=\dfrac{1}{5}$	長女A	$\dfrac{1}{2}\times\dfrac{1}{2}=\dfrac{1}{4}$
	孫　　F	$\left(1-\dfrac{3}{5}\right)\times\dfrac{1}{2}=\dfrac{1}{5}$	孫　　E	$\dfrac{1}{2}\times\dfrac{1}{2}\times\dfrac{1}{2}=\dfrac{1}{8}$
			孫　　F	$\dfrac{1}{2}\times\dfrac{1}{2}\times\dfrac{1}{2}=\dfrac{1}{8}$
設例2	配偶者乙	$\left(1-\dfrac{1}{2}\right)\times\dfrac{1}{2}=\dfrac{1}{4}$	配偶者乙	$\dfrac{1}{2}$
	長女B	$\dfrac{1}{2}$	長女B	$\dfrac{1}{2}\times\dfrac{1}{3}=\dfrac{1}{6}$
	子　　C	$\left(1-\dfrac{1}{2}\right)\times\dfrac{1}{2}\times\dfrac{1}{2}=\dfrac{1}{8}$	子　　C	$\dfrac{1}{2}\times\dfrac{1}{3}=\dfrac{1}{6}$
	孫　　D	$\left(1-\dfrac{1}{2}\right)\times\dfrac{1}{2}\times\dfrac{1}{2}\times\dfrac{1}{2}=\dfrac{1}{16}$	孫　　D	$\dfrac{1}{2}\times\dfrac{1}{3}\times\dfrac{1}{2}=\dfrac{1}{12}$
	孫　　E	$\left(1-\dfrac{1}{2}\right)\times\dfrac{1}{2}\times\dfrac{1}{2}\times\dfrac{1}{2}=\dfrac{1}{16}$	孫　　E	$\dfrac{1}{2}\times\dfrac{1}{3}\times\dfrac{1}{2}=\dfrac{1}{12}$
設例3	配偶者乙	$\left(1-\dfrac{1}{5}\times2\right)\times\dfrac{3}{4}=\dfrac{9}{20}$	配偶者乙	$\dfrac{2}{3}$
	兄　　C	$\dfrac{1}{5}$	母　　B	$\dfrac{1}{3}$
	妹　　D	$\left(1-\dfrac{1}{5}\times2\right)\times\dfrac{1}{4}=\dfrac{3}{20}$		
	弟　　E	$\dfrac{1}{5}$		

解答への道

《指定相続分》（民法902）

	ケース	相　続　分
(1)	相続分の指定があった者	指定された相続分
(2)	(1)以外の共同相続人	$\left(1-\dfrac{\text{指定された}}{\text{相続分の合計}}\right)\times\left\{\begin{array}{l}\text{法定相続分 ※}\\\text{代襲相続分 ※}\end{array}\right\}$

※　相続分の指定があった者を除外して、法定相続分及び代襲相続分を求める。

《指定相続分の効果》

	相 続 税 の 課 税 体 系	取　扱　い
第1段階	相続税の課税価格の計算	指定相続分を考慮する
第2段階	相続税の総額の計算	指定相続分を考慮しない
第3段階	納付すべき相続税額の計算	

※　具体的内容

①　第1段階

　　相続財産及び債務の分割

②　第2段階

　　相続税の総額を計算する場合の法定相続人の相続分（法16）

③　第3段階

　　配偶者に対する相続税額の軽減額を計算する場合の課税価格の合計額に乗ずる配偶者の相続分（法19の2①）

問題 4　特別受益者の相続分

重要度　B

次の設例に基づき、各相続人等の相続税の課税価格を求めなさい。

＜設　例＞

1　令和 7 年11月 2 日に死亡した被相続人甲の相続人等は次のとおりである。

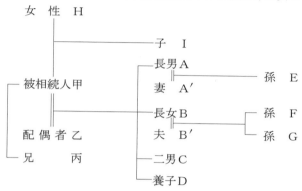

（注 1 ）長女 B は、平成30年 3 月に死亡している。

（注 2 ）二男 C は、被相続人甲の相続について正式に放棄している。

（注 3 ）養子 D は、被相続人甲及び配偶者乙と適法に養子縁組している。

（注 4 ）被相続人甲は、子 I を出生と同時に認知している。

2　被相続人甲の遺言に従い次の遺贈がなされた。

　　　配偶者乙……株式　　2,000千円　　　　孫　F　……預金　　1,000千円

　　　二男 C　……現金　　1,500千円　　　　友人 J　……山林　　5,000千円

3　被相続人甲死亡時における遺贈財産以外の遺産総額は 126,500千円（うち墓地の価額が 1,900千円含まれている。）である。相続人間の協議により、相続財産に関しては民法第900条（法定相続分）から第903条（特別受益者の相続分）までの規定に従って分割することとなった。

4　被相続人甲は生前において生計の資本として次の財産を贈与している。

贈 与 年 月 日	受贈者	財 産	贈与時の価額	相続開始時の価額
令和 4 年 9 月 2 日	長 男 A	株 式	12,000千円	13,000千円
令和 5 年10月15日	兄　　丙	現 金	5,000千円	5,000千円
令和 6 年 1 月10日	養 子 D	株 式	4,000千円	──── （注）
令和 7 年 1 月 8 日	孫　　G	社 債	1,150千円	1,200千円

（注）養子 D は、この株式を 4,500千円で売却しており、相続開始時には所有していなかった。なお、この株式を相続開始時において所有していたとした場合の価額は5,200千円である。

答案用紙

課　税　価　格　表　　　　（単位：千円）

項　目 ＼ 相続人等							
遺 贈 財 産 の 価 額							
相 続 財 産 の 価 額							
生 前 贈 与 加 算 額							
課 税 価 格							

解　答

1　遺贈財産の価額

配偶者乙　　　2,000千円　　　　　孫　　F　　　1,000千円

二 男 C　　　1,500千円　　　　　友 人 J　　　5,000千円

2　相続財産の価額

(1) 相続財産の価額

126,500千円－1,900千円＝124,600千円

(2) 特別受益額

① 共同相続人に対する遺贈　$\overset{乙}{2,000千円}+\overset{F}{1,000千円}=3,000千円$

② 共同相続人に対する贈与　$\overset{A}{13,000千円}+\overset{D}{5,200千円}+\overset{G}{1,200千円}=19,400千円$

③ ①＋②＝22,400千円

(3) みなし相続財産の価額　　(1)＋(2)＝147,000千円

(4) 各共同相続人に対する具体的相続分

147,000千円 ×

配偶者乙　　　　$\dfrac{1}{2}-2,000千円$　　　　　$=71,500千円$

長 男 A　　　　$\dfrac{1}{2}\times\dfrac{1}{4}-13,000千円$　　　$=5,375千円$

養 子 D　　　　$\dfrac{1}{2}\times\dfrac{1}{4}-5,200千円$　　　$=13,175千円$

孫　　F　　　　$\dfrac{1}{2}\times\dfrac{1}{4}\times\dfrac{1}{2}-1,000千円=8,187.5千円$

孫　　G　　　　$\dfrac{1}{2}\times\dfrac{1}{4}\times\dfrac{1}{2}-1,200千円=7,987.5千円$

子　　I　　　　$\dfrac{1}{2}\times\dfrac{1}{4}$　　　　　　$=18,375千円$

3 生前贈与加算額

養 子 D 　　4,000千円 　　　　　　　　孫 　G 　　1,150千円

（注）兄丙は、相続又は遺贈により財産を取得していないため、生前贈与加算の適用はない。

課 税 価 格 表　　　　　　　　（単位：千円）

相続人等 項　目	配偶者乙	長男A	養子D	孫　F	孫　G	子　I	二男C	友人J
遺 贈 財 産 の 価 額	2,000			1,000			1,500	5,000
相 続 財 産 の 価 額	71,500	5,375	13,175	8,187.5	7,987.5	18,375		
生 前 贈 与 加 算 額			4,000		1,150			
課 税 価 格	73,500	5,375	17,175	9,187	9,137	18,375	1,500	5,000

解答への道

《特別受益者の相続分》（民法903、904）

(1) 相続財産の価額

　　遺贈財産以外の遺産総額 － 民法上の非相続財産の価額（墓地、仏壇等）

(2) 特別受益額　①＋②

　　① 共同相続人に対する遺贈

　　② 共同相続人に対する贈与

(3) みなし相続財産の価額

　　(1)＋(2)

(4) 各共同相続人に対する具体的相続分

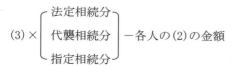

　　(3)× ｛法定相続分／代襲相続分／指定相続分｝ －各人の(2)の金額

① 特別受益額となる贈与財産は、相続開始時の価額で持ち戻す。

　　なお、受贈者の行為によって、その受贈財産が減失し、又はその価格の増減があったときは、相続開始の当時なお原状のままであるものとみなした価額を用いる。（民法904）

② 被相続人から受けた贈与については、生前贈与加算の規定（法19）と混同しないように注意すること。

MEMO

第2章

相続税の納税義務者と課税財産の範囲

重要度

問題 1　納税義務者

重要度 | A

　次の各設例において、相続によりそれぞれに掲げる財産を取得したそれぞれの者の納税義務者の区分を答えなさい。

＜設例1＞

　東京都に住所を有する被相続人甲から財産を取得した者

(1) 日本国内にある財産を取得した子A（東京都に住所、日本国籍あり）

(2) 日本国外にある財産を取得した子B（東京都に住所、日本国籍なし）

(3) 日本国外にある財産を取得した子C（米国に住所、日本国籍あり）

　　※　Cは相続開始前10年以内に日本国内に住所を有したことがない。

(4) 日本国外にある財産を取得した子D（米国に住所、日本国籍なし）

　　※　Dは相続開始前10年以内に日本国内に住所を有したことがない。

＜設例2＞

　米国に住所を有する被相続人乙から財産を取得した者（乙は相続開始前10年以内に日本国内に住所を有したことがない）

(1) 日本国内にある財産を取得した子E（東京都に住所、日本国籍あり）

(2) 日本国外にある財産を取得した子F（東京都に住所、日本国籍なし）

(3) 日本国外にある財産を取得した子G（米国に住所、日本国籍あり）

　　※　Gは相続開始前10年以内に日本国内に住所を有したことがある。

(4) 日本国内にある財産を取得した子H（米国に住所、日本国籍なし）

　　※　Hは相続開始前10年以内に日本国内に住所を有したことがない。

解　答

＜設例1＞

(1) 居住無制限納税義務者

(2) 居住無制限納税義務者

(3) 非居住無制限納税義務者

(4) 非居住無制限納税義務者

＜設例2＞

(1) 居住無制限納税義務者

(2) 居住無制限納税義務者

(3) 非居住無制限納税義務者

(4) 非居住制限納税義務者

解答への道

被相続人及び相続人等について、国外に住所を有していた旨の資料がない場合には、継続して国内に住所を有しているものとして解答して差し支えない。

相続税の納税義務者の区分は次のとおりである。

被相続人＼相続人		国内に住所あり		国内に住所なし			
			一時居住者（※）	日本国籍あり		日本国籍なし	
				10年以内に住所あり	10年以内に住所なし	
国内に住所あり		A	A	C	C	C
	在留資格を有する者	A	B	C	D	D
国内に住所なし	10年以内に住所あり　日本国籍あり	A	A	C	C	C
	日本国籍なし	A	B	C	D	D
	10年以内に住所なし	A	B	C	D	D

※　出入国管理及び難民認定法別表第1の在留資格の者で、過去15年以内において国内に住所を有していた期間の合計が10年以下のもの

A：居住無制限納税義務者　⇒　国内財産及び国外財産の全てに納税義務を負う

B：居住制限納税義務者　⇒　国内財産のみ納税義務を負う

C：非居住無制限納税義務者　⇒　国内財産及び国外財産の全てに納税義務を負う

D：非居住制限納税義務者　⇒　国内財産のみ納税義務を負う

問　題　2　住所の判定　　　　　　　　　　　　重要度　A

　相続開始時において、次に掲げる状況にある者の住所が法施行地内にあるか法施行地外にあるかについて答えなさい。

1　ハワイ州立大学に留学中であり、東京にいる父の扶養親族になっている者

2　ニューヨーク支店に勤務しており、ニューヨークでの勤務期間が5年である者

3　ロンドンに住所を有しているが、仕事の関係上東京に居所を有している者

4　主たる営業所がパリにある代表者の定めのある人格のない社団

5　国外出張のため一時的に大阪を離れている者

6　名古屋に住所を有している者（被相続人の住所はドイツである。）

解　答

1　法施行地内	2　法施行地外	3　法施行地外
4　法施行地外	5　法施行地内	6　法施行地内

解答への道

《法施行地を離れている者の住所の判定》（基通1の3・1の4共－6）

　日本国籍を有している者又は国内に永住する許可を受けている者のうち、次に掲げる者の住所は、法施行地にあるものとする。

(1) 留学生で法施行地にいる者の扶養親族となっている者

(2) 国外勤務がおおむね1年以内であると見込まれる者（同居かつ生計を一にしている配偶者、親族を含む。）

(3) 国外出張、国外興行等により一時的に法施行地を離れている者

次に掲げる財産のうち、法施行地に所在するものを答えなさい。

1　A銀行（本店はパリに所在）銀座支店に預け入れられている普通預金

2　円貨建のイギリス国債

3　東京都に所在する居住用宅地

4　B社（本店は東京に所在）が発行する社債

5　C生命保険会社ニューヨーク営業所（本店は東京に所在）で締結した生命保険契約の保険金

6　アメリカの機関に登録した航空機

7　神奈川県に住所を有する者が所有する現金

8　千葉県九十九里沿岸の漁業権

9　群馬県に住所を有する者の友人D氏（住所はワシントン）に対する貸付金

10　E社（本店は東京に所在）がアメリカで発行した外国預託証券

11　埼玉県に所在する宅地上の建物所有を目的とする地上権

12　勤務先の建設会社（さいたま市所在）からの退職金

13　日本国債

14　カリフォルニアにある農場

15　F社（本店はロンドンに所在）が発行した株式

16　G社（本店は大阪府に所在）のニューヨーク証券取引所に上場している株式

17　アメリカにある鉱山に関する鉱業権

18　神戸に所在する営業所のH社（本店はパリに所在）に対する売掛金

19　福岡に所在する事業所の得意先I社（本店はローマに所在）に対する貸付金（貸付日から返済日までの期間4カ月）

20　京都に所在する営業所の得意先J社（本店は北京に所在）に対する貸付金（貸付日から返済日までの期間9カ月）

21　K証券会社（本店はロンドンに所在）の名古屋支店で購入した証券投資信託の受益証券

22　カナダにある別荘及び別荘地

解　答

1、3、4、5、7、8、10、11、12、13、16、18、19、21

解答への道

《財産の所在》（法10）

	財　産　の　種　類	所　　在　　地
1	動産、不動産、不動産の上に存する権利	動産又は不動産の所在
2	船舶、航空機	登録をした機関の所在
3	鉱業権、租鉱権、採石権	鉱区又は採石場の所在
4	漁業権、入漁権	漁場に最も近い沿岸の属する市町村又はこれに相当する行政区画
5	金融機関に対する預金、貯金、積金、寄託金	受入れをした営業所又は事業所の所在
6	保険金	保険の契約に係る保険会社の本店又は主たる事務所の所在（法施行地に本店又は主たる事務所がない場合において、法施行地に保険の契約に係る事務を行う営業所、事業所等があるときは、その営業所、事業所等）
7	退職手当金等	退職手当金等を支払う者の住所又は本店もしくは主たる事務所の所在（法施行地に本店又は主たる事務所がない場合において、法施行地に事務を行う営業所、事業所等があるときは、その営業所、事業所等）
8	貸付金債権　原則	債務者の住所又は本店もしくは主たる事務所の所在
	債務者が2以上ある場合　主たる債務者があるとき	主たる債務者の住所又は本店もしくは主たる事務所の所在
	主たる債務者がないとき（令1の14）	法施行地に住所又は本店もしくは主たる事務所を有する債務者の所在（その者が2以上あるときは、いずれか一の者）
		債務者のうちに法施行地に住所又は本店もしくは主たる事務所を有する者がないときは、その債務者の所在
9	社債、株式、法人に対する出資、外国預託証券（令1の15）	⎰社債もしくは株式の発行法人 ⎱出資のされている法人 　外国預託証券に係る株式の発行法人⎰ の本店又は主たる事務所の所在
10	集団投資信託又は法人課税信託に関する権利	信託の引受けをした営業所又は事業所等の所在

11	特許権、実用新案権、意匠権もしくはこれらの実施権で登録されているもの又は商標権等	登録をした機関の所在
12	著作権、出版権又は著作隣接権でこれらの権利の目的物が発行されているもの	発行する営業所又は事業所の所在
13	贈与又は遺贈により取得したものとみなされる低額譲受益	みなされる基因となった財産の種類に応ずる場所
14	1から13に掲げる財産を除くほか、営業所又は事業所を有する者のその営業所又は事業所に係る営業上又は事業上の権利	営業所又は事業所の所在
15	国債又は地方債	法施行地
16	外国又は外国の地方公共団体その他これに準ずるものの発行する公債	外　国
17	1から16に掲げる財産以外の財産	財産の権利者であった被相続人又は贈与者の住所の所在

※　貸付金債権と営業上又は事業上の権利（基通10－3）

　　貸付金債権には、いわゆる融通手形による貸付金を含み、次に掲げるものは含まれないものとする（営業上又は事業上の権利になる。）。

(1)　売掛債権

(2)　いわゆる商業手形債権

(3)　その他事業取引に関して発生した債権で短期間内（おおむね6月以内）に返済されるべき性質のもの

問題 4 　納税義務者と課税財産の範囲 　　　重要度 A

次の設例に基づいて、各相続人及び受遺者の相続税の課税価格を求めなさい。

＜設 例＞

1　被相続人甲の相続人等は、次のとおりである。

被相続人甲 ── 養子A
　　　　　 ── 長女B
配偶者乙 ── 長男C
　　　　　 ── 二女D

（注1）被相続人甲の相続開始時における甲及び各相続人の住所は、次のとおりである。なお、養子Aは、日本国籍を有していない。

被相続人甲及び配偶者乙…………東京都X区

養子A及び長女B…………………米国

長男C及び二女D…………………英国

（注2）養子Aは、被相続人甲及び配偶者乙と養子縁組をしている。

2　被相続人甲は公正証書による遺言書を作成しており、各受遺者は、これに基づいて、それぞれ財産を取得した。なお、金額は相続開始の時における時価である。

（1）配偶者乙が取得した財産

① 東京都X区に所在する土地 　　120,000千円

② 東京都X区に所在する家屋 　　 18,000千円

（2）養子Aが取得した財産

① 東京都Y区に所在する土地 　　135,000千円

② E社株式 　　　　　　　　　　 4,000千円（E社の本社は米国に所在）

（3）人格のない社団F会が取得した財産（F会の主たる事務所は東京都に所在）

現　　金 　　　　　　　　　　 8,000千円

（4）日本赤十字社が取得した財産

現　　金 　　　　　　　　　　 8,000千円

3　被相続人甲の相続人は、上記2以外の遺産について分割協議を行い、それぞれ次のとおり取得した。なお、金額は相続開始の時における時価である。

（1）長女Bが取得した財産

① G社株式 　　　　　　　　　　42,000千円（G社の本社は東京都に所在）

② 米国債 　　　　　　　　　　　5,000千円

（2）長男Cが取得した財産

日本国債 　　　　　　　　　　10,000千円

(3) 二女Dが取得した財産

　H社社債　　　　　　　　　　　　　　20,000千円（H社の本社は英国に所在）

解　答

配偶者乙　120,000千円（X区の土地）＋18,000千円（X区の家屋）＝138,000千円

養　子　A　135,000千円（Y区の土地）＋4,000千円（E社株式）＝139,000千円

F　　会　　8,000千円（現金）

日本赤十字社　　持分の定めのない法人であるため、納税義務を負わない。

長　女　B　42,000千円（G社株式）＋5,000千円（米国債）＝47,000千円

長　男　C　10,000千円（日本国債）

二　女　D　20,000千円（H社社債）

解答への道

1　納税義務者の区分に応じた課税価格（法11の２）

納　税　義　務　者　の　区　分	課　税　価　格
無制限納税義務者	相続又は遺贈により取得したすべての財産の価額の合計額
制限納税義務者	相続又は遺贈により取得した財産で法施行地にあるものの価額の合計額

　※　居住無制限納税義務者 ……………………… 配偶者乙、F会

　　　非居住無制限納税義務者 ……………………… 養子A、長女B、長男C、二女D

2　法施行地外に所在する財産

　　E社株式、米国債、H社社債

3　人格のない社団又は財団が遺贈又は贈与により財産を取得した場合には、相続税又は贈与税の納税義務を負う。(法66①)

4　持分の定めのない法人が遺贈又は贈与により財産を取得した場合には、遺贈者又は贈与者の親族等の税負担の不当減少があると認められる場合に限り相続税及び贈与税の納税義務を負う。

　（法66④）

第3章

みなし相続、遺贈財産

テーマ1	生命保険金等

テーマ2	退職手当金等

テーマ3	生命保険契約に関する権利

テーマ4	その他のみなし財産

重要度

第3章　みなし相続・遺贈財産

次の設例に基づき、相続又は遺贈により取得したものとみなされる生命保険金等の金額及びその非課税金額を求めなさい。

＜設　例＞

1　被相続人甲の相続人等は次に図示するとおりである。

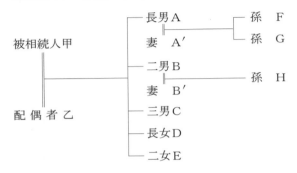

（注）長女Dは被相続人甲の相続に関し、正式に相続の放棄をしている。

2　被相続人甲の死亡により支払われた生命保険金は、次のとおりである。

保険金受取人	保険金額	保険料負担者と負担金額			
配偶者乙	16,000千円	甲	2,300千円		
長 男 A	15,000千円	甲	1,600千円	乙	400千円
孫　　F	4,000千円	甲	1,500千円		
二 男 B	6,000千円	乙	500千円	B	500千円
三 男 C	2,000千円	甲	400千円		
長 女 D	10,000千円	甲	1,200千円	D	800千円
二 女 E	7,500千円	甲	700千円		

解　答

1　相続又は遺贈により取得したものとみなされる生命保険金等の金額

配偶者乙　　16,000千円

長　男　A　　$15,000千円 \times \dfrac{1,600千円}{1,600千円 + 400千円} = 12,000千円$

孫　　　F　　4,000千円

二　男　B　　甲が保険料を負担していないため、相続税が課される部分はない。

三　男　C　　2,000千円

長　女　D　　$10,000千円 \times \dfrac{1,200千円}{1,200千円 + 800千円} = 6,000千円$

二　女　E　　7,500千円

2　生命保険金等の非課税金額

（1）非課税限度額

　　5,000千円×6人（法定相続人の数）＝30,000千円

（2）相続人が取得した保険金の合計額

　　　　　乙　　　　　　A　　　　　C　　　　　E
　　16,000千円＋12,000千円＋2,000千円＋7,500千円＝37,500千円

（3）非課税金額

　　（1）＜（2）　　∴

　　配偶者乙　　$30,000千円 \times \dfrac{16,000千円}{37,500千円} = 12,800千円$

　　長　男　A　　$30,000千円 \times \dfrac{12,000千円}{37,500千円} = 9,600千円$

　　三　男　C　　$30,000千円 \times \dfrac{2,000千円}{37,500千円} = 1,600千円$

　　二　女　E　　$30,000千円 \times \dfrac{7,500千円}{37,500千円} = 6,000千円$

　　（注）孫F及び長女Dは相続人でないため、非課税の適用はない。

《生命保険金等》(法3①一)

1 課税要件

　被相続人の死亡により相続人その他の者が生命保険契約の保険金又は損害保険契約の保険金（偶然な事故に基因する死亡に伴い支払われるものに限る。）を取得した場合

2 課税対象者

　保険金受取人

3 課税金額

　取得した保険金の額 × $\dfrac{\text{被相続人が負担した保険料の金額}}{\text{被相続人の死亡の時までに払い込まれた保険料の全額}}$

《生命保険金等の非課税金額》(法12①五)

1 適用対象者

　相続人（相続を放棄した者及び相続権を失った者を含まない。）

2 非課税金額

(1) 保険金の非課税限度額

　　5,000千円 × 法定相続人の数

(2) すべての相続人が取得した保険金の合計額

(3) 各相続人の非課税金額

① (1) ≧ (2)である場合

　　その相続人の取得した保険金の金額

② (1) < (2)である場合

　　保険金の非課税限度額 × $\dfrac{\text{その相続人の取得した保険金の合計額}}{\text{すべての相続人が取得した保険金の合計額}}$

　　次の設例に基づき、相続又は遺贈により取得したものとみなされる生命保険金等の金額及びその非課税金額を求めなさい。なお、2以上の計算方法がある場合には、課税価格が最も少なくなる方法を選択するものとする。

＜設　例＞

1　被相続人甲の相続人等は次に図示するとおりである。なお、甲は、自動車事故により死亡している。

　（注1）子A及び父Bは、被相続人甲の相続開始以前に死亡している。

　（注2）母Cは被相続人甲の相続に関し、正式に相続の放棄をしている。

2　被相続人甲が死亡したことにより次の保険金が支払われた。

（1）F損害保険契約に基づいて支払われた損害保険金

　①　契約保険金額　　　5,000千円

　②　保険金受取人　　　兄　　D

　③　保険料の負担者　　甲が全額負担している。

（2）消費生活協同組合の生命共済契約に基づいて支払われる生命共済金

　①　契約共済金額　　　10,000千円

　②　共済金受取人　　　母　　C

　③　掛金の負担者　　　甲が全額負担している。

　　　なお、交通事故により死亡した場合は、共済金額が倍額支払われることとなっている。

（3）G生命保険契約に基づき支払われた生命保険金

　①　契約保険金額　　　15,000千円

　②　保険金受取人　　　配偶者乙

　③　保険料の負担者　　甲及び乙が2分の1ずつ負担している。

（4）H生命保険契約に基づき支払われた生命保険金

　①　契約保険金額　　　30,000千円

　②　保険金受取人　　　妹　　E

　③　保険料の負担者　　甲が4分の3、Eが4分の1負担している。

(5) 無保険車傷害保険契約に基づき支払われた傷害保険金

   ① 契約保険金額　　　5,000千円

   ② 保険金受取人　　　配偶者乙

   ③ 保険料の負担者　　甲が全額負担している。

3　妹Eは、取得した保険金のうち10,000千円を、相続税の申告期限までに私立学校法第3条に規定する学校法人I高等学校に贈与した。

解　答

1　相続又は遺贈により取得したものとみなされる生命保険金等の金額

兄　　D　　　5,000千円

母　　C　　　10,000千円×2＝20,000千円

配偶者乙　　　$15,000千円 \times \dfrac{1}{2} = 7,500千円$

(注) 無保険車傷害保険契約に基づく保険金は、損害賠償金としての性格を有することから、みなし相続、遺贈財産にはならない。

妹　　E　　　$30,000千円 \times \dfrac{3}{4} - 10,000千円 = 12,500千円$

2　生命保険金等の非課税金額

(1) 非課税限度額

   5,000千円×2人（法定相続人の数）＝10,000千円

(2) 相続人が取得した保険金の合計額

       D　　　　　　　乙　　　　　　　E

   5,000千円＋7,500千円＋12,500千円＝25,000千円

(3) 非課税金額

   (1) ＜ (2)　　∴

   兄　　D　　　$10,000千円 \times \dfrac{5,000千円}{25,000千円} = 2,000千円$

   配偶者乙　　　$10,000千円 \times \dfrac{7,500千円}{25,000千円} = 3,000千円$

   妹　　E　　　$10,000千円 \times \dfrac{12,500千円}{25,000千円} = 5,000千円$

   (注) 母Cは相続人でないため、非課税の適用はない。

解答への道

1　相続又は遺贈により取得したものとみなされる生命保険金には、一定の共済契約が含まれる。
　（令１の２）

2　無保険車傷害保険契約に係る保険金は、損害賠償金としての性格を有することから、相続又は
　遺贈により取得したものとみなされる生命保険金等には含まれない。（基通３－10）

3　非課税の適用順序

　　相続人が相続により取得したものとみなされた保険金の合計額の全部又は一部について租税
　特別措置法第70条の非課税の適用を受ける場合には、その適用を受ける部分の金額を控除した後
　の保険金の額を基礎として、法12①五（生命保険金等のうち一定金額の非課税）の計算を行う。

【図　解】納付すべき相続税額を最も小さくする場合の計算パターン

取得した保険金の額	×	払込保険料のうち被相続人の負担割合	－	第１順位 措置法第70条の非課税	－	第２順位 保険金等のうち一定金額の非課税

　次の設例に基づき、相続又は遺贈により取得したものとみなされる生命保険金等の金額及びその非課税金額を求めなさい。

＜設　例＞

1　被相続人甲の相続人等は、次に図示するとおりである。

　（注1）長男A及び妻A′は、被相続人甲の相続開始以前に死亡している。

　（注2）長女Bは、被相続人甲の相続に関し、正式に相続の放棄をしている。

2　被相続人甲の死亡を保険事故として次の生命保険金が支払われた。なお、保険料はすべて甲が負担している。

	保険契約者	保険金受取人	契約保険金額	備考
簡易生命保険契約	配偶者乙	配偶者乙	12,000千円	（注）1
丙生命保険契約	被相続人甲	長　男　A	25,000千円	（注）2

　（注1）保険金受取人である配偶者乙に支払われたが、乙と二女Cの話し合いの結果、Cの住宅取得資金に充てることとした。

　（注2）保険金と共に払込期日の到来していない保険料3,000千円が支払われた。なお、この保険金は孫D及び孫Eが均等に取得した。

解　答

1　相続又は遺贈により取得したものとみなされる生命保険金等の金額

配偶者乙　　12,000千円

$$\left.\begin{array}{l} 孫\quad D \\ 孫\quad E \end{array}\right\} (25{,}000千円＋3{,}000千円)\times\dfrac{1}{2} \left\{\begin{array}{l} ＝14{,}000千円 \\ ＝14{,}000千円 \end{array}\right.$$

2　生命保険金等の非課税金額

（1）非課税限度額

5,000千円×5人（法定相続人の数）＝25,000千円

（2）相続人が取得した保険金の合計額

$$\underset{乙}{12{,}000千円}＋\underset{D}{14{,}000千円}＋\underset{E}{14{,}000千円}＝40{,}000千円$$

（3）非課税金額

（1）＜（2）　　∴

配偶者乙　　$25{,}000千円\times\dfrac{12{,}000千円}{40{,}000千円}＝7{,}500千円$

孫　　D　　$25{,}000千円\times\dfrac{14{,}000千円}{40{,}000千円}＝8{,}750千円$

孫　　E　　$25{,}000千円\times\dfrac{14{,}000千円}{40{,}000千円}＝8{,}750千円$

解答への道

《保険金受取人》（基通 3 －11、12）

ケ　ー　ス			課　税　対　象　者
(1)	原　則		契約上の保険金受取人
(2)	(1)以外の者が現実に保険金を取得した場合		
	①	原　則	契約上の保険金受取人
	②	保険金受取人の変更がなされていなかったことにつきやむを得ない事情があると認められる場合など、現実に保険金を取得した者がその保険金を取得することについて相当の理由があると認められるとき	現実に保険金を取得した者

　　次の設例に基づき、相続又は遺贈により取得したものとみなされる生命保険金等の金額及びその非課税金額を求めなさい。

＜設　例＞

1　被相続人甲の相続人等は次に図示するとおりである。

2　被相続人甲の死亡により、X生命保険会社より配偶者乙に対し20,000千円が、Y生命保険会社より長女Aに対し5,000千円が、Z生命保険会社より養子B及び養子Cに各7,500千円が、それぞれ支払われた。いずれの保険契約も保険料は甲が全額負担している。

解　答

1　相続又は遺贈により取得したものとみなされる生命保険金等の金額

配偶者乙　　　20,000千円

長女Ａ　　　　5,000千円

養子Ｂ　　　　7,500千円

養子Ｃ　　　　7,500千円

2　生命保険金等の非課税金額

(1) 非課税限度額

5,000千円×３人（法定相続人の数）＝15,000千円

(2) 相続人が取得した保険金の合計額

$\overset{乙}{20,000千円}+\overset{A}{5,000千円}+\overset{B}{7,500千円}+\overset{C}{7,500千円}＝40,000千円$

(3) 非課税金額

(1)＜(2)　　∴

配偶者乙　　　$15,000千円 \times \dfrac{20,000千円}{40,000千円} ＝7,500千円$

長女Ａ　　　　$15,000千円 \times \dfrac{5,000千円}{40,000千円} ＝1,875千円$

養子Ｂ　　　　$15,000千円 \times \dfrac{7,500千円}{40,000千円} ＝2,812.5千円$

養子Ｃ　　　　$15,000千円 \times \dfrac{7,500千円}{40,000千円} ＝2,812.5千円$

解答への道

被相続人甲には実子が存在するため、法定相続人の数に算入できる養子の数は１人のみである。

ただし、養子Ｂ及び養子Ｃは、相続人であることに変わりはないため、生命保険金等の非課税の適用を受けることができる。

なお、これらの養子の取扱いは、第３章テーマ２「退職手当金等」においても同様である。

　次の設例に基づき、相続又は遺贈により取得したものとみなされる生命保険金等の金額及びその非課税金額を求めなさい。

＜設　例＞

1　被相続人甲の相続人等は次に図示するとおりである。

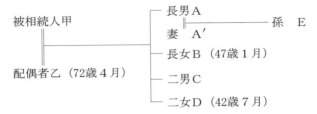

　（注1）　長男Aは、被相続人甲の相続開始以前に死亡している。

　（注2）　二女Dは、被相続人甲の相続に関し正式に相続の放棄をしている。

2　被相続人甲の死亡を保険事故として相続人等が取得した生命保険金は、次のとおりである。

保険金受取人	保険金額	保険料負担者と負担割合	摘　　　　　要
配偶者乙	年2,500千円	甲$\frac{4}{5}$、乙$\frac{1}{5}$	保険金は、乙の生存中毎年2,500千円ずつ支給され、かつ、乙が15年以内に死亡したときは、その遺族に残りの期間中継続して支払われる。解約返戻金は33,000千円である。
長女B	年1,200千円	甲全額	Bの生存中に限り、毎年1,200千円ずつ保険金が支払われる契約である。なお、解約返戻金は45,550千円である。
二女D	年600千円	甲全額	保険金は、10年間かつDの生存中に限り毎年600千円ずつ支払われる契約である。なお、解約返戻金は5,400千円である。
二女D	一時金の額5,000千円	甲$\frac{1}{2}$、D$\frac{1}{2}$	保険金は、1年当たり500千円を10年間にわたり利息を付して支払われることとなっている。なお、解約返戻金は4,900千円である。
孫E	総額3,400千円	甲$\frac{1}{2}$、乙$\frac{1}{2}$	保険金は、毎年340千円ずつ、10年間にわたって支払われる。なお、解約返戻金は、3,100千円であり、定期金に代えて一時金で受け取るとした場合の一時金の額は3,308千円である。

《参 考》

1 平均余命（女性）

42歳····46年　　　　　47歳····41年　　　　　72歳····18年

2 予定利率による複利年金現価率

10年····9.471　　　　15年····13.865　　　　18年····16.398

41年····33.500　　　　46年····36.727

解 答

1 相続又は遺贈により取得したものとみなされる生命保険金等の金額

配偶者乙　　（1）有期定期金

　　　　　① 33,000千円

　　　　　② 2,500千円×13.865＝34,662.5千円

　　　　　③ ①＜②　　∴ 34,662.5千円

　　　（2）終身定期金

　　　　　① 33,000千円

　　　　　② 2,500千円×16.398＝40,995千円

　　　　　③ ①＜②　　∴ 40,995千円

　　　（3）（1）＜（2）　　∴ 40,995千円

　　　　　40,995千円×$\frac{4}{5}$＝32,796千円

長 女 B　（1）45,550千円

　　　（2）1,200千円×33.500＝40,200千円

　　　（3）（1）＞（2）　　∴ 45,550千円

二 女 D　5,682.6千円[*1]＋2,500千円[*2]＝8,182.6千円

　　　＊1（1）有期定期金

　　　　　① 5,400千円

　　　　　② 600千円×9.471＝5,682.6千円

　　　　　③ ①＜②　　∴ 5,682.6千円

　　　　（2）終身定期金

　　　　　① 5,400千円

　　　　　② 600千円×36.727＝22,036.2千円

　　　　　③ ①＜②　　∴ 22,036.2千円

　　　　（3）（1）＜（2）　　∴ 5,682.6千円

—45—

第3章 みなし相続、遺贈財産

$$*2 \quad 5,000千円 \times \frac{1}{2} = 2,500千円$$

孫　　E　　(1)　3,100千円

(2)　3,308千円

(3)　340千円×9.471＝3,220.14千円

(4)　(1)〜(3)の最大　　∴　$3,308千円 \times \frac{1}{2} = 1,654千円$

2　生命保険金等の非課税金額

(1)　非課税限度額

5,000千円×5人（法定相続人の数）＝25,000千円

(2)　相続人が取得した保険金の合計額

$$\underset{乙}{32,796千円} + \underset{B}{45,550千円} + \underset{E}{1,654千円} = 80,000千円$$

(3)　非課税金額

(1)＜(2)　　∴

配偶者乙　　$25,000千円 \times \dfrac{32,796千円}{80,000千円} = 10,248.75千円$

長 女 B　　$25,000千円 \times \dfrac{45,550千円}{80,000千円} = 14,234.375千円$

孫　　E　　$25,000千円 \times \dfrac{1,654千円}{80,000千円} = 516.875千円$

（注）二女Dは、相続人でないため、非課税の適用はない。

《年金形式で支給されるものの評価》（法24、基通24－3）

種　　類	取　扱　い
(1)　有期定期金	次に掲げる金額のうちいずれか多い金額 ①　解約返戻金 ②　定期金に代えて一時金の給付を受けることができる場合 　　……一時金 ③　給付を受けるべき金額の1年当たりの平均額 　　　×残存期間に応ずる予定利率による複利年金現価率
(2)　終身定期金	次に掲げる金額のうちいずれか多い金額 ①　解約返戻金 ②　定期金に代えて一時金の給付を受けることができる場合 　　……一時金 ③　給付を受けるべき金額の1年当たりの平均額 　　　×目的とされた者の余命年数に応ずる予定利率による 　　　複利年金現価率
(3)　期間付終身定期金	①　有期定期金としての評価額　　｝いずれか低い方 ②　終身定期金としての評価額
(4)　保証期間付終身定期金	①　有期定期金としての評価額　　｝いずれか高い方 ②　終身定期金としての評価額
(5)　一時金の額を分割の方法により利息を付して受給	一時金の額

第3章

みなし相続、遺贈財産

　　次の設例に基づき、相続又は遺贈により取得したものとみなされる生命保険金等の金額及びその非課税金額を求めなさい。

＜設　例＞

1　被相続人甲の相続人等は次に図示するとおりである。

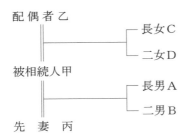

　　（注）二男Bは、被相続人甲の相続に関し、正式に相続の放棄をしている。

2　被相続人甲を被保険者とする生命保険契約には、次のものがあった。

保　険　契約者	保険金受取人	契約上の保険金額	保険料負担者と負担割合	摘　　　　　　　要
甲	A	9,000千円	甲全額	契約者貸付金1,100千円（元利合計額）がある。
乙	B	15,000千円	甲全額	契約者貸付金1,500千円（元利合計額）がある。
乙	D	20,000千円	甲2分の1乙2分の1	契約者貸付金2,000千円（元利合計額）がある。
甲	C	5,000千円	甲全額	保険金とともに剰余金100千円が長女Cに支払われた。

解　答

1　相続又は遺贈により取得したものとみなされる生命保険金等の金額

長男A　　　$9,000千円－1,100千円＝7,900千円$

二男B　　　$15,000千円－1,500千円＝13,500千円$

配偶者乙　　$1,500千円＋2,000千円×\dfrac{1}{2}＝2,500千円$

二女D　　　$(20,000千円－2,000千円)×\dfrac{1}{2}＝9,000千円$

長女C　　　$5,000千円＋100千円＝5,100千円$

2　生命保険金等の非課税金額

(1) 非課税限度額

　　5,000千円×5人（法定相続人の数）＝25,000千円

(2) 相続人が取得した保険金の合計額

　　　　 A　　　　　乙　　　　　D　　　　　C
　　7,900千円＋2,500千円＋9,000千円＋5,100千円＝24,500千円

(3) 非課税金額

　　(1)≧(2)　　∴

　　長　男　A　　　　7,900千円

　　配偶者乙　　　　2,500千円

　　二　女　D　　　　9,000千円

　　長　女　C　　　　5,100千円

　　（注）二男Bは、相続人でないため、非課税の適用はない。

解答への道

契約者貸付金等 ──┬── 契約者貸付金（元利合計金額）
　　　　　　　　　├── 保険料の振替貸付けに係る貸付金（元利合計金額）
　　　　　　　　　└── 未払込保険料（元利合計金額）

1　契約者貸付金等がある場合の取扱い（基通3-9）

(1) 被相続人が保険契約者である場合

課　税　対　象　者	課　税　対　象　と　な　る　保　険　金　の　額
保険金受取人	契約上の保険金の額　－　契約者貸付金等の額

※　契約者貸付金等の額に相当する保険金及び契約者貸付金等の額に相当する債務はいずれ

　もなかったものとする。

(2) 被相続人以外の者が保険契約者である場合

課　税　対　象　者	課　税　対　象　と　な　る　保　険　金　の　額
保険金受取人	契約上の保険金の額　－　契約者貸付金等の額
保険契約者	契約者貸付金等の額

2　保険金とともに、保険金受取人が取得する①剰余金、②割戻金、③前納保険料は、みなし相続、遺贈財産となる生命保険金等に該当する。（基通3-8）

　次の設例に基づき、相続又は遺贈により取得したものとみなされる生命保険金等の金額及びその非課税金額を求めなさい。

＜設　例＞

1　被相続人甲の相続人等は次に図示するとおりである。

（注1）父Dは被相続人甲の相続開始以前に死亡している。

（注2）子Aは出生と同時に被相続人甲に認知されている。

（注3）長女Cは、被相続人甲の相続に関し、正式に相続の放棄をしている。

2　甲の死亡を保険事故として相続人等が取得した生命保険金は、次のとおりである。

保　険 契約者	保険金 受取人	契約上の 保険金額	保険料負担者 と 負 担 金 額	摘　　　　　　　　要
甲　の 雇用主	乙	10,000 千円	甲の雇用主 700千円	退職手当金支給目的ではない。
甲	A	18,000 千円	甲　1,000千円 D　 500千円	父D死亡時に甲が生命保険契約に関する権利を相続により取得したものとみなされている。
乙	B	15,000 千円	甲　800千円 乙　200千円	保険料には、この他に免除されたものが500千円ある。
C	C	20,000 千円	甲　900千円 D　300千円	一定期間内に保険事故が発生しなかった場合に返還金等の支払がないものである。
甲	E	10,000 千円	甲　900千円	保険料には、この他に未払込保険料が300千円ある。

解 答

1 相続又は遺贈により取得したものとみなされる生命保険金等の金額

配偶者乙 10,000千円

子　　　A 18,000千円 × $\dfrac{1,000千円＋500千円}{1,000千円＋500千円}$ ＝18,000千円

長 男 B 15,000千円 × $\dfrac{800千円}{800千円＋200千円}$ ＝12,000千円

長 女 C 20,000千円 × $\dfrac{900千円＋300千円}{900千円＋300千円}$ ＝20,000千円

母　　　E 10,000千円－300千円＝9,700千円

2 生命保険金等の非課税金額

(1) 非課税限度額

5,000千円×4人（法定相続人の数）＝20,000千円

(2) 相続人の取得した保険金の合計額

$$\underset{乙}{10,000千円}＋\underset{A}{18,000千円}＋\underset{B}{12,000千円}＝40,000千円$$

(3) 非課税金額

(1)＜(2)　　∴

配偶者乙 20,000千円 × $\dfrac{10,000千円}{40,000千円}$ ＝5,000千円

子　　　A 20,000千円 × $\dfrac{18,000千円}{40,000千円}$ ＝9,000千円

長 男 B 20,000千円 × $\dfrac{12,000千円}{40,000千円}$ ＝6,000千円

（注）長女C及び母Eは、相続人でないため、非課税の適用はない。

解答への道

1　保険料負担者が保険事故発生前に死亡している場合において、その生命保険契約の契約者が相続又は遺贈により取得したものとみなされた部分の生命保険契約に関する権利は、そのみなされた時以後はその契約者がその保険料負担者の負担した保険料を自ら負担したものとして取り扱う。ただし、いわゆる掛捨保険契約の場合には、既に死亡した者の負担した保険料は、今回の被相続人が負担した保険料とみなして取り扱う。（法3②、基通3－35）

【図　解】

保険料負担者が死亡している場合

- 契約者が生命保険契約に関する権利の課税を受けている場合 → 保険料負担者死亡時に契約者が引き継いだものとする
- 上記以外（いわゆる掛捨保険契約の場合） → 保険事故発生時に被相続人が負担したものとする

2 保険料の一部につき払込みの免除があった場合には、その免除に係る部分の保険料は、分子部分にも、分母部分にも、ともに含まれない。（基通3－13(1)、14）

3 雇用主がその従業員のために、その者を被保険者とする生命保険契約の保険料を負担している場合において、従業員の死亡を保険事故として、その相続人その他の者が保険金を取得した場合には、雇用主が負担した保険料は、その従業員（被相続人）が負担していたものとして取り扱う。したがって、甲が保険料700千円を負担していたものとして計算する。（基通3－17(1)）

4 未払込保険料があった場合には、未払込保険料に係る部分の保険料は保険契約者が払い込んだものとする。（基通3－13(2)）

　未払込保険料があり、かつ、被相続人甲が保険契約者であるため、保険金受取人である母Eの課税対象となる金額は（契約上の保険金額－未払込保険料）である。（基通3－9）

問題8　生命保険金等の所在、本来の相続財産となるもの　重要度　A

　次の設例に基づき、各人の相続税の課税価格に算入すべき財産の価額及びその非課税金額を求めなさい。

＜設　例＞

1 東京都X区に住所を有する被相続人甲の相続人は次のとおりである。なお、二男Bを除き、全員法施行地に住所を有している。

　　（注1）二男Bは、アメリカ合衆国に住所を有している。

　　（注2）被相続人及び相続人は、二男Bを除き日本国籍を有している。

2 甲が保険料の全額を負担している生命保険契約には次のものがあり、それぞれに掲げる者が保険金を取得している。

（1）甲が被保険者かつ保険契約者である生命保険契約の保険金20,000千円を保険金受取人である配偶者乙が取得した。

（2）甲が被保険者かつ保険契約者であり、二男Bが保険金受取人である生命保険契約の保険金20,000千円があった。なお、これは東京に本店を有する保険会社との間で締結されたものである。

（3）甲が生前に受けた傷害を保険事故とする保険金で甲に支払われるべきものが10,000千円あった。この保険金は、甲の死亡後、長男Aが取得した。

解　答

1　相続財産の価額

長男Ａ　　　10,000千円

2　相続又は遺贈により取得したものとみなされる生命保険金等の金額

配偶者乙　　　20,000千円

二　男　Ｂ　　　20,000千円

3　生命保険金等の非課税金額

（1）非課税限度額

5,000千円×3人（法定相続人の数）＝15,000千円

（2）相続人の取得した保険金の合計額

$$\underset{20,000千円}{乙}+\underset{20,000千円}{B}=40,000千円$$

（3）非課税金額

（1）＜（2）　　∴

配偶者乙　　15,000千円×$\dfrac{20,000千円}{40,000千円}$＝7,500千円

二　男　Ｂ　　15,000千円×$\dfrac{20,000千円}{40,000千円}$＝7,500千円

解答への道

1　生命保険金等の所在（法10①五、基通10－2）

生命保険契約又は損害保険契約の保険金については、原則としてその保険の契約に係る保険会社の本店又は主たる事務所の所在で判定する。

なお、二男Ｂは法施行地外に住所を有し、かつ日本国籍を有していないが、被相続人甲が日本国籍を有しており、かつ、住所が法施行地内にあるため、外国人被相続人に該当しないことから、非居住無制限納税義務者となる。

2　みなし相続、遺贈財産となる生命保険金は、いわゆる死亡保険金であり、被保険者の傷害、疾病その他これらに類するもので死亡を伴わないものを保険事故として被保険者に支払われる保険金が、その被保険者の死亡後に支払われた場合には、その被保険者たる被相続人の本来の相続財産になる。（基通3－7）

次の設例に基づき、相続税の課税価格及び令和7年分の贈与税額（暦年課税による贈与税額）を求めなさい。

<設 例>

1 被相続人甲は令和7年5月19日に死亡した。

2 甲の相続人等は次に図示するとおりである。

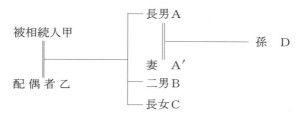

(注)1 長女Cは、被相続人甲の相続に関し、正式に相続の放棄をしている。

2 相続人等は、令和7年1月1日において全員18歳以上である。

3 被相続人甲から相続により取得した財産の価額は、配偶者乙120,000千円、長男A80,000千円、二男B20,000千円であった。

4 被相続人甲の死亡により支払われた生命保険金は、次のとおりである。

保険金受取人	保険金額	保険料負担者と負担割合	
配偶者乙	30,000千円	甲 全額	
長 男 A	20,000千円	甲 $\frac{1}{2}$	乙 $\frac{1}{2}$
長 女 C	10,000千円	甲 $\frac{1}{2}$	C $\frac{1}{2}$

5 被相続人甲が生前に贈与した財産は次のとおりである。

贈与年月日	受贈者	財 産	贈与時の価額
令和5年3月4日	配偶者乙	宅 地	8,500千円
令和6年1月20日	二 男 B	株 式	4,300千円
令和7年4月15日	孫 D	社 債	3,000千円

答案用紙

1　相続税の課税価格の計算

課　税　価　格　表　　　　　　　（単位：千円）

項　　目 　　　　相続人等				
相　続　財　産　の　価　額				
生　命　保　険　金				
生　前　贈　与　加　算　額				
課　　税　　価　　格				

2　令和7年分の贈与税額の計算

解　答

1　相続税の課税価格の計算

（1）相続又は遺贈により取得したものとみなされる生命保険金等の金額

　　　配偶者乙　　30,000千円

　　　長　男　A　　$20,000千円 \times \dfrac{1}{2} = 10,000千円$

　　　長　女　C　　$10,000千円 \times \dfrac{1}{2} = 5,000千円$

（2）生命保険金等の非課税金額

　①　非課税限度額

　　　5,000千円×4人（法定相続人の数）＝20,000千円

　②　相続人が取得した保険金の合計額

　　　　　乙　　　　　A
　　　30,000千円＋10,000千円＝40,000千円

③ 非課税金額

①＜②　∴

配偶者乙　　20,000千円×$\dfrac{30,000千円}{40,000千円}$＝15,000千円

長 男 A　　20,000千円×$\dfrac{10,000千円}{40,000千円}$＝ 5,000千円

（注）長女Cは、相続人でないため、非課税の適用はない。

課 税 価 格 表　　　　　　（単位：千円）

項　目＼相続人等	配偶者乙	長 男 A	二 男 B	長 女 C
相 続 財 産 の 価 額	120,000	80,000	20,000	
生 命 保 険 金	15,000	5,000		5,000
生 前 贈 与 加 算 額	8,500		4,300	
課 税 価 格	143,500	85,000	24,300	5,000

2　令和7年分の贈与税額の計算

長 男 A	（20,000千円×$\dfrac{1}{2}$－1,100千円）×30％－900千円＝1,770千円
孫　　D	（3,000千円－1,100千円）×10％＝190千円

解答への道

　相続税の総合問題を用いて贈与税の個別問題が問われるケースがある。

　その場合にチェックすべき資料は、下記のとおりである。

（1）生命保険金等

（2）保証期間付定期金に関する権利　　　｝のうち第三者が負担した保険料又は掛金に対応する部分

（3）生前贈与の資料中の相続開始年分の被相続人以外の者からの贈与

（4）生前贈与の資料中の相続開始年分の被相続人からの暦年課税贈与で、被相続人から相続又は
　　遺贈により財産を取得していない者に対するもの

重要度

第３章　みなし相続、遺贈財産

　　次のうち、相続又は遺贈により取得したものとみなされる退職手当金に該当するものを答えなさい。

1　甲はA株式会社を令和7年3月31日に退職後、同年5月15日に死亡した。A社は、同年6月29日の株主総会で甲の退職金を35,000千円と決定し、同年9月4日遺族に支給した。

2　甲はB商事を令和7年6月20日に死亡退職した。B商事は経営状態が非常に悪化していたため、甲に対する退職手当金20,000千円が確定し、支給されたのは令和10年12月10日であった。

3　甲の死亡（令和7年8月15日）により、甲が勤務していたC銀行から令和8年2月4日に退職手当金10,000千円が遺族に対して支給された。

4　甲はD株式会社を令和7年10月4日に死亡退職した。D社は令和8年3月20日甲に対し退職手当金20,000千円を支給することを決定したが、資金繰りがつかないため実際に支給されたのは令和10年12月5日であった。

解　答

1、3、4

解答への道

《みなし相続、遺贈財産となる退職手当金》（法3①二、基通3－30、31）

- (1) 死亡退職の場合

　　支給金額が、被相続人の死亡後3年以内に確定したもの

- (2) 生前退職の場合

　　支給金額が、被相続人の死亡前に未確定で、被相続人の死亡後3年以内に確定したもの

1　実際に支給される時期が被相続人の死亡後3年以内であるかどうかは問わない。

2　支給されることは確定していてもその額が確定しないものについては、支給が確定したものには該当しない。

問 題 2　基本型

次の設例に基づき、相続又は遺贈により取得したものとみなされる退職手当金等の金額及びその非課税金額を求めなさい。

<設　例>

1　被相続人甲の相続人等は次に図示するとおりである。

（注1）長男Aは被相続人甲の相続開始以前に死亡している。

（注2）孫E及び孫Fは、被相続人甲の相続に関し、正式に相続の放棄をしている。

2　被相続人甲の死亡により、甲の相続人等は次に掲げるものの支給を受けた。

受取人	金　　額	摘　　　　　要
配偶者乙	19,000千円	勤労者退職金共済機構が行う退職金共済に関する制度に係る契約に基づく一時金
配偶者乙	9,000千円	甲が非常勤役員をしていたG社からの功労金
孫　　E	7,500千円	甲が役員をしていたH社からの退職手当金
養子B	時価 7,000千円	退職金の金銭支給に代えて甲の生前の勤務会社I社の株式で支給を受けたもの

1　相続又は遺贈により取得したものとみなされる退職手当金等の金額

　　配偶者乙　　　19,000千円＋　9,000千円＝28,000千円

　　孫　　　E　　　7,500千円

　　養　子　B　　　7,000千円

2　退職手当金等の非課税金額

　(1)　非課税限度額

　　　5,000千円×5人（法定相続人の数）＝25,000千円

　(2)　相続人が取得した退職手当金等の合計額

　　　　　　乙　　　　　　　B
　　　28,000千円＋7,000千円＝35,000千円

　(3)　非課税金額

　　　(1)＜(2)　　∴

　　　配偶者乙　　　25,000千円×$\dfrac{28,000千円}{35,000千円}$＝20,000千円

　　　養　子　B　　　25,000千円×$\dfrac{7,000千円}{35,000千円}$＝　5,000千円

　　　（注）孫Eは、相続人でないため、非課税の適用はない。

解答への道

《退職手当金等》（法3①二）

- -

　1　課税要件

　　　被相続人の死亡により相続人その他の者がその被相続人に支給されるべきであった退職
　　手当金等で、被相続人の死亡後3年以内に支給が確定したものの支給を受けた場合

　2　課税対象者

　　　退職手当金等の支給を受けた者

　3　課税金額

　　　退職手当金等の額

- -

(1) 勤労者退職金共済機構が行う退職金共済に関する制度に係る契約に基づいて支給を受ける一時金は、退職手当金等の範囲に含まれる。(令1の3)

(2) 退職手当金等として課税されるものの判定に当たっては、その名義のいかんにかかわらず、実質上被相続人の退職手当金等として支給される金品であるか否かによる。(基通3－18)

　　また、現物で支給されるものも含まれる。(基通3－24)

(3) 養子の数の制限 (法15②)

　　被相続人甲には実子が存在するため、法定相続人の数に算入する養子の数は1人である。

　　ただし、相続人 (法3) には該当するため、非課税の適用はある。

《退職手当金等の非課税金額》(法12①六)

1　適用対象者

　相続人 (相続を放棄した者及び相続権を失った者を含まない。)

2　非課税金額

(1) 退職手当金等の非課税限度額

　　5,000千円×法定相続人の数

(2) すべての相続人が取得した退職手当金等の合計額

(3) 各相続人の非課税金額

① (1)≧(2)である場合

　　その相続人の取得した退職手当金等の金額

② (1)＜(2)である場合

$$\text{退職手当金等の}\atop\text{非課税限度額} \times \frac{\text{その相続人の取得した退職手当金等の合計額}}{\text{すべての相続人が取得した退職手当金等の合計額}}$$

　次の設例に基づき、相続又は遺贈により取得したものとみなされる退職手当金等の金額及びその非課税金額を求めなさい。

＜設　例＞

1　被相続人甲の相続人等は次に図示するとおりである。なお、甲は、役員を務めていたＸ社の業務遂行中に死亡しており、甲の死亡は、業務上の死亡に該当する。

　　（注１）先夫丙は、被相続人甲の相続開始以前に死亡している。

　　（注２）二男Ｂは、被相続人甲の相続に関し、正式に相続の放棄をしている。

2　被相続人甲が死亡したことにより、相続人は次の支給を受けることとなった。

　(1)　Ｄ生命保険会社から支払われることとなった保険金

　　①　保険金の額　　　　33,989千円

　　②　保険金受取人　　　長男Ａ

　　③　保険契約者　　　　Ｘ社

　　④　保険料負担者　　　Ｘ社が全額負担している。

　　　なお、この契約は、退職手当金に充当する目的で締結されたものである。

　(2)　甲の勤務先であるＹ社とＥ生命保険会社との間で締結された適格退職年金契約に基づき、退職年金を配偶者乙が受給することとなった。なお、この年金は、配偶者乙の生存中、毎年1,400千円が支給されることとなっており、10年間の保証期間が付されているものである。

　(3)　Ｘ社から弔慰金20,000千円が、Ｙ社から弔慰金9,000千円がそれぞれ配偶者乙に支払われた。なお、甲の賞与以外の普通給与は、Ｘ社が月額600千円、Ｙ社が月額400千円であった。

《参　考》

　1.　76歳の平均余命：15年

　2.　予定利率による複利年金現価率

　　　　10年：9.471

　　　　15年：13.865

解 答

1 相続又は遺贈により取得したものとみなされる退職手当金等の金額

長 男 A　　33,989千円

配偶者乙　　19,411千円$\overset{*1}{}$＋ 0 ＋6,600千円$\overset{*3}{}$＝26,011千円

　　　　　＊1 ①　　1,400千円×9.471＝13,259.4千円

　　　　　　　 ②　　1,400千円×13.865＝19,411千円

　　　　　　　 ③　　①＜②　　∴　　19,411千円

　　　　　＊2　　X社　20,000千円≦600千円×36月＝21,600千円　　∴　　0

　　　　　＊3　　Y社　9,000千円－400千円×6月＝6,600千円

2 退職手当金等の非課税金額

(1) 非課税限度額

5,000千円×3人（法定相続人の数）＝15,000千円

(2) 相続人が取得した退職手当金等の合計額

　　　　A　　　　　乙
33,989千円＋26,011千円＝60,000千円

(3) 非課税金額

(1)＜(2)　　∴

長 男 A　　15,000千円×$\dfrac{33,989千円}{60,000千円}$＝8,497.25千円

配偶者乙　　15,000千円×$\dfrac{26,011千円}{60,000千円}$＝6,502.75千円

解答への道

1　雇用主が保険料を負担している場合（基通3－17、28）

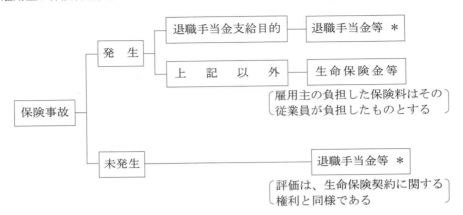

　　＊　保険料負担割合に関係なく（保険料負担者が誰であるかによって、退職手当金等として

　　　の性格が変わるものではない。）、全額が退職手当金等として課税される。

2　退職手当金等に該当する弔慰金等（基通3－20、21）

　(1)　弔慰金等のうち実質的に退職手当金等に該当するもの（実質基準）

　(2)　(1)以外の弔慰金等の取扱い（形式基準）

死　亡　の　原　因	退職手当金等に該当する金額
被相続人の死亡が業務上の死亡の場合	被相続人の死亡当時の賞与以外の普通給与の3年分を超える部分に相当する金額
被相続人の死亡が業務上の死亡でない場合	被相続人の死亡当時の賞与以外の普通給与の半年分を超える部分に相当する金額

　※1　賞与以外の普通給与とは、俸給、給料、賃金、扶養手当、勤務地手当、特殊勤務地手当

　　　等の合計額をいう。

　　2　被相続人の死亡により2以上の会社から弔慰金等の支払を受けた場合には、退職手当金

　　　等に該当するか否かの判定は、各会社ごとに行う。

| 問　題　4 | 法律等に基づく弔慰金等 | 重　要　度 | C |

次の各設例の場合における相続又は遺贈により取得したものとみなされる退職手当金等の金額を求めなさい。

＜設例1＞

被相続人甲の死亡により、甲の勤務先であったA社から退職手当金20,000千円が相続人Bに支給された。また、健康保険法第100条に規定する埋葬料500千円もBに支給された。

＜設例2＞

被相続人甲の死亡により、労働者災害補償保険法の規定による遺族給付及び葬祭料30,000千円及び勤務先であるC社から弔慰金として5,000千円が相続人Dに支給された。なお、甲の死亡は、業務上の死亡に該当する。

また、甲の死亡時の給与の内訳は、次のとおりであった。

| 給　　　与 | 月額 | 600千円 | 勤務地手当 | 月額 | 100千円 |
| 扶 養 手 当 | 月額 | 50千円 | 賞　　　与 | 年額 | 4,500千円 |

＜設例3＞

被相続人甲の死亡により、船員法の規定による遺族手当及び葬祭料12,000千円及び勤務先であるE社から弔慰金として10,000千円が相続人Fに支給された。なお、甲の死亡は、業務上の死亡に該当する。

また、甲の死亡時の普通給与は年額5,500千円であった。

解　答

＜設例1＞

B　20,000千円

健康保険法に規定する埋葬料は、相続税の課税対象とならない。

＜設例2＞

D　30,000千円 ≧ (600千円＋100千円＋50千円) × 36月 ＝ 27,000千円

∴　5,000千円

＜設例3＞

F　12,000千円 ＜ 5,500千円 × 3年 ＝ 16,500千円

∴　10,000千円 － (16,500千円 － 12,000千円) ＝ 5,500千円

《法律等に基づく弔慰金等を取得した場合》（基通3－23）

1　法律等に基づく弔慰金等（基通3－23に掲げる弔慰金等）のみを取得した場合

　　各法律に弔慰金等の算定基準が明示されているため、支給額の全額が適正な弔慰金の額として課税対象外となる。

2　法律等に基づく弔慰金等と一般の弔慰金等の両方を取得した場合

　　法律等に基づく弔慰金等については、1と同様の理由から形式基準にかかわらず、退職手当金等に該当する部分はないが、その弔慰金等の額については、一般の弔慰金等について形式基準による適正額の計算をする際に影響を及ぼす。

ケ　ー　ス	退職手当金等に該当する金額
(1)　普通給与の3年分又は半年分に相当する金額　＞　法律に基づく弔慰金等の金額	一般の弔慰金等の金額　－（普通給与の3年分又は半年分に相当する金額　－　法律に基づく弔慰金等の金額）
(2)　普通給与の3年分又は半年分に相当する金額　≦　法律に基づく弔慰金等の金額	一般の弔慰金等の金額

【図　解】

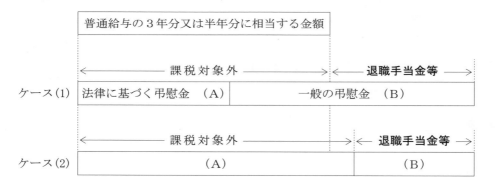

| 問　題　5 | 退職手当金等の支給を受けた者 | 重　要　度 | A |

次の設例に基づき、相続又は遺贈により取得したものとみなされる退職手当金等の金額及びその非課税金額を求めなさい。

＜設　例＞

1　被相続人甲の相続人等は次に図示するとおりである。

（注1）父Cは相続開始以前に死亡している。

（注2）母Dは被相続人甲の相続に関し、正式に相続の放棄をしている。

（注3）被相続人甲は、Y株式会社の業務遂行中に死亡している（甲の死亡は業務上の死亡に該当する。）。

2　被相続人甲の死亡後、甲の相続人は、次の支給を受けることとなった。

（1）X株式会社から、被相続人甲の死亡退職に伴い、弔慰金名義で20,000千円が配偶者乙に支給された。甲の死亡当時のX株式会社における普通給与は月額500千円である。なお、この弔慰金は、X株式会社の「役員退職功労金支給規程」に基づいて支給されているが、この規程では、役員が生前退職した場合には退職功労金を、死亡退職した場合には退職功労金に代えて同額を弔慰金として支給する旨定められている。

（2）Y株式会社から、被相続人甲の死亡退職に伴い、死亡退職金12,000千円及び葬祭料5,000千円が遺族に支給されることとなった。

なお、退職給与規程等により受給者は具体的に定められておらず、かつ、相続税の申告期限までに相続人の誰が取得するかは決まっていない。なお、甲の死亡当時のY株式会社から受けていた給与の内訳は、次のとおりである。

　　　給　　　与　　　年額　　3,200千円　　　　賞　　　与　　　年額　　2,000千円

解　答

1　相続又は遺贈により取得したものとみなされる退職手当金等の金額

配偶者乙　　20,000千円＋12,000千円×$\dfrac{1}{3}$＝24,000千円

兄　　　A　　12,000千円×$\dfrac{1}{3}$＝4,000千円

妹　　　B　　12,000千円×$\dfrac{1}{3}$＝4,000千円

※　葬祭料（弔慰金）　5,000千円≦3,200千円×3年　　∴　全額課税対象外となる。

2　退職手当金等の非課税金額

(1)　非課税限度額

5,000千円×2人（法定相続人の数）＝10,000千円

(2)　相続人が取得した退職手当金等の合計額

$\quad\quad$乙$\quad\quad\quad$A$\quad\quad\quad$B
24,000千円＋4,000千円＋4,000千円＝32,000千円

(3)　非課税金額

(1)＜(2)　　∴

配偶者乙　　10,000千円×$\dfrac{24,000千円}{32,000千円}$＝7,500千円

兄　　　A　　10,000千円×$\dfrac{4,000千円}{32,000千円}$＝1,250千円

妹　　　B　　10,000千円×$\dfrac{4,000千円}{32,000千円}$＝1,250千円

1　退職手当金等の支給を受けた者（基通3－25）

	ケ　ー　ス			支　給　を　受　け　た　者
(1)	退職給与規程等により受給者が具体的に定められている場合			退職給与規程等により支給を受けることとなる者
(2)	退職給与規程等により受給者が具体的に定められていない場合又はその被相続人が退職給与規程等の適用を受けない者である場合	①	相続税の申告書提出時までに退職手当金等を現実に取得した者があるとき	その取得した者
		②	相続人全員の協議により退職手当金等の受給者を定めたとき	その定められた者
		③	①、②以外の場合	相続人の全員が各人均等に取得したものとして取り扱う

2　実質的に退職手当金等に該当する弔慰金は、その全額が退職手当金として課税される。（基通3－18、20）

次の設例に基づき、各相続人等の相続税の課税価格を求めなさい。

＜設 例＞

1　令和7年5月12日に死亡した被相続人甲の相続人等は次に図示するとおりである。

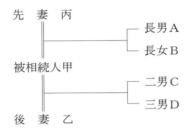

　　　先 妻 丙 ── 長男A
　　　　　　　　　 長女B
　　被相続人甲
　　　　　　　　　 二男C
　　　後 妻 乙 ── 三男D

　　　（注）三男Dは、被相続人甲の相続に関し、正式に相続の放棄をしている。

2　被相続人甲は後妻乙に現金3,000千円、三男Dに現金2,000千円を遺贈する旨の遺言を遺しており、各相続人及び受遺者はその内容につき了承している。

3　相続開始時における被相続人甲の遺贈財産以外の遺産総額は16,500千円であり、相続税の申告期限までに共同相続人による分割協議は調っていない。なお、このうちには、下記4に掲げる財産のうち、本来の相続財産に該当するものの価額は含まれていない。

4　上記のほか、相続税の申告期限までに次の事項が判明している。

（1）E会社から被相続人甲の特別慰労金6,000千円が支給された。この特別慰労金は、甲が令和7年3月にE会社を退職した際に支給されること及び支給額も確定していたが、実際の支給が遅れて6月になったものである。なお、この特別慰労金の取得者は、相続税の申告期限までに定まっていない。

（2）F会社から被相続人甲の死亡退職に伴い、退職給付金15,000千円が後妻乙に、また功労金10,000千円が長男Aに、それぞれ支給された。

　　また、この他に、F会社から甲に支給されるべきであった賞与で令和7年6月に支給額が確定したもの3,500千円及び相続開始の時において支給期の到来していなかった5月分の給与1,000千円も相続人に対し支払われているが、これらの取得者は、相続税の申告期限までに定まっていない。

答案用紙

課 税 価 格 表　　　　　　　　　（単位：千円）

項　　目　　　　　　相続人等				
遺 贈 財 産 の 価 額				
未 分 割 財 産 の 価 額				
み な し 財 産				
課 税 価 格				

解　答

1　遺贈財産の価額

　　後妻乙　　　3,000千円　　　　　三男D　　　2,000千円

2　未分割財産の価額

　（1）未分割財産の価額

　　　16,500千円＋6,000千円＋3,500千円＋1,000千円＝27,000千円

　（2）特別受益額　　3,000千円

　　　　　　　　　　　　　　　　　乙
　　　共同相続人に対する遺贈　　3,000千円

　（3）みなし相続財産の価額　　（1）＋（2）＝30,000千円

　（4）各相続人の具体的相続分

　　　　後 妻 乙　　　　　　　　$\dfrac{1}{2}$ － 3,000千円＝12,000千円

　　　　長 男 A　　　　　　　　$\dfrac{1}{2} \times \dfrac{1}{3}$　　 ＝ 5,000千円

　　　　　　　　　　30,000千円×

　　　　長 女 B　　　　　　　　$\dfrac{1}{2} \times \dfrac{1}{3}$　　 ＝ 5,000千円

　　　　二 男 C　　　　　　　　$\dfrac{1}{2} \times \dfrac{1}{3}$　　 ＝ 5,000千円

3　退職手当金等

　　後 妻 乙　　　15,000千円

　　長 男 A　　　10,000千円

4 退職手当金等の非課税金額

(1) 非課税限度額

  5,000千円×5人（法定相続人の数）＝25,000千円

(2) 相続人が取得した退職手当金等の合計額

$$\underset{乙}{15,000千円}+\underset{A}{10,000千円}=25,000千円$$

(3) 非課税金額

  (1)≧(2)　　∴

  後妻乙　　　15,000千円

  長男A　　　10,000千円

課 税 価 格 表

(単位：千円)

項　　目 ＼ 相続人等	後妻乙	三男D	長男A	長女B	二男C
遺 贈 財 産 の 価 額	3,000	2,000			
未 分 割 財 産 の 価 額	12,000		5,000	5,000	5,000
み な し 財 産	0		0		
課 税 価 格	15,000	2,000	5,000	5,000	5,000

解答への道

《被相続人の本来の相続財産となるもの》

(1) 被相続人が受けるべきであった賞与の額が被相続人の死亡後確定したもの（基通3－32）

(2) 相続開始の時において支給期の到来していない俸給、給料等（基通3－33）

(3) 生前退職による退職手当金等で、支給金額が死亡前に確定しており、被相続人の死亡後に支給されたもの

第3章　みなし相続、遺贈財産

次の設例に基づき、課税対象者及び相続又は遺贈により取得したものとみなされる生命保険契約に関する権利の価額を求めなさい。

＜設　例＞

被相続人甲の相続開始時において、まだ保険事故の発生していない生命保険契約には、次のものがあった。

	被保険者	保険契約者	保険金受取人	保険料負担者	解約返戻金の額
X 生命保険	A	乙	B	甲　全額	4,400,000円
Y 生命保険	B	A	A	甲　2分の1 A　2分の1	2,400,000円

解 答

乙　4,400,000円

A　$2,400,000円 \times \dfrac{1}{2} = 1,200,000円$

解答への道

《生命保険契約に関する権利》（法3①三）

1　課税要件

　　相続開始の時においてまだ保険事故が発生していない生命保険契約（一定期間内に保険事故が発生しなかった場合において、返還金等の支払がない生命保険契約を除く。）で、被相続人が保険料の全部又は一部を負担し、かつ、被相続人以外の者がその生命保険契約の契約者であるものがある場合

2　課税対象者

　　生命保険契約の契約者

3　課税金額

　　$生命保険契約に関する権利の価額 \times \dfrac{被相続人が負担した保険料の金額}{相続開始の時までに払い込まれた保険料の全額}$

《生命保険契約に関する権利の評価》

　　生命保険契約に関する権利の価額は、相続開始時において契約を解約するとした場合に支払われる解約返戻金の額により評価する。

| 問　題　2 | みなし財産と本来の相続財産 | 重　要　度 | A |

<設　例>

　次の設例に基づき、相続税の課税対象者、課税される財産の種類及び課税金額を求めなさい。なお、非課税金額については、考慮しなくてよい。

<設　例>

　被相続人甲死亡時において、次の生命保険契約（いわゆる掛捨保険契約ではない。）があった。なお、払込保険料は、それぞれの保険料負担者が、実際に支払った保険料の額の合計額である。また、C社は、被相続人甲の勤務会社であった。

区　　　分	X生命保険契約	Y生命保険契約	Z生命保険契約
保 険 契 約 者	子　B	被相続人甲	C　社
被 保 険 者	子　B	配偶者乙	配偶者乙
保 険 金 受 取 人	被相続人甲	被相続人甲	被相続人甲
払込保険料及び保険料負担者	被相続人甲 3,000千円	被相続人甲 700千円 配偶者乙　　300千円	C社　1,500千円

(1) X生命保険契約を課税時期に解約した場合における返戻金の額は、1,220千円である。

(2) Y生命保険契約及びZ生命保険契約に関する権利は、ともに配偶者乙が取得した。なお、両契約を課税時期に解約した場合における返戻金の額は、Y生命保険契約が300千円、Z生命保険契約が820千円である。

解　答

(1) X生命保険契約　**生命保険契約に関する権利**（みなし財産）

　　子　　　B　1,220千円

(2) Y生命保険契約　**生命保険契約に関する権利**（本来の相続財産）

　　配偶者乙　300千円 × $\dfrac{700千円}{700千円 + 300千円}$ ＝ 210千円

(3) Z生命保険契約　**退職手当金等**（みなし財産）

　　配偶者乙　820千円

《本来の相続財産に該当するもの》（基通 3 − 36）

(1) 保険事故が未発生 (2) 掛捨保険以外 (3) 被相続人が保険料を負担	── 被相続人＝保険契約者 ──	本来（民法上）の相続財産
	── 被相続人≠保険契約者 ──	みなし相続・遺贈財産 （生命保険契約に関する権利）

　なお、本来の相続財産に該当した場合も、評価方法は生命保険契約に関する権利と同様である。

《退職手当金等に該当する生命保険契約に関する権利》（基通 3 − 17、28）

1　課税要件

　　雇用主がその従業員のために、その従業員の配偶者その他の親族等を被保険者とする生命保険契約等（掛捨保険契約に該当するものを除く。）を締結した場合において、その従業員の死亡により相続人その他の者がこれらの契約に関する権利を取得したとき

2　課税対象者

　　生命保険契約に関する権利を取得した者

3　課税金額

　　生命保険契約に関する権利の価額と同様

問 題 3　みなし財産と債務控除

重要度 C

次の設例に基づき、配偶者乙の分割財産の価額及び債務控除額を求めなさい。

<設 例>

被相続人甲の相続開始時において、甲が保険料の全部を負担していた生命保険契約で、保険事故が発生していないもの（掛捨保険契約ではない。）は、次のとおりである。なお、この契約に係る財産及び債務は、分割協議により配偶者乙が引き継ぐこととなった。

保険契約者	被 保 険 者	保険金受取人	課税時期における解約返戻金の額	備　　　考
被相続人甲	配 偶 者 乙	子　　A	4,000千円	この生命保険契約には、契約者貸付金の額が1,000千円（元利合計額）がある。

解 答

(1) 分割財産（生命保険契約に関する権利）

配偶者乙　4,000千円

(2) 債務控除額

配偶者乙　1,000千円

　相続開始の時において、まだ保険事故が発生していない生命保険契約の契約者が被相続人である場合において、その生命保険契約の契約者に対する契約者貸付金等の額があるときは、その契約者貸付金等の額は債務控除の対象となる。

(1)　適用要件

相続開始の時において、次の要件のすべてを満たすこと ①　保険事故が未発生 ②　掛捨保険契約以外の生命保険契約 ③　被相続人が生命保険契約の契約者 ④　その保険契約に係る契約者貸付金等[*]があること

　　　＊　契約者貸付金等

　　　　　　契約者貸付金（元利合計額）

　　　　　　保険料の振替貸付けに係る貸付金（元利合計額）

　　　　　　未払込保険料（元利合計額）

(2)　取扱い

その契約者貸付金等の額を債務控除の対象とする。

| テーマ4 | その他のみなし財産 |

第3章　みなし相続、遺贈財産

　次に掲げる各設例の場合において、相続又は遺贈により取得したものとみなされる財産の価額を求めなさい。

＜設例1＞

1　被相続人甲は、令和7年5月12日に死亡した。

2　甲死亡時において、次の内容の簡易生命保険契約（定期金給付事由：受取人が60歳に達すること）があった。

(1) 契　約　者　　長男A

(2) 受　取　人　　二男B（58歳）

(3) 保険料の負担者及びその負担金額　　甲　1,200千円

(4) 保険料の払込開始から相続開始時までの期間　　10年

＜ケース1＞

　解約返戻金を支払う定めがなく、保険料が一時に払い込まれた場合

＜ケース2＞

　解約返戻金を支払う定めがなく、保険料が一時払いでない場合

＜ケース3＞

　解約返戻金（1,440千円）を支払う定めがある場合

＜設例2＞

1　被相続人甲は、令和7年6月20日に死亡した。

2　被相続人甲は生前、保証期間付の生命保険契約に基づき、年金を受給していたが、甲の死亡により配偶者乙がその年金の継続受取人となった。

(1) 給　付　期　間　　平成26年3月15日から令和15年3月15日まで（20年間）

(2) 年金給付日　　毎年3月15日

(3) 年　金　の　額　　年　1,500千円

＜設例3＞

1　被相続人甲は、令和7年3月10日に死亡した。

2　被相続人甲は、生前勤務していた会社を平成29年に退職し、その後適格退職年金契約に基づく年金を受給していたが、甲の死亡により配偶者乙が継続受取人となった。

(1) 年金給付期間　　20年間

(2) 残存給付期間　　12年間

(3) 年金の額　　　　年額　1,000千円

《参　考》

1　複利終価率（10年）：1.105

2　複利年金終価率（10年）：10.462

3　複利年金現価率（8年）：　7.652

4　複利年金現価率（12年）：11.255

解　答

<設例１>　定期金に関する権利

長男A

<ケース１>

$$1,200千円 \times 1.105 \times \frac{90}{100} = 1,193.4千円$$

<ケース２>

$$1,200千円 \div 10年 \times 10.462 \times \frac{90}{100} = 1,129.896千円$$

<ケース３>

1,440千円

<設例２>　保証期間付定期金に関する権利

配偶者乙　　　$1,500千円 \times 7.652 = 11,478千円$

<設例３>　契約に基づかない定期金に関する権利

配偶者乙　　　$1,000千円 \times 11.255 = 11,255千円$

《定期金に関する権利》（法3①四）

1　課税要件

　　相続開始の時において、まだ定期金給付事由が発生していない定期金給付契約（生命保険契約を除く。）で、被相続人が掛金又は保険料の全部又は一部を負担し、かつ、被相続人以外の者がその定期金給付契約の契約者であるものがある場合

2　課税対象者

　　定期金給付契約の契約者

3　課税金額

$$\text{定期金給付契約に関する権利の価額}^{※} \times \frac{\text{被相続人が負担した掛金又は保険料の金額}}{\text{相続開始の時までに払い込まれた掛金又は保険料の全額}}$$

※　定期金給付事由が発生していない定期金給付契約に関する権利の価額（法25）

(1) その契約に解約返戻金を支払う旨の定めがない場合

　　　次の区分に応じ、それぞれの金額に100分の90を乗じて得た金額

①　その契約に係る掛金又は保険料が一時に払い込まれた場合

　　　その掛金又は保険料の払込金額×経過期間に応ずる予定利率による複利終価率

②　①以外の場合

　　　その経過期間に払い込まれた掛金又は保険料の金額の1年当たりの平均額 × 経過期間に応ずる予定利率による複利年金終価率

(2) (1)以外の場合

　　解約返戻金

《保証期間付定期金に関する権利》（法3①五）

1 課税要件

　定期金給付契約で定期金受取人に対しその生存中又は一定期間にわたり定期金を給付し、かつ、その者が死亡したときはその死亡後遺族その他の者に対して定期金又は一時金を給付するものに基づいて、定期金受取人たる被相続人の死亡後相続人その他の者が定期金受取人又は一時金受取人となった場合

2 課税対象者

　定期金受取人又は一時金受取人となった者

3 課税金額

定期金給付契約に
関する権利の価額* $\times$ $\dfrac{\text{被相続人が負担した掛金又は保険料の金額}}{\text{相続開始の時までに払い込まれた掛金又は保険料の全額}}$

＊　定期金給付事由が発生している定期金給付契約に関する権利の価額（法24①一、四）

	継続受取人の受給形態	定期金給付契約に関する権利の価額
(1)	定期金により給付を受ける場合	有期定期金としての評価額
(2)	一時金により給付を受ける場合	そ　の　給　付　金　額

《契約に基づかない定期金に関する権利》（法3①六）

1 課税要件

　被相続人の死亡により相続人その他の者が、定期金に関する権利で契約に基づくもの以外のものを取得した場合

2 課税対象者

　定期金に関する権利を取得した者

3 課税金額

　定期金に関する権利の価額*（退職手当金等に該当するものを除く。）

＊　定期金に関する権利の価額（法24⑤）

　上記定期金給付事由が発生している定期金給付契約に関する権利の評価を準用する。

《課税関係のまとめ》

1　退職年金の課税関係

```
┌──────────┐   ┌──────────────────────┐   ┌──────────────────────┐
│退職年金を│───│その取得が今回の死亡に│───│退職手当金等（法3①二）│
│取得した場合│   │基づくものであること  │   └──────────────────────┘
│          │   ├──────────────────────┤   ┌──────────────────────┐
└──────────┘   │その取得が退職年金の継続受│───│契約に基づかない定期金に│
               │給に基づくものであること  │   │関する権利（法3①六）  │
               └──────────────────────┘   └──────────────────────┘
```

2　継続受給権の課税関係

```
┌──────────┐   ┌──────────────────────┐   ┌──────────────────────┐
│継続受給権を│───│その取得が退職年金に  │───│契約に基づかない定期金に│
│取得した場合│   │基づくものであること  │   │関する権利（法3①六）  │
│          │   ├──────────────────────┤   ┌──────────────────────┐
└──────────┘   │その取得が上記以外    │───│保証期間付定期金に     │
               │のものであること      │   │関する権利（法3①五）  │
               └──────────────────────┘   └──────────────────────┘
```

| 問　題　2 | 低額譲受益、債務免除等による利益 | 重　要　度 | B |

次の各設例の場合における、相続税の課税対象者及び課税金額を求めなさい。

＜設例1＞

　　被相続人甲は、長女Aに遺産中の株式（時価25,000千円）を5,000千円で譲渡するという遺言を残していた。相続人及び受遺者の全員が、この遺言の内容について了承した。なお、長女Aの資産状態は良好である。また、長女Aが支払った対価については、相続人等間の協議により、相続人である配偶者乙が取得することとなった。

＜設例2＞

　　被相続人甲は、生前、公正証書による遺言を残していた。その内容は、長男Bの銀行からの借入金17,000千円につき遺産中の定期預金をもって肩替り弁済すること、及びこの弁済によって生ずる長男Bに対する求償権は放棄することとなっている。なお、長男Bの資産状態は悪化しており9,000千円の債務超過の状態にあった。

＜設例3＞

　　被相続人甲の遺言により、二男Cは土地12,000千円を取得した。なお、この土地は、二女Dが銀行から融資を受けた際に担保として提供され、抵当権が設定されており、相続開始時における二女Dの銀行に対する債務金額が7,800千円あった。この二女Dの債務を、遺言に従って二男Cが全額弁済した。

解　答

＜設例1＞

| 長　女　A | 25,000千円－5,000千円＝20,000千円……**低額譲受益** |
| 配偶者乙 | 5,000千円……**民法上の相続（分割）財産** |

＜設例2＞

| 長　男　B | 17,000千円－9,000千円＝8,000千円……**債務免除等による利益** |

＜設例3＞

| 二　男　C | 12,000千円－7,800千円＝4,200千円（負担付遺贈）……**民法上の遺贈** |
| 二　女　D | 7,800千円……**その他の利益の享受** |

《低額譲受益》（法７）

1 課税要件

　遺言により著しく低い価額の対価で財産の譲渡を受けた場合

2 課税対象者

　財産の譲渡を受けた者

3 課税金額

　財産の時価 － 対価

　なお、遺贈者が財産を譲渡することによって得る対価は、遺贈者の本来の相続財産として取り扱う。

《債務免除等による利益》（法８）

1 課税要件

　債務の免除、引受け又は第三者のためにする債務の弁済による利益を受けた場合

2 課税対象者

　債務の免除、引受け又は弁済による利益を受けた者

3 課税金額

　債務の免除、引受け又は弁済に係る債務の金額に相当する金額

《課税されない場合》

1 低額譲受、債務の引受け、弁済の場合

(1) 要　件

　① 譲渡を受ける者又は債務者が資力を喪失して債務を弁済することが困難

　② 扶養義務者からの債務の弁済に充てるための譲渡又は扶養義務者によって債務の引受け又は弁済がなされたとき

(2) 課税されない金額

　遺贈により取得したものとみなされた金額のうち、その債務を弁済することが困難である部分の金額

2 債務の免除の場合

(1) 要　件

　① 債務者が資力を喪失して債務を弁済することが困難

　② 債務の免除を受けたとき

(2) 課税されない金額

　遺贈により取得したものとみなされた金額のうち、その債務を弁済することが困難である部分の金額

第4章

相続税の課税価格の計算

| テーマ1 | 立木の評価 |

| テーマ2 | 小規模宅地等の特例 |

| テーマ3 | 特定計画山林の特例 |

| テーマ4 | 財産の分割 |

| テーマ5 | 課税価格に算入すべき価額 |

立木の評価

重要度

問題1　基本型　　　　　　　　　　　　　　　　　　　　　　A

問題2　未分割遺産の中に立木が含まれている場合　　　　　　B

第4章　相続税の課税価格の計算

次の設例に基づき、相続税の課税価格に算入される立木の価額を求めなさい。

＜設　例＞

1　被相続人甲の相続人等は次に図示するとおりである。

　　（注1）長女Aは、相続開始以前に死亡している。

　　（注2）二女Bは、被相続人甲の相続に関し、正式に相続の放棄をしている。

2　相続により取得した立木の時価は次のとおりである。

　　配偶者乙　8,800千円　　　　　長男C　5,900千円

3　特定遺贈により取得した立木の時価は次のとおりである。

　　孫　D　4,000千円　　二女B　7,220千円　　夫　A′　1,520千円

4　包括遺贈により取得した立木の時価は次のとおりである。

　　弟　丙　2,000千円

解　答

配偶者乙　　8,800千円 $\times \dfrac{85}{100}$ ＝7,480千円

長　男　C　　5,900千円 $\times \dfrac{85}{100}$ ＝5,015千円

孫　　　D　　4,000千円 $\times \dfrac{85}{100}$ ＝3,400千円

二　女　B　　7,220千円

夫　　　A′　　1,520千円

弟　　　丙　　2,000千円 $\times \dfrac{85}{100}$ ＝1,700千円

解答への道

《立木の評価（立木の時価×85％）における適用対象者》（法26）

相続人（相続を放棄した者及び相続権を失った者を含まない。）、包括受遺者

| 問　題　２ | 未分割遺産の中に立木が含まれている場合 | 重　要　度 | B |

次の設例に基づき、各相続人等の相続税の課税価格に算入すべき価額を求めなさい。

＜設　例＞

1　被相続人甲（令和７年７月２日死亡）の相続人等は次に図示するとおりである。

（注）長女Ｃは、被相続人甲の相続に関し、正式に放棄している。

2　被相続人甲は遺言により、次の財産を遺贈している。

　　配偶者乙　　　　立木4,000千円及び株式6,000千円

　　長　女　Ｃ　　　立木2,000千円

3　被相続人甲の死亡時における遺贈財産以外の遺産総額は200,000千円（うち立木の時価30,000千円を含む。）であるが、相続税の申告期限までに、各相続人間で分割が確定していない。

4　甲が生前に生計の資本として贈与した財産は次のとおりである。

贈与年月日	受贈者	財　産	贈与時の価額	相続開始時の価額
令和５年３月24日	配偶者乙	立　木	8,000千円	10,000千円
令和６年５月７日	長男Ａ	現　金	4,000千円	4,000千円

答案用紙

課　税　価　格　表
（単位：千円）

項　目＼相続人等				
遺 贈 財 産 の 価 額				
未 分 割 財 産 の 価 額				
未 分 割 立 木 の 評 価 減				
生 前 贈 与 加 算 額				
課　税　価　格				

解　答

1　遺贈財産の価額

配偶者乙　　　　$4,000千円 \times \dfrac{85}{100} + 6,000千円 = 9,400千円$

長　女　C　　　2,000千円（相続人又は包括受遺者でないため立木の評価の適用はない。）

2　未分割財産の価額

(1) 未分割財産の価額

200,000千円

(2) 特別受益額

① 共同相続人に対する遺贈　　$\overset{乙}{4,000千円} + \overset{乙}{6,000千円} = 10,000千円$

② 共同相続人に対する贈与　　$\overset{乙}{10,000千円} + \overset{A}{4,000千円} = 14,000千円$

③ ①＋②＝24,000千円

(3) みなし相続財産の価額　　　(1)＋(2)＝224,000千円

(4) 各相続人の具体的相続分

配偶者乙

長　男　A　　　$224,000千円 \times$

二　男　B

$$\begin{cases} \dfrac{1}{2} - 4,000千円 - 6,000千円 - 10,000千円 = 92,000千円 \\ \dfrac{1}{2} \times \dfrac{1}{2} - 4,000千円 \qquad\qquad\qquad = 52,000千円 \\ \dfrac{1}{2} \times \dfrac{1}{2} \qquad\qquad\qquad\qquad\qquad = 56,000千円 \end{cases}$$

3　未分割立木の評価減

配偶者乙

長　男　A　　　$30,000千円 \times$

二　男　B

$$\left\{ \begin{array}{c} \dfrac{92,000千円}{200,000千円} \\ \dfrac{52,000千円}{200,000千円} \\ \dfrac{56,000千円}{200,000千円} \end{array} \right\} \times \left[1 - \dfrac{85}{100} \right] = \left\{ \begin{array}{c} 2,070千円 \\ 1,170千円 \\ 1,260千円 \end{array} \right.$$

4　生前贈与加算額

配偶者乙　　　8,000千円

長　男　A　　　4,000千円

課 税 価 格 表

(単位：千円)

項　目 ＼ 相続人等	配偶者乙	長女 C	長男 A	二男 B
遺 贈 財 産 の 価 額	9,400	2,000		
未 分 割 財 産 の 価 額	92,000		52,000	56,000
未分割立木の評価減	△ 2,070		△ 1,170	△ 1,260
生 前 贈 与 加 算 額	8,000		4,000	
課　税　価　格	107,330	2,000	54,830	54,740

解答への道

《未分割遺産の中に立木が含まれている場合の計算方法》

(1) 立木については時価で評価した金額を用いて、各相続人の具体的相続分を求める。

(2) 各相続人の具体的相続分の比に応じて立木を取得したものと仮定する。

$$立木の時価 \times \frac{その相続人の具体的相続分}{各相続人の具体的相続分の合計額}$$

(3) (2)により取得したものとした立木の時価につき $\left[1 - \dfrac{85}{100} \right]$ を乗じて、立木の評価減とする。

　生前贈与加算の規定により相続税が課税される立木については、その取得原因は贈与であるため、評価の適用はない。

重要度

　本問題集では、小規模宅地等の特例の基礎を押さえてもらうための問題のみを収録しています。税理士受験には、通達レベルの様々なタイプの問題を押さえておく必要がありますので、「財産評価問題集」で確認しておくことをお勧めします。

| 問　題　1 | 特定事業用宅地等である小規模宅地等 | 重　要　度 | A |

次の各設例の場合において、相続税の課税価格に算入すべき財産の価額を求めなさい。

（注）宅地及び家屋は、すべて借地権割合が60％、借家権割合が30％である地域に所在しているものとする。

＜設例1＞

被相続人甲の死亡により、配偶者乙が相続により取得した財産は、次のとおりである。

(1) 宅　地　　420㎡　　自用地としての価額　92,400千円

(2) 家　屋　　600㎡　　固定資産税評価額　　60,000千円

　この家屋は、(1)の宅地の上に建てられているもので、被相続人甲が平成24年から物品小売業の店舗の用に供していたものである。なお、配偶者乙は、相続税の申告期限までにその事業を承継し、同期限においても(1)の宅地を所有し、その事業の用に供している。

＜設例2＞

被相続人甲の死亡により、甲と生計を一にしていた長男Aの妻A′が遺贈により取得した財産は、次のとおりである。

(1) 宅　地　　320㎡　　自用地としての価額　51,200千円

(2) 家　屋　　120㎡　　固定資産税評価額　　15,000千円

　この家屋は、(1)の宅地の上に建てられているもので、長男Aの妻A′が平成26年から卸売業の事務所の用に供していたものであるが、被相続人甲への家賃等の支払はなかった。なお、長男Aの妻A′は、相続税の申告期限においても(1)の宅地を所有し、その事業の用に供している。

＜設例3＞

　上記の設例1及び設例2において、それぞれの宅地及び家屋を取得した者が、相続開始後それぞれに掲げる事業を廃止した場合

＜設例4＞

被相続人甲の死亡により、二男Bが相続により取得した財産は、次のとおりである。

(1) 宅　地　　250㎡　　自用地としての価額　60,000千円

(2) 家　屋　　200㎡　　固定資産税評価額　　30,000千円

　この家屋は、(1)の宅地の上に建てられているもので、被相続人甲が平成29年から賃貸借契約により第三者に貸し付けていたものである。なお、二男Bは、相続税の申告期限においても(1)の宅地を所有し、(2)の家屋を第三者に貸し付けている。

<設例5>

　　被相続人甲の死亡により、三男Cが相続により取得した財産は、次のとおりである。

（1）宅　地　　　300㎡　　　自用地としての価額　49,500千円

（2）構築物　　　　　　　時価　　　　　　　　14,000千円

　　この構築物は、(1)の宅地の上に建てられているもので、平成29年から被相続人甲が立体駐車場の用に供しているものであり、相続税の申告期限において利用状況に変更はない。

<設例6>

　　被相続人甲の死亡により、孫Dが遺贈により取得した財産は、次のとおりである。

　　宅　地　　　300㎡　　　自用地としての価額　49,500千円

　　この宅地は、被相続人甲が平成29年からその土地に車庫等の何らの設備も設けずに空地のまま貸駐車場の用に供し、相当の収益を得ていたものである。

解　答

<設例1>

宅　地　　$92,400千円 － 92,400千円 × \dfrac{400㎡}{420㎡} × \dfrac{80}{100} ＝ 22,000千円$

家　屋　　$60,000千円 × 1.0 ＝ 60,000千円$

<設例2>

宅　地　　$51,200千円 － 51,200千円 × \dfrac{320㎡}{320㎡} × \dfrac{80}{100} ＝ 10,240千円$

家　屋　　$15,000千円 × 1.0 ＝ 15,000千円$

<設例3>

設例1　　宅　地　　92,400千円

　　　　　家　屋　　$60,000千円 × 1.0 ＝ 60,000千円$

設例2　　宅　地　　51,200千円

　　　　　家　屋　　$15,000千円 × 1.0 ＝ 15,000千円$

<設例4>

宅　地　　$60,000千円 × (1 － 60\% × 30\%) ＝ 49,200千円$

　　　　　$49,200千円 － 49,200千円 × \dfrac{200㎡}{250㎡} × \dfrac{50}{100} ＝ 29,520千円$

家　屋　　$30,000千円 × 1.0 × (1 － 30\%) ＝ 21,000千円$

<設例5>

宅　地　　$49,500千円 － 49,500千円 × \dfrac{200㎡}{300㎡} × \dfrac{50}{100} ＝ 33,000千円$

構築物　　14,000千円

<設例6>

　宅　地　　49,500千円（一定の建物又は構築物の敷地の用に供していないため、小規模宅地等の特例の適用はない。）

解答への道

1　適用対象となる小規模宅地等の範囲（措法69の4①）

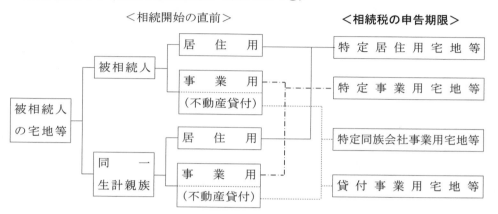

2　課税価格算入額

　小規模宅地等については、相続税の課税価格に算入すべき価額は、その小規模宅地等の価額に次に掲げる小規模宅地等の区分に応じそれぞれに定める割合を乗じて計算した金額とする。

(1) 特定事業用宅地等、特定居住用宅地等及び特定同族会社事業用宅地等である小規模宅地等

　　　　　　　　　　　　………………… 100分の20（減額割合80％）

(2) 貸付事業用宅地等である小規模宅地等………………… 100分の50（減額割合50％）

3　限度面積

(1) 特定事業用宅地等及び特定同族会社事業用宅地等（以下「特定事業用等宅地等」という。）

> 面積の合計≦400㎡

(2) 特定居住用宅地等

> 面積の合計≦330㎡

(3) 貸付事業用宅地等

$$\text{特定事業用等宅地等の面積の合計} \times \frac{200}{400} + \text{特定居住用宅地等の面積の合計} \times \frac{200}{330} + \text{貸付事業用宅地等の面積の合計} \leq 200㎡$$

4 特定事業用宅地等である小規模宅地等

(1) 被相続人の事業の用に供されていた宅地等

その宅地等を取得した被相続人の親族が、

① 相続開始時から申告期限までにその宅地等の上で営まれていた被相続人の事業を引き継ぎ、

② 申告期限まで引き続きその宅地等を有し、かつ、その事業を営んでいれば80％の減額割合となる。

(2) 被相続人と生計を一にする親族の事業の用に供されていた宅地等

その宅地等を取得した者が、

① その被相続人と生計を一にしていた者であって、

② 相続開始時から申告期限まで引き続きその宅地等を有し、かつ、

③ 相続開始前から申告期限までその宅地等を自己の事業の用に供していれば80％の減額割合となる。

(3) 上記(1)及び(2)に規定する被相続人等の事業からは不動産貸付業、駐車場業、自転車駐車場業及び準事業は除かれることに注意すること。（次の5を参照）

5 不動産貸付業等及び準事業の用に供されていた宅地等

　相当の対価を継続的に得て貸付けの用に供されていた宅地等については、たとえその貸付けが事業的規模で行われている場合においても、特定事業用宅地等には該当せず、貸付事業用宅地等に該当するか否かの判断を行うこととなる。

　ただし、貸し付けられた宅地等が、特定同族会社の事業の用に供されている宅地等に該当する場合を除く。

次の各設例の場合において、相続税の課税価格に算入すべき財産の価額を求めなさい。また、各取得者はいずれも日本国籍を有しており、相続開始時における住所は、それぞれ、日本国内にあるものとする。

＜設例1＞

被相続人甲の死亡により、配偶者乙が遺贈により取得した財産は、次のとおりである。

(1) 宅　地　　150㎡　　自用地としての価額　　45,000千円

(2) 家　屋　　100㎡　　固定資産税評価額　　10,000千円

　　この家屋は、(1)の宅地の上に建てられているもので、被相続人甲が配偶者乙とともに居住の用に供していたものである。

＜設例2＞

被相続人甲の死亡により、長男Aが遺贈により取得した財産は、次のとおりである。

(1) 宅　地　　300㎡　　自用地としての価額　　72,000千円

(2) 家　屋　　180㎡　　固定資産税評価額　　16,000千円

　　この家屋は、(1)の宅地の上に建てられているもので、被相続人甲が長男Aとともに居住の用に供していたものである。なお、長男Aは、相続税の申告期限においても(1)の宅地を所有し、この家屋に居住している。

＜設例3＞

被相続人甲の死亡により、甲と生計を一にしていなかった二男Bが相続により取得した財産は、次のとおりである。なお、被相続人甲の親族は、配偶者乙、長男A及び二男Bの3人であるが、配偶者乙及び長男Aは既に死亡している。また、二男Bは、被相続人甲の相続開始まで貸アパートに居住していた。

(1) 宅　地　　240㎡　　自用地としての価額　　60,000千円

(2) 家　屋　　200㎡　　固定資産税評価額　　16,000千円

　　この家屋は、(1)の宅地の上に建てられているもので、被相続人甲が1人で居住の用に供していたものである。なお、二男Bはこの家屋を相続開始前に所有していたことはなく、相続税の申告期限においても(1)の宅地を所有している。

第4章　相続税の課税価格の計算

<設例4>

　被相続人甲の死亡により、甲から生活費の仕送りを毎月受けている母C（甲の扶養親族となっている。）が相続により取得した財産は、次のとおりである。

(1) 宅　地　　120㎡　　自用地としての価額　30,000千円

(2) 家　屋　　100㎡　　固定資産税評価額　　12,000千円

　この家屋は、(1)の宅地の上に建てられているもので、母Cが居住の用に供しているものであるが、被相続人甲への家賃等の支払はなかった。なお、母Cは、相続税の申告期限においても(1)の宅地を所有し、この家屋に居住している。

<設例5>

　上記の設例1、設例2及び設例4において、それぞれの宅地等及び家屋を取得した者が、相続税の申告期限においてそれぞれの宅地等及び家屋を自らの居住の用に供していない場合又は譲渡した場合

＜設例1＞

宅　地　$45,000千円－45,000千円×\dfrac{150㎡}{150㎡}×\dfrac{80}{100}＝9,000千円$

家　屋　$10,000千円×1.0＝10,000千円$

＜設例2＞

宅　地　$72,000千円－72,000千円×\dfrac{300㎡}{300㎡}×\dfrac{80}{100}＝14,400千円$

家　屋　$16,000千円×1.0＝16,000千円$

＜設例3＞

宅　地　$60,000千円－60,000千円×\dfrac{240㎡}{240㎡}×\dfrac{80}{100}＝12,000千円$

家　屋　$16,000千円×1.0＝16,000千円$

＜設例4＞

宅　地　$30,000千円－30,000千円×\dfrac{120㎡}{120㎡}×\dfrac{80}{100}＝6,000千円$

家　屋　$12,000千円×1.0＝12,000千円$

＜設例5＞

設例1　設例1と同じ。

設例2　宅　地　72,000千円

　　　　家　屋　$16,000千円×1.0＝16,000千円$

設例5　宅　地　30,000千円

　　　　家　屋　$12,000千円×1.0＝12,000千円$

《特定居住用宅地等である小規模宅地等》

　相続開始の直前において、被相続人又は被相続人と生計を一にしていた親族の居住の用に供されていた宅地等については、次の流れで特定居住用宅地等の特例の適用の有無を判定する。

1　被相続人の居住の用に供されていた宅地等

ケース		適　用　関　係
(1)	その宅地等を取得した個人が配偶者である場合	無条件に80％の減額割合となる。
(2)	その宅地等を取得した個人が被相続人の同居親族である場合	相続開始時から申告期限まで引き続きその宅地等を有し、その宅地等の上に存する家屋に居住していれば80％の減額割合となる。
(3)	その宅地等を取得した個人が上記(1)及び(2)以外の親族のみである場合	次に掲げる要件のすべてを満たせば80％の減額割合となる。 ①　被相続人の配偶者及び被相続人と同居している被相続人の法定相続人がいない。 ②　相続開始前３年以内に法施行地にあるその親族、その親族の配偶者、その親族の３親等内の親族又はその親族と特別の関係がある法人の所有する家屋（その相続開始の直前においてその被相続人の居住の用に供されていた家屋を除く。）に居住したことがない。 ③　相続開始時にその親族が居住している家屋を相続開始前のいずれの時においても所有したことがない。 ④　取得者は、制限納税義務者のうち日本国籍を有しない者以外の者である。 ⑤　相続開始時から申告期限まで引き続きその宅地等を有している。

2　被相続人と生計を一にする親族の居住の用に供されていた宅地等

ケース		適　用　関　係
(1)	その宅地等を取得した個人が配偶者である場合	無条件に80％の減額割合となる。
(2)	その宅地等を取得した個人が配偶者以外の親族である場合	次に掲げる要件のすべてを満たせば80％の減額割合となる。 ①　取得者は、その被相続人と生計を一にしていた者である。 ②　相続開始時から申告期限まで引き続きその宅地等を有する。 ③　相続開始時から申告期限までその宅地等を自己の居住の用に供している。

| 問　題　３ | 特定同族会社事業用宅地等である小規模宅地等 | 重　要　度 | A |

次の設例の場合において、相続税の課税価格に算入すべき財産の価額を求めなさい。

＜設　例＞

　　被相続人甲の死亡により、二男Ｂが遺贈により取得した財産は、次のとおりである。

　　　宅　地　　520㎡　　自用地としての価額　　97,500千円（借地権割合70%）

　　この宅地は、被相続人甲が製造業を営む同族会社Ｃ社（被相続人甲及び二男Ｂが発行済株式数の55%を有する会社であり、二男Ｂは、同社の役員である。）に対して、同社の社屋の敷地として、賃貸借契約により貸し付けていたものである。なお、二男Ｂは、相続税の申告期限においてもこの宅地を所有している。また、この宅地は、同期限においても同社の社屋の敷地の用に供されている。

解　答

宅　地　　97,500千円×（1－70%）＝29,250千円

　　　　　$29,250千円 － 29,250千円 × \dfrac{400㎡}{520㎡} × \dfrac{80}{100} = 11,250千円$

解答への道

特定同族会社事業用宅地等である小規模宅地等

　　次の(1)及び(2)の２つの要件を満たしていれば80%の減額割合となる。

(1) 法人についての要件

　① 相続開始直前に被相続人及びその同族関係者が有する株式の総数又は出資の総額の合計額がその発行済株式の総数又は出資の総額の10分の5を超えていること

　② 申告期限まで引き続きその宅地等をその法人の事業の用に供していること

　③ その法人が不動産貸付業等以外の事業を営んでいること

　④ その法人が被相続人等から賃貸借契約により宅地等又は家屋を借りていること

(2) 取得者についての要件

　① 被相続人の親族で、申告期限においてその法人の役員であること

　② その者が、相続開始時から申告期限まで引き続きその宅地等を有していること

次の設例に基づき、被相続人甲の相続に係る各相続人等の相続税の課税価格を、計算の過程を示して求めなさい。

なお、相続税額の計算に当たって2以上の計算方法がある場合には、各人の課税価格の合計額が最も少なくなる方法を選択するものとする。

＜設　例＞

1　被相続人甲は、令和7年4月8日に東京都Z区の自宅で病気療養中に死亡した。

2　被相続人甲の相続人等の状況は、次に図示するとおりである。

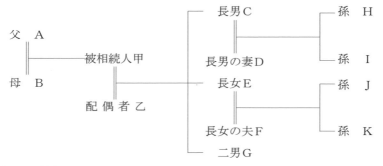

　　（注1）　被相続人甲の相続開始の時において、各相続人等は全員日本国内に住所を有していた。

　　（注2）　父A及び長男Cは、被相続人甲の相続開始以前に死亡している。

　　（注3）　相続開始時において、被相続人甲及び配偶者乙の婚姻期間は20年以上である。

3　被相続人甲の相続に係る相続税の申告期限までに、被相続人甲の遺産（すべて日本国内に所在するものである。）に関して判明している事項は、次のとおりである。

　　また、宅地及び家屋は、すべて借地権割合が70％、借家権割合が30％である地域に所在している。

(1)　被相続人甲は、公正証書による遺言書を作成しており、これに基づいて各人が取得した財産は、次のとおりである。

　①　配偶者乙が取得した財産

　　イ　宅　地　165㎡　　自用地としての価額　95,700千円

　　ロ　家　屋　150㎡　　固定資産税評価額　　18,700千円

　　　　この家屋は、イの宅地の上に存するもので、被相続人甲、配偶者乙、長男の妻D、孫H及び孫Iの居住の用に供されていたものである。

　　ハ　宅　地　300㎡　　自用地としての価額　210,000千円

　　　　配偶者乙は相続税の申告期限においても、この宅地を所有している。

ニ　家　屋　250㎡　　固定資産税評価額　　12,000千円

　　　この家屋は、ハの宅地の上に存するもので、平成29年から被相続人甲が賃貸用共同住宅として利用していたものであり、相続税の申告期限においても利用状況に変更はない。

②　母Bが取得した財産

イ　宅　地　200㎡　　自用地としての価額　120,000千円

ロ　家　屋　180㎡　　固定資産税評価額　　9,600千円

　　　この家屋は、イの宅地の上に存し、母Bの居住の用に供されていたものであるが、被相続人甲への家賃等の支払はなかった。

　　　なお、母Bは、被相続人甲から常時生活費の仕送りを受けており、被相続人甲の扶養親族となっていた。また、母Bは、相続開始後この家屋を引き払って、二男Gに引き取られ、相続税の申告期限においては二男Gと同居しており、この家屋は、第三者に貸し付けられている。

③　長女Eが取得した財産

イ　宅　地　160㎡　　自用地としての価額　100,000千円

ロ　家　屋　150㎡　　固定資産税評価額　　12,000千円

　　　この家屋は、イの宅地の上に存するもので、友人丙及びその家族の居住の用に供されていたものであるが、平成29年から被相続人甲へは家賃として通常支払うべき額を支払っていた。長女Eは、相続税の申告期限においても、この家屋を友人丙に賃貸している。

④　二男Gが取得した財産

イ　宅　地　240㎡　　自用地としての価額　108,000千円

ロ　家　屋　160㎡　　固定資産税評価額　　12,000千円

　　　この家屋は、イの宅地の上に存するもので、平成13年から被相続人甲の営む物品販売業の用に供されていたものである。

　　　なお、二男Gは、相続税の申告期限までにその事業を引き継ぎ、同期限においてもイの宅地を所有し、その事業の用に供している。

ハ　宅　地　200㎡　　自用地としての価額　124,500千円

ニ　家　屋　150㎡　　固定資産税評価額　　10,000千円

　　　この家屋は、ハの宅地の上に存するもので、平成24年から被相続人甲の営む設計事務所の事務所の用に供されていたものである。

　　　なお、二男Gは、この事業を廃業し、この家屋は、相続税の申告期限において空き家となっている。

⑤ 孫Hが取得した財産

　イ　宅　地　400㎡　　自用地としての価額　400,000千円

　　　この宅地は、卸売業を営むY社の社屋の敷地の用に供されていたものであり、被相続人甲へは地代として通常支払うべき額を支払っていた。なお、孫Hは、相続税の申告期限までにこの宅地を150,000千円でY社に譲渡している。

　ロ　Y社株式　　50,000株（発行済株式の100％）

　　　この株式は、取引相場のない株式であり、1株当たりの評価額は、377円である。なお、孫Hは、Y社の役員ではない。

(2) 上記(1)で遺贈された財産以外の被相続人甲の遺産は、次のとおりであるが、相続税の申告期限までに分割に関する協議が調っていない。

① 宅　地　200㎡　　自用地としての価額　220,000千円

② 家　屋　180㎡　　固定資産税評価額　　15,000千円

　　この家屋は、①の宅地の上に存するもので、平成22年から賃貸借契約により第三者に貸し付けられていたものである。

③ 現金預金等の流動資産　960,650千円

(3) 被相続人甲の相続開始の時における銀行借入金等の債務は、180,000千円であり、負担に関する協議は調っていない。

解　答

1　遺贈財産価額の計算　　　　　　　　　　　　　　　　　　　（単位：千円）

取 得 者	財産の種類	計　算　過　程	金　　額
配偶者乙	宅　地	95,700－76,560[※]＝19,140	19,140
配偶者乙	家　屋	18,700×1.0＝18,700	18,700
配偶者乙	宅　地	210,000×（1－70％×30％）＝165,900	165,900
配偶者乙	家　屋	12,000×1.0×（1－30％）＝8,400	8,400
母　　B	宅　地		120,000
母　　B	家　屋	9,600×1.0＝9,600	9,600
長 女 E	宅　地	100,000×（1－70％×30％）＝79,000	79,000
長 女 E	家　屋	12,000×1.0×（1－30％）＝8,400	8,400
二 男 G	宅　地	108,000－86,400[※]＝21,600	21,600
二 男 G	家　屋	12,000×1.0＝12,000	12,000
二 男 G	宅　地		124,500
二 男 G	家　屋	10,000×1.0＝10,000	10,000

| 孫 | H | 宅　　　地 | $400,000\times(1-70\%)=120,000$ | | 120,000 |
| 孫 | H | Y 社 株 式 | $377円\times50,000株=18,850$ | | 18,850 |

※　小規模宅地等の特例

(1) 特例対象宅地等

　　乙（特定居住用宅地等）$95,700\div165㎡\times\dfrac{80}{100}\times330$

　　　　　　$=153,120$

　　乙（貸付事業用宅地等）$165,900\div300㎡\times\dfrac{50}{100}\times200$

　　　　　　$=55,300$

　　E（貸付事業用宅地等）$\ 79,000\div160㎡\times\dfrac{50}{100}\times200$

　　　　　　$=49,375$

　　G（特定事業用宅地等）$108,000\div240㎡\times\dfrac{80}{100}\times400$

　　　　　　$=144,000$

(2) 調整計算による減額金額

　　乙（特定居住用宅地等）165㎡及びG（特定事業用宅地等）
200㎡を選択する。

　　乙（特定居住用宅地等）$95,700\times\dfrac{165㎡}{165㎡}\times\dfrac{80}{100}$

　　　　　　$=76,560$

　　G（特定事業用宅地等）$108,000\times\dfrac{200㎡}{240㎡}\times\dfrac{80}{100}$

　　　　　　$=72,000$

$76,560+72,000=148,560$

(3) 併用による減額金額

　　乙（特定居住用宅地等）$95,700\times\dfrac{165㎡}{165㎡}\times\dfrac{80}{100}$

　　　　　　$=76,560$

　　G（特定事業用宅地等）$108,000\times\dfrac{240㎡}{240㎡}\times\dfrac{80}{100}$

　　　　　　$=86,400$

$76,560+86,400=162,960$

(4)　(2)＜(3)　∴(3)

2 未分割財産価額の計算 （単位：千円）

〔計算過程〕

(1) 未分割財産の価額

$220,000 \times (1 - 70\% \times 30\%) + 15,000 \times 1.0 \times (1 - 30\%) + 960,650 = 1,144,950$

(2) 特別受益額

配偶者乙	$165,900 + 8,400$	$= 174,300$
長女E	$79,000 + 8,400$	$= 87,400$
二男G	$108,000 + 12,000 + 124,500 + 10,000$	$= 254,500$
孫H	$120,000 + 18,850$	$= 138,850$
		$655,050$

(3) みなし相続財産の価額

(1) ＋ (2) ＝ 1,800,000

(4) 各相続人の具体的相続分

$$1,800,000 \times \begin{cases} \text{配偶者乙} & \dfrac{1}{2} & -174,300 = 725,700 \\[2mm] \text{長女E} & \dfrac{1}{2} \times \dfrac{1}{3} & - 87,400 = 212,600 \\[2mm] \text{二男G} & \dfrac{1}{2} \times \dfrac{1}{3} & -254,500 = 45,500 \\[2mm] \text{孫H} & \dfrac{1}{2} \times \dfrac{1}{3} \times \dfrac{1}{2} & -138,850 = 11,150 \\[2mm] \text{孫I} & \dfrac{1}{2} \times \dfrac{1}{3} \times \dfrac{1}{2} & = 150,000 \end{cases}$$

3 債務控除額の計算 （単位：千円）

〔計算過程〕

$$180,000 \times \begin{cases} \text{配偶者乙} & \dfrac{1}{2} & = 90,000 \\[2mm] \text{長女E} & \dfrac{1}{2} \times \dfrac{1}{3} & = 30,000 \\[2mm] \text{二男G} & \dfrac{1}{2} \times \dfrac{1}{3} & = 30,000 \\[2mm] \text{孫H} & \dfrac{1}{2} \times \dfrac{1}{3} \times \dfrac{1}{2} & = 15,000 \\[2mm] \text{孫I} & \dfrac{1}{2} \times \dfrac{1}{3} \times \dfrac{1}{2} & = 15,000 \end{cases}$$

4　各相続人等の相続税の課税価格の計算						（単位：千円）
区　分　　＼　　相続人等	配偶者乙	母　　　B	長女　E	二男　G	孫　　　H	孫　　　I
遺　贈　財　産　価　額	212,140	129,600	87,400	168,100	138,850	
未　分　割　財　産　価　額	725,700		212,600	45,500	11,150	150,000
債　務　控　除　額	△90,000		△30,000	△30,000	△15,000	△15,000
課　税　価　格	847,840	129,600	270,000	183,600	135,000	135,000

解答への道

1　特別受益額における配偶者が取得した居住用不動産の取扱い

　　令和元年7月1日以降、婚姻期間20年以上の配偶者から遺贈又は贈与により取得した居住用不動産は、特別受益額の対象とならない。

2　未分割遺産中の宅地等の取扱い

　　未分割である宅地等については、小規模宅地等の特例を適用することはできない。

3　小規模宅地等の特例の計算パターン

　　次の手順により、判定する。

> (1) 特例対象宅地等を判定する。
>
> (2) (1)について、次の①から③の区分に応じ、それぞれに掲げる金額を求める。
>
> 　① 特定事業用等宅地等（限度面積が400㎡である宅地等）
>
> 　　1㎡当たりの評価減すべき金額 × 400
>
> 　② 特定居住用宅地等（限度面積が330㎡である宅地等）
>
> 　　1㎡当たりの評価減すべき金額 × 330
>
> 　③ 貸付事業用宅地等（限度面積が200㎡である宅地等）
>
> 　　1㎡当たりの評価減すべき金額 × 200
>
> (3) (2)の金額の大きいものから順に、限度面積要件に達するまで選択した場合の減額金額を求める。（調整計算による減額）
>
> (4) 特定事業用等宅地等について400㎡まで、特定居住用宅地等について330㎡までそれぞれ選択した場合の減額金額の合計額を求める。（併用による減額）
>
> (5) (3)と(4)の大きい方の減額金額を選択する。

　次の設例に基づき、被相続人甲の相続に係る各相続人等の相続税の課税価格を、計算の過程を示して求めなさい。

　なお、相続税額の計算に当たって２以上の計算方法がある場合には、各人の課税価格の合計額が最も少なくなる方法を選択するものとする。

＜設　例＞

1　被相続人甲は、令和７年４月８日に東京都Ｚ区の自宅で病気療養中に死亡した。

2　被相続人甲の相続人等の状況は、次に図示するとおりである。

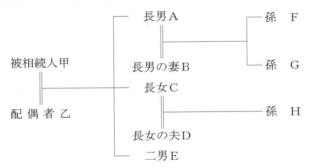

　　(注１)　被相続人甲の相続開始の時において、各相続人等は全員日本国内に住所を有していた。

　　(注２)　長女Ｃは、被相続人甲の相続開始以前に死亡している。

3　被相続人甲の相続に係る相続税の申告期限までに、被相続人甲の遺産（すべて日本国内に所在するものである。）に関して判明している事項は、次のとおりである。

　なお、宅地、借地権及び家屋は、すべて借地権割合が70％、借家権割合が30％である地域に所在しており、特に指示があるものを除き、相続税の申告期限において利用状況に変更はない。

(1)　被相続人甲は、公正証書による遺言書を作成しており、これに基づいて各人が取得した財産は、次のとおりである。

　①　配偶者乙が取得した財産

　　イ　宅　地　　180㎡　自用地としての価額　45,000千円

　　ロ　家　屋　　140㎡　固定資産税評価額　　28,000千円

　　　　この家屋は、イの宅地の上に建てられているもので、平成23年から配偶者乙の物品販売業の店舗の用に供されていたものであるが、被相続人甲への家賃等の支払はなかった。

　　　　なお、配偶者乙は、相続税の申告期限においてもイの宅地を所有し、その事業の用

に供している。

② 長男Aが取得した財産

イ　借地権　100㎡　借地権の目的となっている宅地の自用地としての価額

55,000千円

長男Aは申告期限においてもこの借地を有している。

ロ　家　屋　160㎡　固定資産税評価額　24,000千円

この家屋は、イの借地の上に建てられているもので、他人丙の居住の用に供されていたものである。なお、丙は被相続人甲に対し平成29年から相当の対価を支払っていた。また、申告期限において利用状況に変更はない。

③ 二男Eが取得した財産

イ　宅　地　180㎡　自用地としての価額　72,000千円

この宅地は、平成29年から車庫等の何らの設備も設けずに有料駐車場の敷地の用に供されていたもので、被相続人甲は相当の収益を得ていた。

ロ　宅　地　120㎡　自用地としての価額　108,000千円

ハ　家　屋　210㎡　固定資産税評価額　33,600千円

この家屋は、ロの宅地の上に建てられているもので、平成23年から被相続人甲の食料品販売業の店舗の用に供されていたものである。

なお、二男Eは、相続税の申告期限までに、ロの宅地及びハの家屋を第三者に売却している。

④ 孫Hが取得した財産

イ　宅　地　198㎡　自用地としての価額　89,100千円

ロ　鉄筋コンクリート造3階建の家屋　360㎡　固定資産税評価額　144,000千円

この家屋は、イの宅地の上に建てられているもので、1階及び2階は平成29年から賃貸借契約により第三者に貸し付けられており、3階部分は被相続人甲、配偶者乙、長女の夫D及び孫Hの居住の用に供されていた。なお、各階の床面積は120㎡で、利用効率は各階均等であるものとする。

また、孫Hは、相続税の申告期限においてもイの宅地を所有しており、各階の利用状況に変更はない。

(2) 上記(1)で遺贈された財産以外の被相続人甲の遺産750,000千円については、各相続人間で分割に関する協議が行われ、配偶者乙が600,000千円を取得し、残りは他の相続人が均等に取得することとなった。

解 答

1 遺贈財産価額の計算			(単位：千円)

取 得 者	財産の種類	計 算 過 程	金 額
配偶者乙	宅　　　地	45,000－36,000[※]＝9,000	9,000
配偶者乙	家　　　屋	28,000×1.0＝28,000	28,000
長 男 A	借　地　権	55,000×70%×（1－30%）＝26,950	26,950
長 男 A	家　　　屋	24,000× 1.0×（1－30%）＝16,800	16,800
二 男 E	宅　　　地		72,000
二 男 E	宅　　　地		108,000
二 男 E	家　　　屋	33,600×1.0＝33,600	33,600
孫　　H	宅　　　地	(1) 貸家建付地 $\left[198\,\text{m}^2\times\dfrac{240\,\text{m}^2}{360\,\text{m}^2}=132\,\text{m}^2\right]$ $89,100\times\dfrac{132\,\text{m}^2}{198\,\text{m}^2}\times（1-70\%\times30\%）=46,926$ (2) 自用地 $\left[198\,\text{m}^2\times\dfrac{120\,\text{m}^2}{360\,\text{m}^2}=66\,\text{m}^2\right]$ $89,100\times\dfrac{66\,\text{m}^2}{198\,\text{m}^2}=29,700$ (3) (1)＋(2)－23,760[※]－12,442.5[※]＝40,423.5	40,423.5
孫　　H	家　　　屋	(1) 貸　家 $144,000\times1.0\times\dfrac{240\,\text{m}^2}{360\,\text{m}^2}\times（1-30\%）=67,200$ (2) 自用家屋 $144,000\times1.0\times\dfrac{120\,\text{m}^2}{360\,\text{m}^2}=48,000$ (3) (1)＋(2)＝115,200	115,200

※　小規模宅地等の特例

(1) 特例対象宅地等

乙（特定事業用宅地等）$45,000\div180\,\text{m}^2\times\dfrac{80}{100}\times400$
$=80,000$

A（貸付事業用宅地等）$26,950\div100\,\text{m}^2\times\dfrac{50}{100}\times200$
$=26,950$

H（貸付事業用宅地等）$46,926\div132\,\text{m}^2\times\dfrac{50}{100}\times200$
$=35,550$

H（特定居住用宅地等）$29,700\div66\,\text{m}^2\times\dfrac{80}{100}\times330$
$=118,800$

(2) 調整計算による減額金額

H（特定居住用宅地等）から66㎡、

乙（特定事業用宅地等）から180㎡、

H（貸付事業用宅地等）から70㎡ を選択する。

H（特定居住用宅地等）$29,700 \times \dfrac{66㎡}{66㎡} \times \dfrac{80}{100}$

$= 23,760$

乙（特定事業用宅地等）$45,000 \times \dfrac{180㎡}{180㎡} \times \dfrac{80}{100}$

$= 36,000$

H（貸付事業用宅地等）$46,926 \times \dfrac{70㎡}{132㎡} \times \dfrac{50}{100}$

$= 12,442.5$

$23,760 + 36,000 + 12,442.5 = 72,202.5$

(3) 併用による減額金額

H（特定居住用宅地等）$29,700 \times \dfrac{66㎡}{66㎡} \times \dfrac{80}{100}$

$= 23,760$

乙（特定事業用宅地等）$45,000 \times \dfrac{180㎡}{180㎡} \times \dfrac{80}{100}$

$= 36,000$

$23,760 + 36,000 = 59,760$

(4) (2) ＞ (3)　∴ (2)

2 分割財産価額の計算 (単位：千円)

〔計算過程〕

配偶者乙　　600,000

$$\left.\begin{array}{l}\text{長男 A}\\\text{二男 E}\\\text{孫　H}\end{array}\right\}\ (750,000-600,000)\times\frac{1}{3}=50,000$$

3 各相続人等の相続税の課税価格の計算 (単位：千円)

区　分 ＼ 相続人等	配偶者乙	長 男 A	二 男 E	孫　　H
遺 贈 財 産 の 価 額	37,000	43,750	213,600	155,623.5
分 割 財 産 の 価 額	600,000	50,000	50,000	50,000
課 税 価 格	637,000	93,750	263,600	205,623

解答への道

青空駐車場についての取扱い

　一定の構築物（車庫・アスファルト等）の敷地の用に供されていない青空駐車場の敷地の用に供されている宅地等については、小規模宅地等の特例の適用はない。

重要度

問題1　特定（受贈）森林経営計画対象山林である特定計画山林　　B

問題2　特定計画山林の特例と小規模宅地等の特例　　B

| 問 題 1 | 特定（受贈）森林経営計画対象山林である
特定計画山林 | 重 要 度 | B |

次の設例の場合において、相続税の課税価格に算入すべき財産の価額を求めなさい。なお、金額は相続開始時の時価である。

＜設 例＞

被相続人甲の死亡により、配偶者乙が遺贈により取得した財産には次のものがあった。なお、乙は相続の放棄をしている。

(1) 山 林　62,000,000円

この山林は、森林経営計画区域内に所在する純山林である。なお、配偶者乙は申告期限においてもこの山林を所有している。

(2) 立 木　48,000,000円

この立木は、上記(1)の山林に生立するもので、申告期限において森林経営計画に基づく認定の効力を有するものである。なお、配偶者乙は相続開始時から申告期限まで引き続きこの立木を所有し、市町村長の認定を受けた森林経営計画に基づき施業を行っている。

解 答

(1) 特定計画山林の判定

特定森林経営計画対象山林の要件を満たすため、特定計画山林に該当する。

(2) 課税価格算入額

① 山 林

$62,000,000円 - 62,000,000円 \times \dfrac{5}{100} = 58,900,000円$

② 立 木

$48,000,000円 - 48,000,000円 \times \dfrac{5}{100} = 45,600,000円$

解答への道

《特定（受贈）森林経営計画対象山林》

1 特定森林経営計画対象山林

特定森林経営計画対象山林とは、被相続人が相続開始の直前に有していた立木又は土地等のうちその相続開始前に市町村長等の認定を受けた森林経営計画が定められた区域内に存するものをいう。

2　特定受贈森林経営計画対象山林

　　特定受贈森林経営計画対象山林とは、被相続人である特定贈与者がその贈与の直前に有していた立木又は土地等のうちその贈与の前に市町村長等の認定を受けた森林経営計画が定められていた区域内に存するものをいう。

3　適用対象者（特定計画山林相続人等）

　　取得者が被相続人の親族又は相続時精算課税適用者で、相続開始時又は贈与の時から相続税の申告期限まで引き続き市町村長等の認定を受けた森林経営計画に基づき施業を行っていること。

4　特定計画山林に該当するもの

　　相続開始前又は贈与前に受けていた市町村長等の認定（申告期限においてその効力を有するものに限る。）に係る森林経営計画区域内に存する特定（受贈）森林経営計画対象山林

問　題　2　　特定計画山林の特例と小規模宅地等の特例　　重要度　B

　　次の〔資料〕に基づいて、各相続人及び受遺者の相続税の課税価格を求めなさい。なお、課税価格の計算に当たって2以上の計算方法がある場合には、課税価格の合計額が最も少なくなるように計算するものとする。

〔資　料〕

1　千葉県M市に住所を有する被相続人甲は、令和7年5月30日に自宅で死亡した。

2　被相続人甲の相続人等の状況は、次のとおりである。

3　被相続人甲は公正証書による遺言書を作成しており、各受遺者はこれに基づき、それぞれ財産を取得した。なお、金額は相続開始の時における時価（宅地は自用地、家屋は自用家屋としての価額）である。

(1)　配偶者乙が取得した財産

　①　M市所在の宅地　　165㎡　41,250千円

　②　M市所在の家屋　　160㎡　25,000千円

　　　この家屋は、①の宅地の上に建てられているもので、被相続人甲が配偶者乙、長男A及び長女Bと共に居住の用に供していたものである。

　③　定期預金　　220,000千円

(2) 長男Aが取得した財産

① N市所在の宅地　　120㎡　31,200千円

この宅地の所在する地域における借地権割合は60%、借家権割合は30%である。

② N市所在の家屋　　400㎡　32,000千円

この家屋は、①の宅地の上に建てられているもので、被相続人甲が平成29年から賃貸借契約により第三者に貸し付けていたものであり、Aは相続税の申告期限においても貸し付けている。

③ 山　林　　55,000千円

この山林は、森林経営計画区域内に所在する純山林である。なお、長男Aは申告期限においてもこの山林を所有している。

④ 立　木　　36,000千円

この立木は、上記③の山林に生立するもので、申告期限において森林経営計画に基づく認定の効力を有するものである。なお、長男Aは相続開始時から申告期限まで引き続きこの立木を所有し、市町村長の認定を受けた森林経営計画に基づき施業を行っている。

(3) 長女Bが取得した財産

① O市所在の宅地　　200㎡　55,000千円

この宅地は、被相続人甲が平成29年から賃貸借契約により第三者に貸し付けていたものであり、借主は、この宅地の上に家屋を建て、自己の居住の用に供している。なお、この宅地の所在する地域における借地権割合は70%である。なお、長女Bは相続税の申告期限においても、この宅地を第三者の居住用家屋の敷地として賃貸している。

② 上場株式　　30,000株　1株当たり2,500円

③ 家庭用動産　20,000千円

4　被相続人甲の相続開始時における債務及びその負担者は次のとおりである。

(1) 銀行借入金　　15,000千円（長男A負担）

(2) 預かり保証金　　2,000千円（長男A負担）

(3) 公租公課　　3,100千円（配偶者乙負担）

5　被相続人甲の葬式に要した費用は3,800千円であり、これについては、配偶者乙がすべて負担した。

1　遺贈財産価額の計算　　　　　　　　　　　　　　　　　　（単位：千円）

取得者	財産の種類	計　算　過　程	金　額
配偶者乙	M市の宅地	$41,250-33,000=8,250$　　※	8,250
配偶者乙	M市の家屋		25,000
配偶者乙	定期預金		220,000
長男A	N市の宅地	$31,200\times(1-60\%\times30\%)=25,584$ $25,584-10,660=14,924$　　※	14,924
長男A	N市の家屋	$32,000\times(1-30\%)=22,400$	22,400
長男A	山　林		55,000
長男A	立　木	$36,000\times\dfrac{85}{100}=30,600$	30,600
長女B	O市の宅地	$55,000\times(1-70\%)=16,500$	16,500
長女B	上場株式	$2,500円\times30,000株=75,000$	75,000
長女B	家庭用動産		20,000

※　課税価格算入額の特例

乙（特定居住用宅地等）　$41,250\div165㎡\times\dfrac{80}{100}\times330$
$=66,000$

A（貸付事業用宅地等）　$25,584\div120㎡\times\dfrac{50}{100}\times200$
$=21,320$

A $\left[\begin{array}{l}\text{特定森林経営}\\\text{計画対象山林}\end{array}\right]$　$55,000\times\dfrac{5}{100}$

$+30,600\times\dfrac{5}{100}=4,280$

B（貸付事業用宅地等）　$16,500\div200㎡\times\dfrac{50}{100}\times200$
$=8,250$

∴　乙（特定居住用宅地等）から165㎡及びA（貸付事業用宅地等）から100㎡を選択する。

乙　$41,250\times\dfrac{165㎡}{165㎡}\times\dfrac{80}{100}=33,000$

A　$25,584\times\dfrac{100㎡}{120㎡}\times\dfrac{50}{100}=10,660$

2 債務控除額の計算 (単位：千円)

債務及び葬式費用	負担者	計　算　過　程	金　額
債　　　　　務	長男 A	15,000＋2,000＝17,000	17,000
	配偶者乙		3,100
葬　式　費　用	配偶者乙		3,800

3 各人の相続税の課税価格の計算 (単位：千円)

項　目　＼　相続人	配　偶　者　乙	長　男　A	長　女　B
遺　贈　財　産	253,250	122,924	111,500
債　務　控　除	△　6,900	△　17,000	
課　税　価　格	246,350	105,924	111,500

解答への道

《小規模宅地等の特例と特定計画山林の特例》（措法69の5）

　相続税の課税価格計算の特例については、一定の限度に達するまで小規模宅地等の特例と特定計画山林の特例を併用することができる。

　なお、特定計画山林の特例には限度要件がないため、同特例を先に適用した場合においては、小規模宅地等の特例を併用することはできない。

　また、本問のように、特定事業用等宅地等又は特定居住用宅地等のいずれかの特例対象宅地等がない場合には、両者を併用した場合の減額金額の計算を省略しても差しつかえない。

財産の分割

重要度

第４章　相続税の課税価格の計算

次の設例に基づき、各相続人等の相続税の課税価格を求めなさい。

＜設　例＞

1　令和7年3月7日に死亡した被相続人甲の相続人等は次のとおりである。

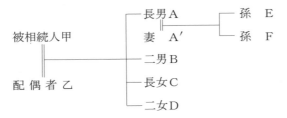

（注1）長男Aは、相続開始以前に死亡している。

（注2）二男Bは、甲の相続に関し、正式に相続の放棄をしている。

2　被相続人甲の遺言書の内容は次のとおりであり、各相続人及び受遺者は了承している。

(1) 遺産総額のうちから配偶者乙に現金3,000千円、二男Bに株式1,000千円を遺贈する。

(2) 配偶者乙の相続分は3分の2とする。

3　被相続人甲の相続開始時の遺贈財産以外の遺産総額は362,000千円である。

4　被相続人甲は生前において、生計の資本として次の財産を贈与している。

贈与年月日	受贈者	財　　産	贈与時の価額	相続開始時の価額
令和4年1月25日	E	山　　林	7,600千円	8,600千円
令和5年9月14日	乙	現　　金	1,700千円	1,700千円
令和6年6月26日	B	土　　地	8,000千円	10,000千円
令和6年9月1日	乙	満期保険金	5,000千円	5,000千円
令和7年2月14日	C	株　　式	2,400千円	2,700千円

5　被相続人甲の遺産は、遺贈されたものを除き、相続税の申告期限までに分割されていない。

答案用紙

課　税　価　格　表　　　　　　　　（単位：千円）

項　目＼相続人等	配偶者乙	二男B	長女C	二女D	孫　E	孫　F
遺 贈 財 産 の 価 額						
未 分 割 財 産 の 価 額						
生 前 贈 与 加 算 額						
課　税　価　格						

解　答

1　遺贈財産の価額

配偶者乙　　3,000千円

二　男　B　　1,000千円

2　未分割財産の価額

（1）未分割財産の価額

362,000千円

（2）特別受益額　　①＋②＝16,000千円

①　共同相続人に対する遺贈　　乙　3,000千円

②　共同相続人に対する贈与　　8,600千円（E）＋1,700千円（乙）＋2,700千円（C）＝13,000千円

（3）みなし相続財産の価額　　（1）＋（2）＝378,000千円

（4）各共同相続人に対する具体的相続分

配偶者乙　　　　　　　　　　　$\dfrac{2}{3}-3{,}000千円-1{,}700千円$　　　　　$=247{,}300千円$

長女C　　　　　　　　　　　$\left[1-\dfrac{2}{3}\right]\times\dfrac{1}{3}-2{,}700千円$　　　$=39{,}300千円$

二女D　　378,000千円×　$\left[1-\dfrac{2}{3}\right]\times\dfrac{1}{3}$　　　　　　$=42{,}000千円$

孫　　E　　　　　　　　　　$\left[1-\dfrac{2}{3}\right]\times\dfrac{1}{3}\times\dfrac{1}{2}-8{,}600千円$　$=12{,}400千円$

孫　　F　　　　　　　　　　$\left[1-\dfrac{2}{3}\right]\times\dfrac{1}{3}\times\dfrac{1}{2}$　　　　$=21{,}000千円$

3　生前贈与加算額

配偶者乙　　1,700千円＋5,000千円＝6,700千円

二　男　B　　8,000千円

長　女　C　　2,400千円

課　税　価　格　表　　　　　　　　　　（単位：千円）

項　目＼相続人等	配偶者乙	二　男　B	長女C	二　女　D	孫　　E	孫　　F
遺贈財産の価額	3,000	1,000				
未分割財産の価額	247,300		39,300	42,000	12,400	21,000
生前贈与加算額	6,700	8,000	2,400			
課　税　価　格	257,000	9,000	41,700	42,000	12,400	21,000

《相続税の申告書の提出期限までに遺産が未分割の場合》(法55)

```
                    各共同   民法第900条から第903条まで
                    相続人   に規定する相続分
        未分割財産  ─────┤                              ├───→  財産を取得したものとして
                    包  括   包括遺贈の割合                      課税価格を計算する。
                    受遺者
```

《相続税額の計算上用いる民法の相続分》

条文No. 項目	(民法900) 法定相続分	(民法901) 代襲相続分	(民法902) 指定相続分	(民法903) 特別受益者の相続分
(1) 申告書の提出期限までに遺産が未分割の場合（法55）	○	○	○	○
(2) 債務の負担が未確定の場合 （基通13-3）	○	○	○	×
(3) 相続税の総額の計算（法16）	○	○	×	×

《未分割の計算のポイント》

1 未分割財産の価額

被相続人の本来の相続財産に該当するものが未分割財産の価額に含まれていない場合には、その価額を未分割財産の価額に含めなければならない。

2 特別受益額

(1) 相続税法上の擬制財産であるみなし財産（保険金等）は、持ち戻しの対象としない。

(2) 相続税法上は課税対象とならない財産（制限納税義務者が取得した国外財産）も、特別受益の対象となる。

(3) 特別受益の対象となる遺贈財産中に「立木の評価」の適用を受ける立木、「小規模宅地等の特例」の適用を受ける宅地等又は「特定計画山林の特例」の適用を受ける山林もしくは立木がある場合には、それぞれ「立木の評価」、「小規模宅地等の特例」又は「特定計画山林の特例」適用前の価額を特別受益の対象とする。

(4) 婚姻期間20年以上の配偶者に対して居住用不動産を遺贈又は贈与（令和元年7月1日以後の贈与に限る。）した場合には、特別受益の対象としない。

次の設例に基づき、各相続人等の相続税の課税価格を求めなさい。

＜設　例＞

1　令和7年8月12日に死亡した被相続人甲の相続人等は次のとおりである。

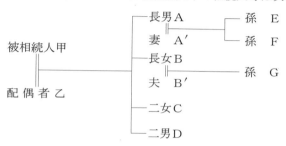

（注1）長男Aは、平成27年10月に死亡している。

（注2）長女Bは、被相続人甲の相続に関し、正式に放棄している。

2　被相続人甲の遺言に従い、次の遺贈がなされた。

長女B………社債　10,000千円

孫　E………預金　7,000千円

3　被相続人甲の相続開始時の遺贈財産以外の遺産総額は163,000千円である。そのうち次に掲げる財産については、相続人間で分割協議が成立している。

預金　36,000千円………配偶者乙が取得

株式　14,000千円………二男Dが取得

4　被相続人甲は生前において、生計の資本として次の財産を贈与している。

贈与年月日	受贈者	財　　産	贈 与 時 の 価 額	相続開始時の価額
令和3年5月10日	二女C	山　林	5,000千円	6,000千円
令和5年3月29日	長女B	土　地	14,000千円	17,500千円
令和7年7月14日	孫　F	現　金	4,000千円	4,000千円

5　被相続人甲の遺産は、分割が確定したもの及び遺贈されたものを除き、相続税の申告期限までに分割されていない。

なお、一部分割財産については民法第903条（みなし相続財産の価額）の持ち戻しの対象として計算すること。

課　税　価　格　表　　　　　　　（単位：千円）

項　目 ＼ 相続人等					
遺 贈 財 産 の 価 額					
分 割 財 産 の 価 額					
未 分 割 財 産 の 価 額					
生 前 贈 与 加 算 額					
課　税　価　格					

解　答

1　遺贈財産の価額

　　長 女 B　　　10,000千円　　　　　孫　　　E　　　7,000千円

2　分割財産の価額

　　配偶者乙　　　36,000千円　　　　　二 男 D　　　14,000千円

3　未分割財産の価額

　(1) 未分割財産の価額

　　　163,000千円－36,000千円－14,000千円＝113,000千円

　(2) 特別受益額及び一部分割財産の価額　　①＋②＋③＝67,000千円

　　①　共同相続人に対する遺贈　　　$\overset{E}{7,000}$千円

　　②　共同相続人に対する贈与　　　$\overset{C}{6,000}$千円＋$\overset{F}{4,000}$千円＝10,000千円

　　③　一部分割財産の価額　　　$\overset{乙}{36,000}$千円＋$\overset{D}{14,000}$千円＝50,000千円

　(3) みなし相続財産の価額　　　(1)＋(2)＝180,000千円

　(4) 各共同相続人に対する具体的相続分

　　　配偶者乙　　　　　　　　　$\frac{1}{2}-36,000$千円　　　　　　　＝54,000千円

　　　二 女 C　　　　　　　　　$\frac{1}{2}\times\frac{1}{3}-6,000$千円　　　　　＝24,000千円

　　　二 男 D　180,000千円×　$\frac{1}{2}\times\frac{1}{3}-14,000$千円　　　　＝16,000千円

　　　孫　　E　　　　　　　　　$\frac{1}{2}\times\frac{1}{3}\times\frac{1}{2}-7,000$千円＝　8,000千円

　　　孫　　F　　　　　　　　　$\frac{1}{2}\times\frac{1}{3}\times\frac{1}{2}-4,000$千円＝11,000千円

4　生前贈与加算額

　　長 女 B　　　14,000千円　　　　　孫　　　F　　　4,000千円

項　目 ＼ 相続人等	配偶者乙	二女C	二男D	孫　E	孫　F	長女B
遺 贈 財 産 の 価 額				7,000		10,000
分 割 財 産 の 価 額	36,000		14,000			
未 分 割 財 産 の 価 額	54,000	24,000	16,000	8,000	11,000	
生 前 贈 与 加 算 額					4,000	14,000
課　税　価　格	90,000	24,000	30,000	15,000	15,000	24,000

解答への道

《一部分割財産がある場合の未分割財産の計算方法》みなし相続財産の価額に持ち戻す場合

(1)　相続財産の価額

　　遺贈財産以外の遺産総額－民法上の非相続財産の価額(墓地、仏壇等)－一部分割財産の価額

(2)　特別受益額及び一部分割財産の価額　①＋②＋③

　①　共同相続人に対する遺贈

　②　共同相続人に対する贈与

　③　一部分割財産の価額

(3)　みなし相続財産の価額

　　　(1)＋(2)

(4)　各共同相続人に対する具体的相続分

　　(3)×{ 法定相続分 / 代襲相続分 / 指定相続分 }－各人の(2)の金額

　※　なお、一部分割財産については、この他に取得することとなる。

　申告期限までに遺産の一部につき相続人間で分割が確定し、他の財産については分割協議が成立しないような場合には、一部分割財産については課税価格を計算する上で次のように2通りの方法が考えられる。

①　相続人が遺贈により取得した財産と同質のものとしてみなし相続財産の価額に持ち戻して計算する方法

②　相続人以外の者に対する遺贈がされたものと考え、みなし相続財産の価額に持ち戻さないで計算する方法

　①の方法が一般的であるが、一部分割財産の取扱いについては、出題上指示がされると思われるため、それに従うこと。

次の設例に基づき、各相続人の課税価格を求めなさい。

＜設　例＞

(1) 被相続人甲は令和７年７月24日に死亡した。

甲は遺言により相続人の相続分を次のように指定していた。

配偶者乙　35％、　長男Ａ　20％、　二男Ｂ　30％、　長女Ｃ　15％

(2) 甲の遺産及び債務については、令和７年10月30日に相続人間で次のとおり分割及び負担が確定した。

区分＼相続人	配偶者乙	長　男　Ａ	二　男　Ｂ	長　女　Ｃ
積極財産	14,000千円	3,000千円	2,000千円	1,000千円
債　　務	3,000千円			

(3) 配偶者乙が(2)により受ける額は、配偶者乙の指定相続分に応じて受けるべき額を超え、また、他の相続人は(2)により受ける額がそれぞれの指定相続分に応じて受けるべき額に不足を生ずるので、配偶者乙は他の相続人に対しそれぞれの不足額を令和７年11月末までに支払う。この場合、指定相続分に応じて受けるべき額の計算に当たっては、(2)の積極財産の合計額に(4)の特別受益額を加え(2)の債務を控除した金額を基礎とする。

(4) 甲は、生前に生計の資本として、令和６年５月24日長女Ｃに対し株式800千円（相続開始時の価額1,000千円）を贈与している。

答案用紙

課　税　価　格　表　　　　　　（単位：千円）

項　　目＼相続人等				
分 割 財 産 の 価 額				
金　　銭　　分　　割				
債　務　控　除　額				
生 前 贈 与 加 算 額				
課　　税　　価　　格				

1 各相続人の相続分の価額

14,000千円＋3,000千円＋2,000千円＋1,000千円＋1,000千円－3,000千円＝18,000千円

$$18,000千円 \times \begin{cases} 配偶者乙 & 35\%＋3,000千円＝9,300千円 \\ 長男A & 20\%\qquad＝3,600千円 \\ 二男B & 30\%\qquad＝5,400千円 \\ 長女C & 15\%－1,000千円＝1,700千円 \end{cases}$$

2 分割財産の価額

配偶者乙　14,000千円	長男A　3,000千円	二男B　2,000千円	

長女C　　1,000千円

3 金銭分割

配偶者乙　　9,300千円－14,000千円＝△4,700千円

長男A　　　3,600千円－　3,000千円＝　　600千円

二男B　　　5,400千円－　2,000千円＝　3,400千円

長女C　　　1,700千円－　1,000千円＝　　700千円

4 生前贈与加算額

長女C　　　800千円

課 税 価 格 表　　　（単位：千円）

項　目 ＼ 相続人等	配偶者乙	長男A	二男B	長女C
分 割 財 産 の 価 額	14,000	3,000	2,000	1,000
金 　 銭 　 分 　 割	△ 4,700	600	3,400	700
債 　 務 　 控 　 除 　 額	△ 3,000			
生 前 贈 与 加 算 額				800
課 　 税 　 価 　 格	6,300	3,600	5,400	2,500

《代償分割の場合の計算パターン》

(1) 各相続人の相続分の価額（受けるべき相続財産の価額）

(2) 分割財産の価額（実際に取得した相続財産の価額）

(3) 金銭分割　(1) － (2)

　　プラスとなった者……そのプラスとなった金額を課税価格表の「金銭分割」の欄に記
　　　　　　　　　　　　入する。

　　マイナスとなった者……そのマイナスとなった金額を課税価格表の「金銭分割」の欄に
　　　　　　　　　　　　△を付して記入する。

※　相続人が受けるべき相続財産の価額の算出方法については、法律上の取り決めはないため、
　　出題の指示に従って計算すること。

問 題 4 　遺産分割前の預貯金の払戻し　　　重要度 C

　次の設例に基づき、子Ａの相続税の課税価格を求めなさい。

＜設　例＞

1　被相続人甲の相続開始時におけるＸ銀行預入れの預金の額　12,000,000円

2　相続人　配偶者乙及び子Ａ

3　子Ａは遺産の分割前における預貯金債権の行使（民法909条の２）の規定に基づき、払い戻しを受けられる上限額の払い戻しを受けた。

解　答

$12,000,000円 \times \dfrac{1}{3} \times \dfrac{1}{2} = 2,000,000円 > 1,500,000円$

∴　子Ａは1,500,000円を相続により取得したものとみなす。

解答への道

　被相続人の遺産に属する預貯金を、遺産分割前に相続人が単独で一定額払い戻しを受けることができる制度であり、払い戻しを受けた部分は相続により取得したものとして取り扱うこととする。なお、一定額については、次の算式で求める。

1　相続開始時の預貯金の額 $\times \dfrac{1}{3} \times$ 法定相続分及び代襲相続分に基づく相続分

2　1,500,000円（法務省令で定める額）

3　１と２のうちいずれか少ない方

※　1,500,000円は１つの金融機関から払い戻しを受けられる限度額であり、複数の金融機関に預貯金がある場合には別々に計算する。

　なお、本問の預金の額が6,000,000円の場合には次のとおりとなる。

$6,000,000円 \times \dfrac{1}{3} \times \dfrac{1}{2} = 1,000,000円 < 1,500,000円$

∴　子Ａは1,000,000円を相続により取得したものとみなす。

テーマ5　課税価格に算入すべき価額

| 問　題　1 | 遺贈の取扱い | | 重　要　度 | B |

　次の各設例において、相続税の課税価格に算入される価額を求めなさい。

＜設例1＞

　被相続人甲の遺言により、長男Aは株式16,000千円を取得した。ただし、長女Bに対し4,800千円を支払うことが条件とされている。

＜設例2＞

　被相続人甲の遺言書には、長女Cが婚姻した時に現金5,000千円を遺贈する旨の記載があった。

　なお、相続税の申告期限において、長女Cは婚姻していない。

＜設例3＞

　被相続人甲は、生前二男Dに対して、株式（その時の時価5,000千円）を贈与する旨の契約を締結していた。ただし、この契約は、甲の死亡によって効力を生ずることとされていた。

　なお、甲死亡時の株式の時価は5,800千円である。

解　答

＜設例1＞

　　長男A　　16,000千円－4,800千円＝11,200千円（民法上の遺贈）

　　長女B　　4,800千円（その他の利益の享受）

＜設例2＞

　5,000千円を相続人が民法第900条から第903条までの規定による相続分によって取得したものとして課税価格を計算する。

＜設例3＞

　　二男D　　5,800千円（死因贈与）

《負担付遺贈があった場合》（基通11の2－7、9－11）

課 税 対 象 者	課 税 金 額
負担付遺贈を受けた者	遺贈財産の価額－負担額
利益を受ける第三者	負担額（みなし遺贈財産）

1　停止条件付遺贈があった場合において、その条件の成就前に相続税の申告書を提出するときは、その遺贈の目的となった財産については、相続人が民法第900条から第903条までの規定による相続分によってその財産を取得したものとしてその課税価格を計算するものとする。（基通11の2－8）

2　死因贈与は、遺贈と同様に取り扱う。

　　なお、課税価格計算の基礎に算入すべき価額は、相続開始時の時価である。

問 題 2　譲渡担保の取扱い　　　　　　　重 要 度　B

　次の各設例に基づき、被相続人甲の相続税の課税価格計算の基礎に算入される価額及び相続税の課税価格から控除される債務の金額を求めなさい。

＜設例1＞

　被相続人甲は、友人Aに現金7,000千円の貸付けをしていた。この際、Aは所有していた機械装置8,000千円の所有権を甲に移転する登記を行った。これは、Aが借入金を全額返済すれば、所有権をAに戻す旨の特約があるもので譲渡担保に該当する。

＜設例2＞

　被相続人甲は、叔父Bから現金5,000千円の借入れをした。この際、甲は所有していた車両6,000千円の所有権をBに移転する登記を行った。これは、借入金を全額返済すれば、所有権が甲に戻ってくる旨の特約があるもので、譲渡担保に該当する。

解　答

＜設例１＞

相続税の課税価格に算入される価額　　7,000千円

＜設例２＞

相続税の課税価格に算入される価額　　　　6,000千円

相続税の課税価格から控除される債務の金額　5,000千円

解答への道

《譲渡担保があった場合の取扱い》（基通11の２－６）

被相続人	課税価格計算の基礎に算入する金額	そ の 他 の 事 項
債権者の場合	債 権 金 額	譲渡担保の目的たる財産の価額に相当する金額は課税価格に算入しない。
債務者の場合	譲渡担保の目的たる財産の価額に相当する金額	債務金額に相当する金額は債務控除する。

問 題 3　　**災害減免法による特例**　　　　　重要度　C

次の設例に基づいて、相続人Aの課税価格を求めなさい。

＜設　例＞

1　被相続人甲の死亡（令和７年４月10日）により、相続人Aは次に掲げる財産及び債務を取得又は負担した。なお、財産の金額は相続開始の時における時価である。

(1) 現　　　　金　　　　10,000千円　　(7) 生命保険金　　　15,000千円

(2) 株　　　　式　　　　15,000千円　　(8) (7)の非課税金額　5,000千円

(3) 別　荘　地　　　　90,000千円　　(9) 債　　　　務　　20,000千円

(4) 別　　　　荘　　　　25,000千円

(5) 山　　　　林　　　　 5,000千円

(6) 立　　　　木　　　　20,000千円

2　相続人Aが１で取得した財産のうち、(4)の別荘が令和７年８月10日に火災により全焼した。なお、Aは、火災保険金として10,000千円の支払を受けている。

解 答

1 甚大な被害の判定

(1) 被害割合

$$\frac{25,000千円-10,000千円}{25,000千円}=60\%$$

(2) 被害を受けた部分の価額

$$25,000千円×60\%=15,000千円$$

(3) 甚大な被害の判定

$$\frac{15,000千円}{42,000千円*}=0.35714\cdots\geqq\frac{1}{10}\qquad\therefore\quad 災免法の適用あり。$$

$$*\quad 25,000千円+20,000千円×\frac{85}{100}=42,000千円$$

2 Aの課税価格

$$10,000千円+15,000千円+90,000千円+25,000千円-15,000千円+5,000千円$$

$$+20,000千円×\frac{85}{100}+(15,000千円-5,000千円)-20,000千円$$

$$=137,000千円$$

解答への道

《災害減免法による特例》（災免法6）

相続税の課税価格の計算（災免令12）

　相続税の納税義務者で、相続又は遺贈により取得した財産について相続税の期限内申告書の提出期限前に災害により被害を受けた場合において次の1又は2に掲げる要件のいずれかに該当するものの納付すべき相続税については、これらの事由により取得した財産の価額は、被害を受けた部分の価額（保険金、損害賠償金等により補てんされた金額を除く。以下同じ。）を控除して、これを計算する。

1　$\dfrac{分母のうち被害を受けた部分の価額}{相続税の課税価格の計算の基礎となった財産の価額}\geqq\dfrac{1}{10}$

2　$\dfrac{分母のうち被害を受けた部分の価額}{\begin{array}{c}相続税の課税価格の計算の基礎となった動産（金銭及び有価証券\\を除く。）、不動産（土地及び土地の上に存する権利を除く。）及び\\立木（「動産等」という。）の価額\end{array}}\geqq\dfrac{1}{10}$

| 問　題　4 | 従たる権利の取扱い | 重 要 度 | B |

次の各設例の場合において、相続税の課税価格に算入される価額を求めなさい。

＜設例1＞

　　相続人Aが取得した土地　　1,200万円

　　なお、この土地はAの銀行からの借入金600万円の担保として抵当権が設定されている。

＜設例2＞

　　相続人Bが取得した建物　　2,000万円

　　なお、この建物は被相続人の経営する会社の金融機関からの借入金3,000万円の担保に提供されている。

解　答

＜設例1＞

　　相続人Aが取得した土地　　　1,200万円

＜設例2＞

　　相続人Bが取得した建物　　　2,000万円

解答への道

　　質権、抵当権又は地役権のように従たる権利は、主たる権利の価値を担保し、又は増加させるものであって、独立して財産を構成しない。（基通11の2−1(3)）

　　したがって、抵当権の設定や担保の提供は、評価額に影響を与えない。

　次の設例に基づいて、配偶者居住権の価額、建物所有権の価額、敷地利用権の価額及び敷地所有権の価額を求めなさい（小規模宅地等の特例については考慮しなくてよい。）。

＜設例1＞

　令和7年4月2日に死亡した被相続人甲の相続について、同年10月17日における分割協議の結果、以下の条件で配偶者居住権が設定され、それぞれ取得した。なお、子Aは取得した宅地の所有権を相続税の申告期限まで所有し、その宅地の上に存する家屋に居住している。

　　建物：相続税評価額20,000,000円（木造、平成30年6月10日建築）

　　宅地：相続税評価額40,000,000円（150㎡）（上記建物の敷地の用に供されている）

　　配偶者乙：女性、昭和31年8月10日生

　　存続年数：配偶者乙の終身

　　所有権：建物及び宅地の所有権は被相続人甲及び配偶者乙と同居していた子Aが取得

（参考）

　　木造建物の法定耐用年数：22年

　　平均余命年数（女性）：68歳……22.20年

　　　　　　　　　　　　　69歳……21.32年

　　　　　　　　　　　　　70歳……20.45年

　　法定利率による複利現価率：20年……0.554

　　　　　　　　　　　　　　　21年……0.538

　　　　　　　　　　　　　　　22年……0.522

＜設例2＞

　令和7年11月9日に死亡した被相続人丙の相続について、公正証書遺言により、以下の条件で配偶者居住権が設定され、それぞれ取得した。なお、子Bは取得した宅地の所有権を相続税の申告期限まで所有している。

　　建物：相続税評価額7,000,000円（木造、平成21年8月6日建築）

　　宅地：相続税評価額13,000,000円（120㎡）（上記建物の敷地の用に供されている）

　　配偶者丁：男性、昭和26年1月16日生

　　存続年数：15年間

　　所有権：建物及び宅地の所有権は被相続人丙及び配偶者丁と別に居住していた子Bが取得

（参考）

　　木造建物の法定耐用年数：22年

平均余命年数（男性）：74歳……13.23年

75歳……12.54年

法定利率による複利現価率：12年……0.701

13年……0.681

解　答

＜設例１＞

1　配偶者居住権の価額（配偶者乙が取得）

$$20,000,000円 - 20,000,000円 \times \frac{\overset{*1}{33年} - \overset{*2}{7年} - \overset{*3}{21年}}{\underset{*1}{33年} - \underset{*2}{7年}} \times \overset{*4}{0.538} = 17,930,769円$$

（円未満四捨五入）

＊１　22年×1.5＝33年

＊２　H30.6.10〜R7.10.17→7年4月　∴　7年（6月未満切捨）

＊３　S31.8.10〜R7.10.17→69歳2月

∴　69歳（満年齢）…21.32年→21年（6月未満切捨）

＊４　21年…0.538

2　建物の所有権の価額（子Aが取得）

20,000,000円−17,930,769円＝2,069,231円

3　敷地利用権の価額（配偶者乙が取得）

40,000,000円−40,000,000円×0.538＝18,480,000円

4　敷地の所有権の価額（子Aが取得）

40,000,000円−18,480,000円＝21,520,000円

＜設例２＞

1　配偶者居住権の価額（配偶者丁）

$$7,000,000円 - 7,000,000円 \times \frac{\overset{*1}{33年} - \overset{*2}{16年} - \overset{*3}{13年}}{33年 - 16年} \times \overset{*4}{0.681} = 5,878,353円$$

（円未満四捨五入）

＊１　22年×1.5＝33年

＊２　H21.8.16〜R7.11.9　→16年3月　∴　16年

＊３　S26.1.16〜R7.11.9　→74歳9月　∴　74歳……13.23年→13年＜15年　∴　13年

＊４　13年…0.681

2　建物の所有権の価額（子B）

7,000,000円−5,878,353円＝1,121,647円

3　敷地利用権の価額（配偶者丁）

13,000,000円−13,000,000円×0.681＝4,147,000円

4　敷地の所有権の価額（子Ｂ）

　　13,000,000円－4,147,000円＝8,853,000円

解答への道

　　被相続人死亡後の配偶者の居住場所を確保しつつ、その後の生活費となる被相続人の他の遺産も取得できるようにとの配慮から、民法において配偶者居住権が設定され、これに伴い相続税法において以下の配偶者居住権等の評価の規定が設けられている。

《配偶者居住権等の評価》（法23の２）

1　配偶者居住権等（建物）の評価

（1）配偶者居住権

$$建物の時価－建物の時価×\frac{イ－ロ－ハ}{イ－ロ}×ニ　（最終値円未満四捨五入）$$

イ　建物の耐用年数※１＝法定耐用年数×1.5

ロ　経過年数※１＝建築年月日から<u>配偶者居住権が設定された時</u>までの期間

ハ　配偶者居住権の存続年数※１

　（イ）存続期間が終身の場合

　　　配偶者居住権が設定された時におけるその配偶者の平均余命※２

　（ロ）存続期間が終身以外の場合

　　　配偶者居住権が設定された日から分割協議等で定められた終了の日までの期間と、存続期間が終身の場合の存続年数とのいずれか短い期間

ニ　存続年数※１に応じた法定利率による複利現価率

※１　１年未満の端数は、６月以上は１年とし、６月未満は切捨てる。

※２　配偶者の年齢は満年齢（１年未満切捨）とし、余命年数に小数点以下の数字がある場合には、0.5以上（６月以上）は切上、0.5未満（６月未満）は切捨てる。

　　　（例）55.49年→55年　　31.53年→32年

※３　分数の分子又は分母が０以下となる場合は分数自体を０とする。

《注意点》

① 耐用年数と法定耐用年数

　　配偶者居住権の価額を算定する際に用いる建物の耐用年数は「法定耐用年数×1.5」により求めるため、資料の与えられ方に注意する必要がある。

　(イ) 法定耐用年数が与えられている場合

　　　法定耐用年数が与えられている場合には1.5を乗じる必要がある。

　　　例）法定耐用年数22年が与えられている場合

　　　　　法定耐用年数22年×1.5＝耐用年数33年

　(ロ) 耐用年数が与えられている場合

　　　法定耐用年数に1.5を乗じたものが耐用年数であるため、耐用年数に1.5を乗じる必要はない。

　　　例）耐用年数33年が与えられている場合

　　　　　耐用年数33年

② 配偶者居住権が設定された時

　　次の区分に応じ、それぞれ次に掲げる時をいう。

　(イ) 遺産の分割によって配偶者居住権を取得するものとされた場合

　　　遺産の分割が行われた時（分割協議の成立した日※）

　　　※　家庭裁判所による遺産分割の審判があった場合には、その審判の確定した日

　(ロ) 配偶者居住権が遺贈の目的とされた場合

　　　相続開始の時

(2) 建物の所有権

> 建物の時価－配偶者居住権の価額

2　敷地利用権等（土地）の評価

(1) 敷地利用権

> 土地の時価－土地の時価×存続年数に応じた法定利率による複利現価率
> （最終値円未満四捨五入）

　※　1年未満の端数は、6月以上は1年とし、6月未満は切捨てる。

　　なお、配偶者の年齢は満年齢（1年未満切捨て）とし、余命年数に小数点以下の数字がある場合には、0.5以上（6月以上）は切上、0.5未満（6月未満）は切捨となる。

　　（例）55.49年→55年　　31.53年→32年

(2) 敷地所有権

> 土地の時価－敷地利用権の価額

MEMO

第5章

相続税の非課税財産・債務控除

　次の設例に基づき、各相続人等の相続税の課税価格に算入すべき価額を求めなさい。

＜設　例＞

1　被相続人甲の相続人等は次に図示するとおりである。

　（注1）長男Aは、公益を目的とする事業を行う所定の者に該当する。

　（注2）二男Bは、障害者に該当する。

2　各相続人は相続により次のとおり財産を取得している。

　(1) 配偶者乙

　　宅地及び家屋24,000千円、墓地1,500千円及び骨とう品として所有している仏像1,200千円。

　(2) 長 男 A

　　宅地12,000千円。Aは取得後直ちにこの宅地を公益を目的とする事業の用に供した。

　(3) 二 男 B

　　甲が加入者となり掛金の全額を負担していたC市の実施する心身障害者共済制度に基づく給付金の受給権6,800千円。

解　答

配偶者乙　　24,000千円＋1,200千円＝25,200千円

長男Ａ　　　0

二男Ｂ　　　0

解答への道

《相続税法の非課税財産》（法12）

1　皇室経済法の規定により皇位とともに皇嗣が受けた物

2　墓所、霊びょう及び祭具並びにこれらに準ずるもの

3　公益事業用財産

4　心身障害者共済制度に基づく給付金の受給権

5　相続人が取得した生命保険金等のうち一定の金額

6　相続人が取得した退職手当金等のうち一定の金額

　墓所、霊びょう等で非課税財産となるのは、日常礼拝の用に供しているものであり、商品、骨とう品又は投資の対象として所有するものは含まれない。（基通12－2）

　次の各設例の場合における、相続税の課税価格に算入又は加算される価額を求めなさい。なお、いずれも相続税の申告期限までに贈与、提供、支出又は譲渡をし、適正に受け入れられているものとする。また、2以上の計算方法がある場合には、課税価格が最も少なくなる方法を選択するものとする。

＜設例1＞

　Aは、相続により取得した預金15,000千円のうち5,000千円を菩提寺であるB寺に贈与した。

＜設例2＞

　Cは、相続により取得したものとみなされた生命保険金10,000千円のうち10,000千円を学校法人に贈与した。

＜設例3＞

　Dは、被相続人の相続開始の年に被相続人から贈与され、生前贈与加算の規定により相続税の課税価格に加算された株式3,000千円を日本赤十字社に贈与した。

＜設例4＞

　Eは、遺贈により取得した株式8,000千円を町内会に贈与した。

＜設例5＞

　Fは、相続により取得した土地20,000千円を、県立高校の体育館の建設を目的として設立された後援会に贈与した。なお、この土地は最終的に県に帰属する。

＜設例6＞

　Gは、遺贈により取得した現金9,000千円を社会福祉法人を設立するために全額提供した。

＜設例7＞

　Hは、相続により取得した株式8,000千円を8,500千円で売却し、その売却代金のうち4,000千円を東京都に贈与した。

＜設例8＞

　Ⅰは、相続により取得した現金15,000千円のうち9,000千円を「学生に対する学資の支給」を目的とする特定公益信託の信託財産とするためにJ信託銀行に支出した。

＜設例9＞

　Kは、相続により取得したものとみなされた退職手当金10,000千円のうち7,000千円を「文化・芸術の振興を図る活動」を目的とする認定特定非営利活動法人L会に贈与した。

＜設例10＞

　Mは、遺贈により取得した土地50,000千円を10,000千円で大阪市に譲渡した。

解 答

＜設例１＞

　　A　　15,000千円

＜設例２＞

　　C　　10,000千円－10,000千円＝0

＜設例３＞

　　D　　3,000千円

＜設例４＞

　　E　　8,000千円

＜設例５＞

　　F　　20,000千円－20,000千円＝0

＜設例６＞

　　G　　9,000千円

＜設例７＞

　　H　　8,000千円

＜設例８＞

　　I　　15,000千円－9,000千円＝6,000千円

＜設例９＞

　　K　　10,000千円－7,000千円＝3,000千円

＜設例10＞

　　M　　50,000千円－（50,000千円－10,000千円）＝10,000千円

解答への道

《租税特別措置法第70条の非課税財産》

1　適用対象となる贈与財産又は支出金銭の範囲（措通70－1－5、6、70－3－1、2）

非 課 税 と な る 場 合	課 税 さ れ る 場 合
①　相続又は遺贈により取得した財産 ②　相続又は遺贈により取得したものとみなす財産 上記財産そのものを贈与した場合	①　相続、遺贈財産の譲渡（収用交換等を除く。）により取得した財産（代金等） ②　証券投資信託又は貸付信託の解約により取得した金銭 ③　贈与財産を贈与した場合

（注）特定公益信託のうち一定のものに支出する財産は、金銭に限られる。

2 贈与先又は支出先

	非 課 税 と な る 場 合	課 税 さ れ る 場 合
国等に贈与した場合	① 国、地方公共団体 ② 特定の公益法人等（措令40の3） 　日本赤十字社、学校法人、 　社会福祉法人、独立行政法人、 　公益社団法人、公益財団法人　etc. ③ 公立の学校等、国又は地方公共団体の設置する施設の建設又は拡張等の目的をもって設立された後援会等に対する贈与でその贈与財産が最終的に国又は地方公共団体に帰属し、又は帰属することが明らかであるもの（措通70－1－2） ④ 認定特定非営利活動法人 　　　　　　　　（措通70－1－4）	① 政府の出資により設立された公団等の公法人（措通70－1－1） ② 地方公共団体の出資により設立された法人（措通70－1－1） ③ 宗教法人（菩提寺等） ④ 特定の公益法人等を設立するための贈与（措通70－1－3） ⑤ 人格のない社団等
特定公益信託	特定公益信託のうち一定のもの 　（基本的に「特定公益信託に支出」とあれば適用して構わない。）	左記以外

3 贈与又は支出期限

　相続税の期限内申告書の提出期限までに、贈与又は支出をしなければならない。

4 国等に相続財産を低額譲渡した場合

　相続又は遺贈により取得した財産を著しく低い価額の対価で国等に譲渡した場合には、その財産の価額から対価の額を控除した金額に相当する部分について、非課税の適用がある。（措通70－1－8）

次に掲げる債務のうち、債務控除の対象となるものを答えなさい。

1　買掛金

2　未払医療費

3　墓地取得未払金

4　保証債務（債務者の資産状況は良好である。）

5　相続財産の調査、鑑定費用

6　賃貸土地建物に対する預り保証金、敷金

7　未分割遺産の管理費用

8　仏具代の未払金

9　交際費の未払分

10　墓地の管理費用

11　保証債務（債務者であるA株式会社が倒産したため、相続開始時において相続人が保証債務を履行しなければならなくなっており、A株式会社に求償しても返還を受ける見込みはない。）

12　銀行借入金

13　遺言執行費用

14　未払飲食費

15　連帯債務（弟Bとの連帯債務である。被相続人の負担すべき金額は定まっており、弟Bの資産状態は良好である。）

16　消滅時効が完成した債務

解　答

1、2、6、9、11（主たる債務者が弁済不能部分の金額）、12、14、

15（被相続人の負担すべき金額部分）

解答への道

1　債務控除の対象となる債務は、確実と認められるものに限る。（法14①）

2　債務控除の対象とならない債務

---

①　墓所、霊びょう及び祭具等の取得、維持又は管理のために生じた債務

　（例）墓碑の買入未払代金（法13③、基通13－6）

②　公益事業用財産の取得、維持又は管理のために生じた債務（法13③）

③　相続財産に関する費用（基通13－2）

④　消滅時効の完成した債務（基通14－4）

3　保証債務の取扱い（基通14－3(1)）

　(1) 原　則　→　債務控除の対象とならない。

　(2) 次の①、②の要件を満たした場合　→　主たる債務者が弁済不能部分の金額は債務控除の対象

　　となる。

　　①　主たる債務者が弁済不能の状態にあり、保証債務者がその債務を履行しなければならない。

　　②　主たる債務者に求償して返還を受ける見込みがない。

4　連帯債務の取扱い（基通14－3(2)）

　(1) 連帯債務者のうちで債務控除を受けようとする者の負担すべき金額が明らかとなっている場

　　合　→　その負担金額が債務控除の対象となる。

　(2) 次の①、②、③の要件を満たした場合　→　その負担しなければならないと認められる部分の

　　金額も債務控除の対象となる。

　　①　連帯債務者のうちに、弁済不能者がある。

　　②　求償して弁済を受ける見込みがない。

　　③　弁済不能者の負担部分をも負担しなければならないと認められる。

第5章　相続税の非課税財産・債務控除

次に掲げる被相続人に係る債務のうち債務控除の対象となるものを答えなさい。なお、被相続人甲は、令和7年4月30日に死亡している。

1　令和7年度固定資産税（この納税通知書は令和7年5月12日付で同月15日に受領した。）

2　令和7年度県市民税（この納税通知書は令和7年5月20日付で同月12日に受領した。）

3　令和7年分準確定申告所得税（令和7年7月15日申告済）

4　過年度所得税の過少申告加算税（甲の責めに帰すべき事由により課されたもの。）

5　不動産取得税

6　令和7年分贈与税（このうちには、相続人の責めに帰すべき事由により課された延滞税が含まれている。）

7　上記3の申告に基づいて、令和7年度事業税の通知が相続税の申告期限後に来ることが判明している。

解　答

1、2、3、4、5、6（相続人の責めに帰すべき延滞税は除く）、7

解答への道

債務控除の対象となる公租公課

(1) 被相続人の死亡の際、債務の確定しているものの金額（法14②）

(2) 被相続人の死亡後相続税の納税義務者が納付し、又は徴収されることとなった税額（令3）

《債務控除の対象とならない公租公課》（令3）

相続人又は包括受遺者の責めに帰すべき事由により納付し、又は徴収されることとなった延滞税、利子税、過少申告加算税、無申告加算税及び重加算税に相当する税額

次に掲げるもののうち、債務控除の対象となるものを答えなさい。

1　密葬費用

2　本葬費用

3　初七日法事費用

4　墓地・仏具購入費用

5　香典返し費用

6　通夜の費用

7　葬式会場借上費

8　仮葬式の費用

9　墓地整備費用

10　四十九日法事費用

11　遺体解剖費用

12　お坊さんへの読経料、御布施

13　遺体運搬費用

14　納骨費用

15　永代供養料

解　答

1、2、6、7、8、12、13、14

解答への道

葬式費用として控除する金額（基通13－4）

(1) 葬式もしくは葬送に際し、又はこれらの前において、埋葬、火葬、納骨又は遺がいもしくは遺骨の回送その他に要した費用（仮葬式と本葬式とを行うものにあっては、その両者の費用）

(2) 葬式に際し、施与した金品で、被相続人の職業、財産その他の事情に照らして相当程度と認められるものに要した費用

(3) (1)又は(2)に掲げるもののほか、葬式の前後に生じた出費で通常葬式に伴うものと認められるもの

(4) 死体の捜索又は死体もしくは遺骨の運搬に要した費用

《葬式費用でないもの》（基通13－5）

(1) 香典返戻費用

(2) 墓碑及び墓地の買入費並びに墓地の借入料

(3) 法会に要する費用

(4) 医学上又は裁判上の特別の処置に要した費用

　次の設例に基づき、各相続人及び受遺者の債務控除額を求めなさい。

＜設　例＞

1　埼玉県X市に住所を有する被相続人甲の相続人等は、次のとおりである。

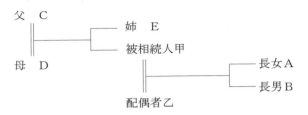

　（注1）長女Aは、被相続人甲の相続に関し、適法に相続の放棄の手続を行っている。

　（注2）母Dは、被相続人甲の相続開始以前に死亡している。

　（注3）被相続人甲の相続開始時において、相続人等は全員、日本国籍を有しており、

　　　　埼玉県内に住所を有している。

　（注4）長女A及び父Cは特定遺贈により、姉Eは包括遺贈により、配偶者乙及び長男

　　　　Bは相続により、それぞれ被相続人甲から財産を取得している。

2　被相続人甲の債務について、各人ごとの負担が次のように確定した。

　（1）配偶者乙

　　　銀 行 借 入 金　　　36,000千円

　　　未 払 医 療 費　　　　1,800千円

　　　墓地取得未払金　　　　4,000千円

　（2）長 女 A

　　　買　　掛　　金　　　12,000千円

　　　葬 式 費 用　　　　7,500千円（このうちには、香典返し費用3,200千円が含まれて

　　　　　　　　　　　　　　　　　　いる。）

　（3）父　　C

　　　交際費の未払分　　　　2,900千円

　　　葬 式 費 用　　　　1,500千円

　（4）姉　　E

　　　賃貸土地建物に対する預り保証金　　　3,100千円

配偶者乙	36,000千円＋1,800千円＝37,800千円
長女　A	7,500千円－3,200千円　＝　4,300千円
父　　　C	相続人又は包括受遺者でないため債務控除の適用はない。
姉　　　E	3,100千円

解答への道

《債務控除の適用対象者》（基通13－1）

> 相続人（相続を放棄した者及び相続権を失った者を含まない。）
>
> 包括受遺者

　相続を放棄した者及び相続権を失った者で次のいずれかに該当する者が、現実に被相続人の葬式費用を負担した場合においては、その負担額は債務控除できる。

（1）居住無制限納税義務者

（2）非居住無制限納税義務者

（3）特定納税義務者のうち相続開始時に法施行地に住所を有するもの

次の設例に基づき、各相続人及び受遺者の債務控除額を債務、葬式費用の別に求めなさい。

＜設　例＞

1　被相続人甲の相続人等は、次のとおりである。

（注1）被相続人甲の相続開始時における甲及び各相続人の住所は、次のとおりである。

なお、甲及び相続人等は全員、日本国籍を有している。

被相続人甲及び配偶者乙…………東京都X区

養子A及び長女B…………………米国

長男C及び二女D…………………英国

（注2）養子Aは、被相続人甲及び配偶者乙と養子縁組している。

2　被相続人甲の相続人等は、次に掲げる財産を相続又は遺贈により取得している。

(1)　配偶者乙が取得した財産

東京都X区に所在する土地及び家屋

(2)　養子Aが取得した財産

東京都Y区に所在する土地及びE社株式（国外財産）

(3)　長女Bが取得した財産

F社株式（国内財産）及び米国債（国外財産）

(4)　長男Cが取得した財産

日本国債

(5)　二女Dが取得した財産

G社社債（国外財産）

3　被相続人甲の相続開始時における債務及びその負担者は次のとおりである。

(1)　銀行借入金（東京都Y区に所在する土地に係るもの）　30,000千円（養子A負担）

(2)　銀行借入金（E社株式に係るもの）　　　　　200千円（養子A負担）

(3)　銀行借入金（米国債に係るもの）　　　　　1,000千円（長女B負担）

(4)　銀行借入金（G社社債に係るもの）　　　　2,000千円（二女D負担）

(5)　未払医療費　　　　　　　　　　　　　　　500千円（各相続人が均等に負担）

4　被相続人甲の葬式に要した費用は4,000千円であり、これについては、各相続人が相続分に応じて負担した。

解答

債 務	養子A	$30,000千円＋200千円＋500千円×\dfrac{1}{5}＝30,300千円$
	長女B	$1,000千円＋500千円×\dfrac{1}{5}＝1,100千円$
	二女D	$2,000千円＋500千円×\dfrac{1}{5}＝2,100千円$
	配偶者乙	$500千円×\dfrac{1}{5}＝100千円$
	長男C	$500千円×\dfrac{1}{5}＝100千円$

葬式費用	配偶者乙		$\dfrac{1}{2}＝2,000千円$
	養子A		$\dfrac{1}{2}×\dfrac{1}{4}＝500千円$
	長女B	$4,000千円×$	$\dfrac{1}{2}×\dfrac{1}{4}＝500千円$
	長男C		$\dfrac{1}{2}×\dfrac{1}{4}＝500千円$
	二女D		$\dfrac{1}{2}×\dfrac{1}{4}＝500千円$

解答への道

《控除できる債務の範囲》（法13①、②、令5の4①）

納 税 義 務 者 の 区 分	控 除 で き る 債 務 の 範 囲
居住無制限納税義務者 非居住無制限納税義務者 特定納税義務者で相続開始時において法施行地に住所を有するもの	① 被相続人の債務で相続開始の際現に存するもの（公租公課を含む） ② 被相続人に係る葬式費用
居住制限納税義務者 非居住制限納税義務者 特定納税義務者で相続開始時において法施行地に住所を有しないもの	① その者が取得した課税財産に係る一定の債務 ② 被相続人が法施行地に営業所又は事業所を有していた場合におけるその営業所又は事業所に係る営業上又は事業上の債務

次の設例に基づき、各相続人等の債務控除額を求めなさい。

＜設　例＞

1　米国に住所を有する被相続人甲（令和7年5月10日死亡）の相続人等は次のとおりである。
　なお、甲は平成12年3月までは東京都X区に住所を有していたが、その後米国に住所を移している。

　（注1）長男Aは、被相続人甲の相続に関し、適法に相続の放棄をしている。

　（注2）養子Cは、相続開始時において米国に住所を有している。なお、その他の相続人、受遺者は、日本国内に住所を有している。

　（注3）相続人、受遺者は養子Cを除き、日本国籍を有している。なお、Cは米国籍を有している。

　（注4）養子Cは、被相続人甲及び配偶者乙と養子縁組している。

2　被相続人甲の債務について、各人ごとの負担が次のように確定した。

　(1)　配偶者乙

　　　銀 行 借 入 金　　　　10,000千円

　　　未納公租公課　　　　　2,500千円（このうち300千円は相続人の責めに帰すべき附帯税である。）

　(2)　長男A

　　　家屋取得代金の未払分　　5,400千円

　　　本 葬 式 費 用　　　　3,600千円

　　　初 七 日 法 要 費 用　　1,500千円

　(3)　二男B

　　　保証債務　4,800千円（友人Dに対するものであり、Dの資産状態は良好である。）

　(4)　養子C

　　　証券会社に対する未払金　7,000千円（養子Cが相続により取得した米国債に係るものである。）

　　　未払固定資産税　　　　　1,500千円（養子Cが相続により取得した日本国内にある土地に係るものである。）

　　　甲が日本で営む事業に係る買掛金　3,000千円

配偶者乙　　　10,000千円＋2,500千円－300千円＝12,200千円

長 男 Ａ　　　3,600千円

二 男 Ｂ　　　0

養 子 Ｃ　　　1,500千円＋3,000千円＝4,500千円

解答への道

1　養子Ｃは非居住制限納税義務者であるため、課税対象外となる国外財産である米国債に係る債務は控除できない。

2　長男Ａは相続を放棄しているため相続人に該当しないが、現実に負担した葬式費用については居住無制限納税義務者であるため控除できる。（基通13－1）

問 題 9　債務の負担が未確定の場合　　　　　　重要度 A

　次の設例に基づき、各人の債務控除額を求めなさい。

＜設　例＞

1　令和7年3月15日に死亡した被相続人甲の相続人等は次に図示するとおりであり、全員法施行地に住所を有している。

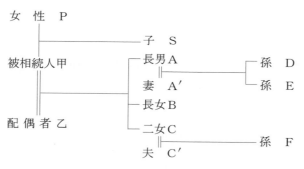

（注1）長男Ａは相続開始以前に死亡している。

（注2）二女Ｃは被相続人甲の相続に関し、正式に相続の放棄をしている。

（注3）甲は子Ｓを出生と同時に認知している。

2 被相続人甲の債務等の状況は次のとおりであるが、各人の負担額は申告期限までに確定していない。

(1) 銀行借入金　　3,000千円

(2) 個人金融業者からの借入金（甲の生前、この借入金について裁判中であり、業者側は4,800千円と主張しており、甲は3,900千円の債務の存在を認めていた。）

(3) 未払金　5,000千円（このうち1,370千円は墓地の買入れに係る未払金である。）

(4) 未納公租公課　2,100千円（このほか、甲の令和4年分の所得税について修正申告書を令和7年4月16日に提出したことに係る甲の責めに帰すべき税額570千円がある。）

解答

3,000千円＋3,900千円＋（5,000千円－1,370千円）＋2,100千円＋570千円＝13,200千円

配偶者乙　　　　　　　　　　$\dfrac{1}{2}$　　　　　　＝6,600千円

長女 B　　　　　　　　　　$\dfrac{1}{2} \times \dfrac{1}{3}$　　　＝2,200千円

孫　　D　　13,200千円×　$\dfrac{1}{2} \times \dfrac{1}{3} \times \dfrac{1}{2}$＝1,100千円

孫　　E　　　　　　　　　$\dfrac{1}{2} \times \dfrac{1}{3} \times \dfrac{1}{2}$＝1,100千円

子　　S　　　　　　　　　$\dfrac{1}{2} \times \dfrac{1}{3}$　　　＝2,200千円

解答への道

　債務控除額となるのは、債務のうち最終的に相続人、包括受遺者の負担に属する部分の金額である。

《その者の負担に属する部分の金額》（基通13－3）

ケース	その者の負担に属する部分の金額
債務の負担が確定している場合	相続人、包括受遺者が実際に負担する金額
債務の負担が未確定の場合	相続人、包括受遺者が、民法第900条から第902条までの規定による相続分又は包括遺贈の割合に応じて負担する金額

第6章

生前贈与加算

　　次の設例に基づき、相続税の課税価格に加算される贈与財産の価額を求めなさい。

＜設　例＞

1　　令和7年8月23日に死亡した被相続人甲の相続人等は次のとおりである。

　　（注1）長男Aは、相続開始以前に死亡している。

　　（注2）長女Bは被相続人甲の相続に関し、適法に相続の放棄をしている。

　　（注3）相続人は全員相続により財産を取得している。

2　　代表者の定めのある人格のない社団Eは、遺贈により財産を取得している。

3　　被相続人甲の相続人等は甲の相続開始前に、次のとおり財産の贈与を受けている。

贈 与 年 月 日	贈与者	受贈者	財　　産	贈 与 時 の 価 額	相続開始時の価額
令和4年6月9日	甲	C	山　　林	9,200千円	12,000千円
令和4年11月12日	甲	C	土　　地	4,800千円	5,400千円
令和5年1月20日	甲	D	現　　金	2,900千円	2,900千円
令和5年4月1日	A′	D	株　　式	3,600千円	3,100千円
令和5年10月31日	甲	E	社　　債	1,750千円	1,800千円
令和6年2月18日	甲	B	預　　金	5,000千円	5,000千円
令和6年7月25日	甲	乙	居住用不動産	22,500千円	25,000千円
令和7年5月10日	甲	乙	現　　金	800千円	800千円

（注）乙は令和6年分の贈与税につき、贈与税の配偶者控除の適用を受けている。

二 女 C	4,800千円
孫　　D	2,900千円
人格のない社団E	1,750千円
配偶者乙	(22,500千円－20,000千円)＋800千円＝3,300千円

（注）長女Bは、相続又は遺贈により財産を取得していないため、適用なし。

解答への道

1　相続又は遺贈により財産を取得した者で、その相続の開始前3年以内に、その相続に係る被相続人から暦年課税贈与により財産を取得したことがある場合には、生前贈与加算の適用対象者となる。（法19）

2　相続又は遺贈により財産を取得した者には、個人とみなされる人格のない社団等、持分の定めのない法人も範囲に含まれる。

3　生前贈与加算となる贈与財産の価額は、贈与により取得した時における時価であり、贈与税の配偶者控除の適用を受けた者がある場合には、その金額は生前贈与加算の適用がない。

　次の設例に基づき、相続税の課税価格に加算される贈与財産の価額を求めなさい。

＜設　例＞

1　東京都X区に住所を有する被相続人甲は、令和7年9月4日に死亡した。Cが甲の死亡を知った日は令和7年9月7日、他の相続人等は令和7年9月4日であった。なお、甲は出生時から日本国内以外に住所を有したことはない。

2　甲の相続人等は全員相続開始時において法施行地に住所を有している。

3　甲の相続人等が、相続開始前に贈与を受けた財産は次のとおりであった。なお、受贈者は全員、日本国籍を有しており、甲から相続又は遺贈により財産を取得している。

4　Bは、特別障害者に該当している。

贈与年月日	贈与者	受贈者	財　　　産	贈与時の価額	相続開始時の価額	注
令和4年9月5日	甲	C	土　　地	12,000千円	16,000千円	
令和4年11月10日	甲	D	現　　金	550千円	550千円	
令和6年6月25日	甲	A	土　　地	9,300千円	9,900千円	1
令和6年10月4日	甲	A	定 期 預 金	4,800千円	4,850千円	2
令和6年11月7日	甲	B	現　　金	5,000千円	5,000千円	3
令和7年7月20日	甲	B	信託受益権	60,000千円	60,000千円	4

（注1）Aは令和6年8月3日まで米国に住所を有しており、土地はカリフォルニアに所在するものである。

（注2）米国に本店を有する銀行の神田支店に預け入れてある定期預金である。

（注3）Bは令和6年11月に住宅の購入契約を締結し、住宅取得等資金の贈与を受けた場合の贈与税の非課税（省エネ等住宅以外）の適用を受けた。

（注4）Bを受益者とする特定障害者扶養信託契約をE信託銀行と締結し、障害者非課税信託申告書を提出したものである。

解 答

C　　12,000千円

D　　550千円

A　　9,300千円＋4,800千円＝14,100千円

B　　（5,000千円－5,000千円）＋（60,000千円－60,000千円）＝0

解答への道

1　生前贈与加算の対象となる贈与財産は、相続の開始の日からさかのぼって3年目の応当日からその相続の開始の日までの間になされたものである。（基通19－2）

　　したがって、相続の開始があったことを知った日は、無関係である。

2　生前贈与加算される贈与財産は、贈与税の課税価格計算の基礎に算入されるもの（特定贈与財産及び相続時精算課税適用財産を除く。）に限る。（法19）

　　Bが贈与により取得した特定障害者扶養信託契約に基づく信託受益権については、Bが特別障害者のため、6,000万円までの金額に相当する部分の価額は、贈与税の課税価格に算入しない。（法21の4）

　　また、住宅取得等資金の非課税の適用を受けた部分の金額（5,000千円）も同様である。

3　Aは令和6年6月25日の土地の贈与について、非居住無制限納税義務者に該当するため、その土地は贈与税の課税価格計算の基礎に算入される。したがって、土地9,300千円も生前贈与加算の対象となる。

4　贈与税の基礎控除額以下の贈与（D　550千円）についても加算対象となる。

　次の各設例に基づき、相続税の課税価格に加算される贈与財産の価額を求めなさい。

＜設例１＞

　令和７年５月７日に死亡した被相続人甲は、配偶者乙に対し令和４年４月20日に居住用宅地17,000千円、同年６月16日に居住用建物11,000千円を贈与している。乙は令和４年分の贈与税の申告の際に、贈与税の配偶者控除の適用を受けている。なお、乙は、甲から相続により財産を取得している。

＜設例２＞

　令和７年７月10日に死亡した被相続人甲は、配偶者乙に対し令和５年12月24日に現金20,000千円を贈与していた。乙は取得した現金に自己資金3,000千円を加え、居住用不動産18,000千円と家庭用動産5,000千円を取得し、令和５年分の贈与税につき贈与税の配偶者控除の適用を受けている。なお、乙は、甲から遺贈により財産を取得している。

＜設例３＞

　被相続人甲は、令和７年７月18日に自宅で病気療養中に死亡した。被相続人甲の配偶者である乙は、被相続人甲から相続又は遺贈により財産を取得したが、配偶者乙が被相続人甲の生前に贈与を受けていた状況は、次のとおりである。

贈 与 年 月 日	贈 与 財 産	贈 与 時 の 価 額	相続開始時の価額
令和５年９月21日	株　　式	3,000千円	2,500千円
令和７年２月９日	居住用建物	22,000	22,000
令和７年４月15日	現　　金	1,500	1,500

　なお、配偶者乙は、贈与税の配偶者控除の適用要件を具備しており、令和７年分の贈与についてその適用を受けるつもりであった。

　また、上記贈与について、特例の適用が受けられるものについての必要な手続はすべて行われているものとする。

第6章

生前贈与加算

＜設例１＞　　11,000千円－11,000千円＝0
　　　　　　　　　　　　　　　　　＊

　　＊　贈与税の配偶者控除額

　　　　17,000千円＋11,000千円＝28,000千円≧20,000千円　　∴　20,000千円

　　　　生前贈与加算の対象となる居住用建物から11,000千円、対象とならない居住用宅地から残額
　　の9,000千円の適用を受けたものとする。

＜設例２＞　　20,000千円－18,000千円＝　2,000千円
　　　　　　　　　　　　　　　　　＊

　　＊　贈与税の配偶者控除額

　　　　18,000千円＜20,000千円　　∴　　18,000千円

＜設例３＞　　3,000千円＋22,000千円－20,000千円＋1,500千円＝6,500千円
　　　　　　　　　　　　　　　　　　　　　　　＊

　　＊　贈与税の配偶者控除額

　　　　22,000千円≧20,000千円　　∴　　20,000千円

解答への道

1　贈与税の配偶者控除の適用順序（基通19－8）

　　被相続人の配偶者が、その被相続人から相続開始の日の属する年の３年前の年（令和４年）に
２回以上にわたって贈与税の配偶者控除の適用を受けることができる居住用不動産又は居住用
不動産の取得のための金銭（以下「居住用不動産等」という。）の贈与を受け、その年分の贈与
税につき贈与税の配偶者控除の規定の適用を受けている場合で、その贈与により取得した居住用
不動産等の価額の合計額が、2,000万円を超え、かつ、その贈与に係る居住用不動産等のうちに
相続開始前３年以内の贈与に該当するものと該当しないものとがあるときにおける生前贈与加
算の規定の適用に当たっては、贈与税の配偶者控除は、まず、相続開始前３年以内の贈与に該当
する居住用不動産等から適用されたものとして取り扱う。

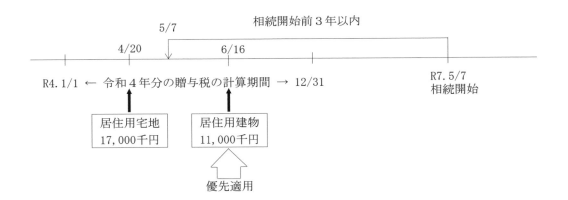

2　居住用不動産と同時に居住用不動産以外の財産を取得した場合（基通21の6-5）

　　配偶者から贈与により取得した金銭及びその金銭以外の資金をもって、居住用不動産と同時に居住用不動産以外の財産を取得した場合には、贈与税の配偶者控除の規定の適用上、その贈与により取得した金銭はまず居住用不動産の取得に充てられたものとして取り扱う。

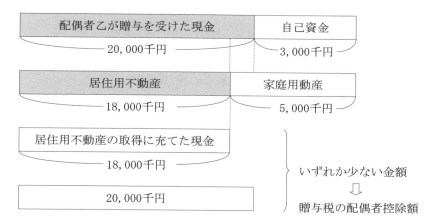

3　相続開始年分の贈与税の配偶者控除（法19②）

　　相続開始年分の被相続人からの贈与についても、その被相続人の配偶者がその被相続人からの贈与について既に贈与税の配偶者控除の適用を受けた者でないときは、贈与税の配偶者控除の適用があるものとした場合に控除されることとなる金額に相当する部分については、特定贈与財産として、生前贈与加算の適用がないことになる。

次の設例に基づき、各相続人等の相続税の課税価格を求めなさい。

＜設　例＞

1　令和7年2月28日に死亡した被相続人甲の相続人等は次のとおりである。

（注1）二男Bは平成21年6月に死亡している。

（注2）長男A及び三男Dは被相続人甲の相続に関し、適法に相続の放棄をしている。

（注3）被相続人甲の相続開始時において、相続人等はすべて日本国内に住所を有し、日本国籍を有している。

2　被相続人甲の遺言により配偶者乙に24,500千円、長男Aに3,000千円、孫Eに5,000千円が遺贈された。

3　被相続人甲の死亡時の遺贈財産以外の遺産総額は263,000千円であり、相続税の申告期限までに分割が確定していない。

4　各相続人等は、被相続人甲から相続開始前に生計の資本として次の財産の贈与を受けている。

贈与年月日	受贈者	財　　産	贈 与 時 の 価 額	相続開始時の価額
令和3年10月25日	C	別　　荘	9,500千円	0　（注1）
令和4年2月4日	G	米 国 債	3,700千円	3,400千円
令和4年6月10日	A	土　　地	7,300千円	9,290千円
令和4年6月11日	乙	居住用不動産	21,460千円（注2）	22,500千円
令和5年1月20日	E	現　　金	1,500千円	1,500千円
令和6年4月10日	F	株　　式	2,000千円	2,280千円
令和6年8月31日	D	現　　金	1,000千円	1,000千円

（注1）Cが取得した別荘は、隣家からの出火により焼失した。なお、相続開始時に現存していたとした場合の価額は8,600千円である。

（注2）乙は令和4年分の贈与について、贈与税の配偶者控除の適用を受けている。

課　税　価　格　表

（単位：千円）

項　目　＼　相続人等					
遺 贈 財 産 の 価 額					
未 分 割 遺 産 の 価 額					
生 前 贈 与 加 算 額					
課　税　価　格 （ 千 円 未 満 切 捨 ）					

解　答

1　遺贈財産の価額

配偶者乙　24,500千円　　長男A　3,000千円　　孫　E　5,000千円

2　未分割遺産の価額

(1)　未分割遺産の価額

263,000千円

(2)　特別受益額　①＋②＝27,900千円

①　配偶者乙　　24,500千円

②　孫　　G　　3,400千円

(3)　みなし相続財産の価額　　(1)＋(2)＝290,900千円

(4)　各共同相続人の具体的相続分

配偶者乙　　　　　　　　　　　$\dfrac{1}{2}-24{,}500千円$　　　　　　　＝　120,950千円

長　女　C　　　　　　　　　　$\dfrac{1}{2}\times\dfrac{1}{2}$　　　　　　　＝　72,725千円

　　　　　　　290,900千円×

孫　　　G　　　　　　　　　　$\dfrac{1}{2}\times\dfrac{1}{2}\times\dfrac{1}{2}-3{,}400千円$＝32,962.5千円

孫　　　H　　　　　　　　　　$\dfrac{1}{2}\times\dfrac{1}{2}\times\dfrac{1}{2}$　　＝36,362.5千円

3 生前贈与加算額

長 男 A　　　　7,300千円

配偶者乙　　　21,460千円－20,000千円＝1,460千円
　　　　　　　　　　　　　　　　　　＊

　　　　＊　贈与税の配偶者控除額

　　　　　　21,460千円≧20,000千円　　∴　20,000千円

孫　　E　　　　1,500千円

（注）三男D及び孫Fは相続又は遺贈により財産を取得していないため適用はない。

課 税 価 格 表　　　　　　　　（単位：千円）

項　目　＼　相続人等	配偶者乙	長女C	孫　　G	孫　　H	長男A	孫　　E
遺 贈 財 産 の 価 額	24,500				3,000	5,000
未 分 割 遺 産 の 価 額	120,950	72,725	32,962.5	36,362.5		
生 前 贈 与 加 算 額	1,460				7,300	1,500
課 税 価 格 （ 千 円 未 満 切 捨 ）	146,910	72,725	32,962	36,362	10,300	6,500

解答への道

《特別受益額と生前贈与加算額の関係》

項　　　目	対　　象　　者	贈 与 の 範 囲	計算上用いる価額
特別受益者の相続分 （民法903）	相　　　続　　　人	生計の資本等によるすべての贈与財産	相続開始時の価額
生前贈与加算 （法19）	相続又は遺贈により財産を取得した者	相続開始前3年以内の贈与税の課税価格に算入される財産	贈与時の価額

（注1）受贈者の行為によって、財産の滅失又は価額の増減があった場合には、相続開始の当時なお原状のままであるものとみなして特別受益に持ち戻す。

（注2）配偶者に対して居住用不動産を贈与している場合には、その贈与が令和元年7月1日以後であれば特別受益として持ち戻さないが、令和元年6月30日以前である場合には、贈与税の配偶者控除適用前の金額を特別受益として持ち戻す。

第7章

相続税の総額・算出相続税額・加算額

　　次の設例に基づき、各相続人等の納付すべき相続税額を求めなさい。なお、税額控除項目については一切考慮する必要はない。また、各人の算出相続税額の計算に当たってのあん分割合は、端数を調整しないで計算するものとする。

＜設　例＞

1　被相続人甲の相続人等は次に図示するとおりである。

（注1）長男Aは、被相続人甲と同時に死亡した。

（注2）長女Bは、被相続人甲の相続に関し、適法に相続の放棄をしている。

（注3）胎児Dは、相続税の申告書を提出する時までに無事出生した。

2　各相続人等の相続税の課税価格は次のとおりである。

配偶者乙	135,000千円	長　女　B	84,000千円
妻　　A′	42,000千円	孫　　C	69,000千円
胎児　D	6,000千円		

答案用紙

1　相続税の総額の計算

課税価格の合計額	遺産に係る基礎控除額	課　税　遺　産　額
千円	千円	千円

法定相続人	法定相続分	法定相続分に応ずる取得金額	相続税の総額の基となる税額
		千円	円
合計　　　人	1	相続税の総額	円

2 各相続人等の納付すべき相続税額の計算
(単位：円)

区 分 ＼ 相続人等					
算 出 相 続 税 額					
----------	----------	----------	----------	----------	----------
----------	----------	----------	----------	----------	----------
納付税額（百円未満切捨）					

解 答

1 相続税の総額の計算

課税価格の合計額		遺産に係る基礎控除額	課 税 遺 産 額
	千円 336,000	千円 30,000＋6,000×4人＝54,000	千円 282,000
法定相続人	法定相続分	法定相続分に応ずる取得金額	相続税の総額の基となる税額
配偶者乙	$\dfrac{1}{2}$	千円 141,000	円 39,400,000
長 女 B	$\dfrac{1}{2}\times\dfrac{1}{2}=\dfrac{1}{4}$	70,500	14,150,000
孫 　 C	$\dfrac{1}{2}\times\dfrac{1}{2}\times\dfrac{1}{2}=\dfrac{1}{8}$	35,250	5,050,000
胎 児 D	$\dfrac{1}{2}\times\dfrac{1}{2}\times\dfrac{1}{2}=\dfrac{1}{8}$	35,250	5,050,000
合計　4人	1	相続税の総額	63,650,000円

〔計算過程〕

(1) 各人の課税価格の合計額

135,000千円＋84,000千円＋42,000千円＋69,000千円＋6,000千円＝336,000千円

(2) 遺産に係る基礎控除額

30,000千円＋6,000千円×法定相続人の数（4人）＝54,000千円

(3) 課税遺産額

(1)－(2)＝282,000千円

(4) 法定相続分に応ずる各取得金額（千円未満切捨）

配偶者乙 $\dfrac{1}{2}$ ＝141,000千円

長女B $\dfrac{1}{2} \times \dfrac{1}{2}$ ＝ 70,500千円

282,000千円×

孫　C $\dfrac{1}{2} \times \dfrac{1}{2} \times \dfrac{1}{2}$ ＝ 35,250千円

胎児D $\dfrac{1}{2} \times \dfrac{1}{2} \times \dfrac{1}{2}$ ＝ 35,250千円

(5) 相続税の総額の基となる税額

141,000千円×40％－17,000千円＝39,400,000円

70,500千円×30％－ 7,000千円＝14,150,000円

35,250千円×20％－ 2,000千円＝ 5,050,000円

(6) 相続税の総額

39,400,000円＋14,150,000円＋5,050,000円×2 ＝63,650,000円

2　各相続人等の納付すべき相続税額の計算

（単位：円）

区　分＼相続人等	配偶者乙	長女B	妻　A′	孫　C	胎児D
算 出 相 続 税 額	25,573,660	15,912,500	7,956,250	13,070,982	1,136,607
相続税額の加算額			1,591,250		
納付税額（百円未満切捨）	25,573,600	15,912,500	9,547,500	13,070,900	1,136,600

〔計算過程〕

(1) 算出相続税額

配偶者乙 $\dfrac{135,000千円}{336,000千円}$ ＝25,573,660円

長女B $\dfrac{84,000千円}{336,000千円}$ ＝15,912,500円

妻　A′ 63,650,000円× $\dfrac{42,000千円}{336,000千円}$ ＝ 7,956,250円

孫　C $\dfrac{69,000千円}{336,000千円}$ ＝13,070,982円

胎児D $\dfrac{6,000千円}{336,000千円}$ ＝ 1,136,607円

(2) 相続税額の加算額

$$妻\quad A'\qquad 7,956,250円×\frac{20}{100}=1,591,250円$$

解答への道

《**相続税の総額**》（法16）

```
1  各人の課税価格の合計額
2  遺産に係る基礎控除額
   30,000千円＋6,000千円×法定相続人の数
3  課税遺産額
    1－2
4  法定相続分に応ずる各取得金額（千円未満切捨）
5  相続税の総額の基となる税額
   4×税率－控除額
6  相続税の総額（百円未満切捨）
```

1　法定相続人（法16）

　　相続の放棄があった場合には、その放棄がなかったものとした場合における相続人をいう。

　　なお、養子については一定の制限がある。（問題2を参照のこと。）

2　胎児の取扱い（基通15－3）

《**あん分割合**》（法17）

$$あん分割合＝\frac{各相続人又は受遺者の相続税の課税価格}{相続人及び受遺者の相続税の課税価格の合計額}$$

　　あん分割合に小数点以下第2位未満の端数がある場合において、問題中に端数の調整につき指示がないときは、原則として第2位未満の端数のうち最も大きいものから0.01ずつ切り上げ、合計が1.00になるように調整する。

《算出相続税額》（法17）

算出相続税額＝相続税の総額×あん分割合

《相続税額の加算額》（法18）

1　加算対象者

被相続人の一親等の血族（その者の代襲相続人を含む。）

被相続人の配偶者
　　　　　　　　　　　　　　　　　　　　　　　　── 以外の者

　（注）被相続人のいわゆる孫養子は、被相続人の一親等の血族から除かれ、加算対象者

　　　となるが、代襲相続人である場合には、加算対象者とならない。

2　加算額

算出相続税額×$\dfrac{20}{100}$

1　長女Bは相続を放棄しているが、被相続人の一親等の血族であるため、相続税額の加算の規定の適用はない。（基通18－1）

2　妻A′は一親等の姻族に該当するため、相続税額の加算の対象者となる。

| 問 題 2 | 養子が存在する場合 | 重 要 度 | A |

　　次の各設例の場合における相続税の総額を求めなさい。

＜設例１＞

　　課税価格の合計額　　　519,000千円

```
                        ┌─ 長女A
                        │   ‖ ──────── 孫　D
  被相続人甲            │   夫　A′
     ‖ ───────────────┤
  配 偶 者 乙           ├─ 養子B
                        └─ 養子C
```

　　（注）　B及びCは、甲及び乙と養子縁組している。

答案用紙

相続税の総額の計算

課税価格の合計額		遺産に係る基礎控除額	課 税 遺 産 額
	千円	千円	千円
法定相続人	法定相続分	法定相続分に応ずる取得金額	相続税の総額の基となる税額
		千円	円
合計　　人	1		相続税の総額　　　円

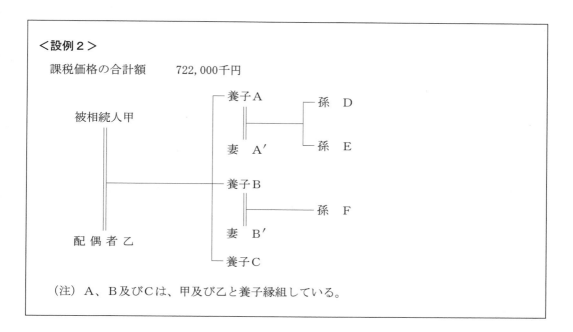

<設例2>

課税価格の合計額　　722,000千円

被相続人甲 ── 養子A ══ 妻　A′
　┬ 孫　D
　└ 孫　E

配偶者乙 ── 養子B ══ 妻　B′ ── 孫　F

養子C

（注）A、B及びCは、甲及び乙と養子縁組している。

答案用紙

相続税の総額の計算

課税価格の合計額		遺産に係る基礎控除額	課　税　遺　産　額
	千円	千円	千円

法定相続人	法定相続分	法定相続分に応ずる取得金額	相続税の総額の基となる税額
		千円	円
合計　　　　人	1		相続税の総額　　　　円

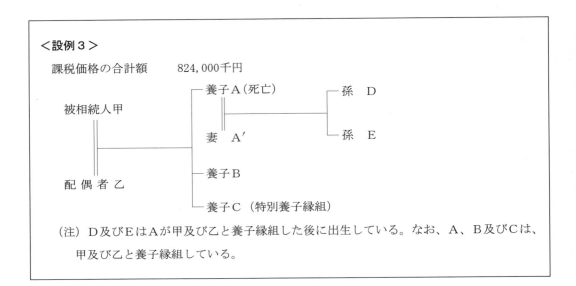

<設例3>

課税価格の合計額 　824,000千円

被相続人甲 ━━ 配偶者乙
├─ 養子A（死亡）━━ 妻 A′ ┬─ 孫 D
│   └─ 孫 E
├─ 養子B
└─ 養子C （特別養子縁組）

（注）D及びEはAが甲及び乙と養子縁組した後に出生している。なお、A、B及びCは、
　　　甲及び乙と養子縁組している。

答案用紙

相続税の総額の計算

課税価格の合計額		遺産に係る基礎控除額	課　税　遺　産　額
	千円	千円	千円
法定相続人	法定相続分	法定相続分に応ずる取得金額	相続税の総額の基となる税額
		千円	円
合計　　人	1	相続税の総額	円

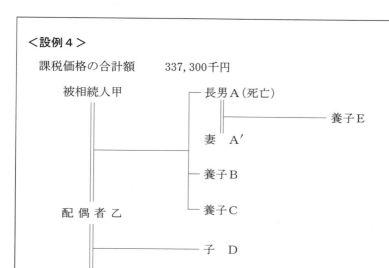

<設例4>

　課税価格の合計額　　　337,300千円

（注）乙は丙の死亡後、甲と再婚している。その際、子Dは甲と養子縁組をしている。また、B及びCは甲及び乙と養子縁組しており、EはAの生前、A及びA′と養子縁組している。

答案用紙

相続税の総額の計算

課税価格の合計額		遺産に係る基礎控除額	課 税 遺 産 額
	千円	千円	千円
法定相続人	法定相続分	法定相続分に応ずる取得金額	相続税の総額の基となる税額
		千円	円
合計　　　人	1		相続税の総額　　　　円

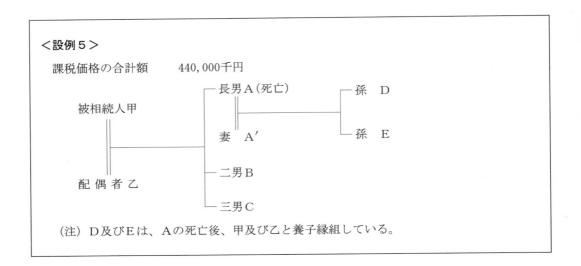

<設例5＞

課税価格の合計額　　440,000千円

被相続人甲

配偶者乙

長男A（死亡）

妻　A′

二男B

三男C

孫　D

孫　E

（注）D及びEは、Aの死亡後、甲及び乙と養子縁組している。

答案用紙

相続税の総額の計算

課税価格の合計額		遺産に係る基礎控除額	課 税 遺 産 額
	千円	千円	千円
法定相続人	法定相続分	法定相続分に応ずる取得金額	相続税の総額の基となる税額
		千円	円
合計　　　人	1		相続税の総額　　　円

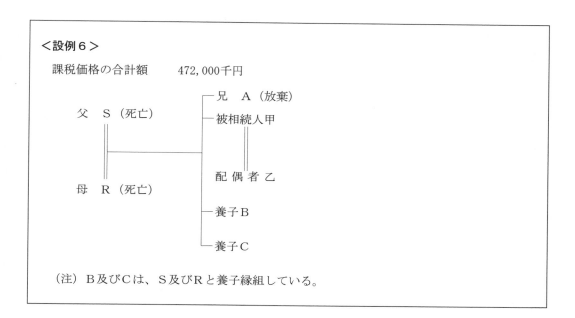

＜設例6＞

課税価格の合計額　　　472,000千円

（注）B及びCは、S及びRと養子縁組している。

答案用紙

相続税の総額の計算

課税価格の合計額		遺産に係る基礎控除額	課　税　遺　産　額
	千円	千円	千円
法定相続人	法定相続分	法定相続分に応ずる取得金額	相続税の総額の基となる税額
		千円	円
合計　　人	1		相続税の総額　　　　円

解 答

＜設例１＞

相続税の総額の計算

課税価格の合計額	遺産に係る基礎控除額	課 税 遺 産 額
千円 519,000	千円 30,000＋6,000×3人＝48,000	千円 471,000

法定相続人	法定相続分	法定相続分に応ずる取得金額	相続税の総額の基となる税額
		千円	円
配偶者乙	$\dfrac{1}{2}$	235,500	78,975,000
長 女 Ａ	$\dfrac{1}{2}\times\dfrac{1}{2}=\dfrac{1}{4}$	117,750	30,100,000
養 子 Ｂ 養 子 Ｃ	$\dfrac{1}{2}\times\dfrac{1}{2}=\dfrac{1}{4}$	117,750	30,100,000
合計　3人	1	相続税の総額	139,175,000円

＜設例２＞

相続税の総額の計算

課税価格の合計額	遺産に係る基礎控除額	課 税 遺 産 額
千円 722,000	千円 30,000＋6,000×3人＝48,000	千円 674,000

法定相続人	法定相続分	法定相続分に応ずる取得金額	相続税の総額の基となる税額
		千円	円
配偶者乙	$\dfrac{1}{2}$	337,000	126,500,000
養 子 Ａ 養 子 Ｂ	$\dfrac{1}{2}\times\dfrac{1}{2}=\dfrac{1}{4}$	168,500	50,400,000
養 子 Ｃ	$\dfrac{1}{2}\times\dfrac{1}{2}=\dfrac{1}{4}$	168,500	50,400,000
合計　3人	1	相続税の総額	227,300,000円

<設例3>

相続税の総額の計算

課税価格の合計額		遺産に係る基礎控除額	課 税 遺 産 額
	千円 824,000	千円 30,000＋6,000×5人＝60,000	千円 764,000
法定相続人	法定相続分	法定相続分に応ずる取得金額	相続税の総額の基となる税額
		千円	円
配偶者乙	$\frac{1}{2}$	382,000	149,000,000
孫　　D	$\frac{1}{2}\times\frac{1}{3}\times\frac{1}{2}=\frac{1}{12}$	63,666	12,099,800
孫　　E	$\frac{1}{2}\times\frac{1}{3}\times\frac{1}{2}=\frac{1}{12}$	63,666	12,099,800
養 子 B	$\frac{1}{2}\times\frac{1}{3}=\frac{1}{6}$	127,333	33,933,200
養 子 C	$\frac{1}{2}\times\frac{1}{3}=\frac{1}{6}$	127,333	33,933,200
合計　5人	1		相続税の総額　241,066,000円

<設例4>

相続税の総額の計算

課税価格の合計額		遺産に係る基礎控除額	課 税 遺 産 額
	千円 337,300	千円 30,000＋6,000×4人＝54,000	千円 283,300
法定相続人	法定相続分	法定相続分に応ずる取得金額	相続税の総額の基となる税額
		千円	円
配偶者乙	$\frac{1}{2}$	141,650	39,660,000
養 子 E	$\frac{1}{2}\times\frac{1}{3}=\frac{1}{6}$	47,216	7,443,200
養 子 B 養 子 C	$\frac{1}{2}\times\frac{1}{3}=\frac{1}{6}$	47,216	7,443,200
子　　D	$\frac{1}{2}\times\frac{1}{3}=\frac{1}{6}$	47,216	7,443,200
合計　4人	1		相続税の総額　61,989,600円

＜設例5＞

相続税の総額の計算

課 税 価 格 の 合 計 額	遺産に係る基礎控除額	課 税 遺 産 額
千円 440,000	30,000＋6,000　千円 ×5人＝60,000	千円 380,000
法定相続人	法 定 相 続 分	法定相続分に応ずる 取得金額	相続税の総額の基となる税額
		千円	円
配偶者乙	$\dfrac{1}{2}$	190,000	59,000,000
二 男 B	$\dfrac{1}{2}\times\dfrac{1}{5}=\dfrac{1}{10}$	38,000	5,600,000
三 男 C	$\dfrac{1}{2}\times\dfrac{1}{5}=\dfrac{1}{10}$	38,000	5,600,000
孫　　D	$\dfrac{1}{2}\times\dfrac{1}{5}+\dfrac{1}{2}\times\dfrac{1}{5}\times\dfrac{1}{2}=\dfrac{3}{20}$	57,000	10,100,000
孫　　E	$\dfrac{1}{2}\times\dfrac{1}{5}+\dfrac{1}{2}\times\dfrac{1}{5}\times\dfrac{1}{2}=\dfrac{3}{20}$	57,000	10,100,000
合計　5人	1		相続税の総額　90,400,000円

＜設例6＞

相続税の総額の計算

課税価格の合計額	遺産に係る基礎控除額	課 税 遺 産 額
千円 472,000	千円 30,000＋6,000×4人＝54,000	千円 418,000
法定相続人	法定相続分	法定相続分に応ずる取得金額	相続税の総額の基となる税額
		千円	円
配偶者乙	$\dfrac{3}{4}$	313,500	114,750,000
兄　　A	$\dfrac{1}{4}\times\dfrac{1}{3}=\dfrac{1}{12}$	34,833	4,966,600
養 子 B	$\dfrac{1}{4}\times\dfrac{1}{3}=\dfrac{1}{12}$	34,833	4,966,600
養 子 C	$\dfrac{1}{4}\times\dfrac{1}{3}=\dfrac{1}{12}$	34,833	4,966,600
合計　4人	1		相続税の総額　129,649,800円

《法定相続人の数の制限》（法15②）

　養子縁組による行き過ぎた節税を防止するため、次の３つの規定の適用上、法定相続人の数に算入する被相続人の養子の数に制限が設けられている。

(1) 生命保険金等の非課税（法12①五）

(2) 退職手当金等の非課税（法12①六）

(3) 遺産に係る基礎控除額及び相続税の総額（法15、16）

　法定相続人の数は、その相続に係る被相続人の民法第５編第２章の規定による相続人の数（その被相続人に養子がある場合のその相続人の数に算入するその被相続人の養子の数は、次の①又は②の規定によるものとし、相続の放棄があった場合には、その放棄がなかったものとした場合における相続人の数とする。）とする。

---

① その被相続人に実子がある場合又はその被相続人に実子がなく養子の数が１人である場合　→　１人

② その被相続人に実子がなく、養子の数が２人以上である場合　→　２人

《民法上の実子でなくても実子とみなされる者》（法15③、令３の２）

(1) 民法に規定する特別養子縁組により養子となった者（民法817の２）

(2) その被相続人の配偶者の実子でその被相続人の養子となった者

(3) その被相続人とその被相続人の配偶者との婚姻前にその被相続人の配偶者の特別養子縁組により養子となった者で、その婚姻後にその被相続人の養子となった者

(4) 実子もしくは養子又はその直系卑属が相続開始以前に死亡し、又は相続権を失ったため法定相続人となったその者の直系卑属

第7章　相続税の総額・算出相続税額・加算額

　次の設例に基づき、各相続人等の納付すべき相続税額を求めなさい。なお、税額控除については一切考慮する必要はない。また、各人の算出相続税額の計算に当たってのあん分割合は、端数を調整しないで計算するものとする。

<設　例>

1　被相続人甲（令和7年4月18日死亡）の相続人等は次に図示するとおりである。

　　（注1）　子Cは、相続開始以前に死亡している。

　　（注2）　父D及び母Eは、被相続人甲の相続に関し、適法に相続の放棄をしている。

　　（注3）　兄Aは、令和7年12月25日に事故により死亡している。

2　各相続人等の相続税の課税価格は次のとおりである。なお、被相続人甲の遺産は相続税の申告期限までに分割が確定しなかったため、法第55条（未分割遺産に対する課税）に従い計算がされている。

　　　　配偶者乙　　　80,000千円　　　　　父　　　D　　　50,000千円

　　　　母　　E　　　45,000千円　　　　　兄　　　A　　　18,000千円

　　　　妹　　B　　　12,000千円

答案用紙

1　相続税の総額の計算

課税価格の合計額		遺産に係る基礎控除額	課 税 遺 産 額
	千円	千円	千円
法定相続人	法定相続分	法定相続分に応ずる取得金額	相続税の総額の基となる税額
		千円	円
合計　　　　人	1	相続税の総額	円

2　各相続人等の納付すべき相続税額の計算

（単位：円）

区　分＼相続人等					
算　出　相　続　税　額					
納付税額（百円未満切捨）					

解　答

1　相続税の総額の計算

課　税　価　格　の　合　計　額		遺産に係る基礎控除額	課　税　遺　産　額
205,000	千円	30,000＋6,000×3人＝48,000 千円	157,000 千円
法定相続人	法定相続分	法定相続分に応ずる取得金額	相続税の総額の基となる税額
配偶者乙	$\dfrac{2}{3}$	104,666 千円	24,866,400 円
父　　D	$\dfrac{1}{3}×\dfrac{1}{2}＝\dfrac{1}{6}$	26,166	3,424,900
母　　E	$\dfrac{1}{3}×\dfrac{1}{2}＝\dfrac{1}{6}$	26,166	3,424,900
合計　3人	1	相続税の総額	31,716,200円

〔計算過程〕

(1) 各人の課税価格の合計額

80,000千円＋50,000千円＋45,000千円＋18,000千円＋12,000千円＝205,000千円

(2) 遺産に係る基礎控除額

30,000千円＋6,000千円×法定相続人の数（3人）＝48,000千円

(3) 課税遺産額　　(1)－(2)＝157,000千円

(4) 法定相続分に応ずる各取得金額（千円未満切捨）

配偶者乙

157,000千円×$\begin{cases} \dfrac{2}{3} ＝104,666千円 \\ \dfrac{1}{3}×\dfrac{1}{2}＝26,166千円 \end{cases}$

父D、母E

(5) 相続税の総額の基となる税額

104,666千円×40％－17,000千円＝24,866,400円

26,166千円×15％－500千円＝3,424,900円

(6) 相続税の総額

24,866,400円＋3,424,900円×2＝31,716,200円

2 各相続人等の納付すべき相続税額の計算 （単位：円）

区分 ＼ 相続人等	配偶者乙	父 D	母 E	兄 A	妹 B
算 出 相 続 税 額	12,377,053	7,735,658	6,962,092	2,784,837	1,856,558
相続税額の加算額				556,967	371,311
納付税額（百円未満切捨）	12,377,000	7,735,600	6,962,000	3,341,800	2,227,800

〔計算過程〕

(1) 算出相続税額

配偶者乙　　$\dfrac{80,000千円}{205,000千円}＝12,377,053円$

父　D　　$\dfrac{50,000千円}{205,000千円}＝7,735,658円$

母　E　　31,716,200円×$\dfrac{45,000千円}{205,000千円}＝6,962,092円$

兄　A　　$\dfrac{18,000千円}{205,000千円}＝2,784,837円$

妹　B　　$\dfrac{12,000千円}{205,000千円}＝1,856,558円$

(2) 相続税額の加算額

兄　　A　　$2,784,837円×\dfrac{20}{100}＝556,967円$

妹　　B　　$1,856,558円×\dfrac{20}{100}＝371,311円$

1　相続税の総額を計算する場合における「各取得金額」は、遺産が分割されたかどうかにかかわらず、また、法定相続人が相続又は遺贈によって財産を取得したかどうかにかかわらず、法定相続人が、民法第900条及び第901条の規定による相続分に応じて取得したものとして計算する。
　　（基通16－1）

2　父、母は被相続人の一親等の血族に該当するため、相続税額の加算の適用はない。

3　兄Aは被相続人甲の相続開始後に死亡しているため、被相続人甲の相続人となる。

　　次の設例に基づき、各相続人等の納付すべき相続税額を求めなさい。なお、税額控除については一切考慮する必要はない。

＜設　例＞

1　被相続人甲（令和7年5月23日死亡）の相続人等は次に図示するとおりである。

　　（注1）長女A及び長男Bは、相続開始以前に死亡している。

　　（注2）孫Dは、被相続人甲の相続に関し、適法に相続の放棄している。

　　（注3）孫Eは、甲の生前に、甲及び乙と養子縁組を結んでいた。

2　被相続人甲は遺言により、配偶者乙の相続分を3分の1と指定している。

3　各相続人等の相続税の課税価格は次のとおりである。

配偶者乙	50,000千円	孫　　C	40,000千円
孫　　D	25,000千円	孫　　E	30,000千円
孫　　F	10,000千円	G 社 団	5,000千円

　　（注）G社団は代表者の定めのある人格のない社団に該当する。

答案用紙

1　相続税の総額の計算

課税価格の合計額	遺産に係る基礎控除額	課　税　遺　産　額
千円	千円	千円

法定相続人	法定相続分	法定相続分に応ずる取得金額	相続税の総額の基となる税額
		千円	円
合計　　　人	1	相続税の総額	円

2　各相続人等の納付すべき相続税額の計算

（単位：円）

区　分　　相続人等					
あ　ん　分　割　合					
算　出　相　続　税　額					

納付税額（百円未満切捨）					

解　答

1　相続税の総額の計算

課税価格の合計額		遺産に係る基礎控除額	課　税　遺　産　額
160,000 千円		30,000＋6,000×5人＝60,000 千円	100,000 千円
法定相続人	法定相続分	法定相続分に応ずる取得金額	相続税の総額の基となる税額
配偶者乙	$\dfrac{1}{2}$	50,000 千円	8,000,000 円
孫　　C	$\dfrac{1}{2}\times\dfrac{1}{3}\times\dfrac{1}{2}=\dfrac{1}{12}$	8,333	833,300
孫　　D	$\dfrac{1}{2}\times\dfrac{1}{3}\times\dfrac{1}{2}=\dfrac{1}{12}$	8,333	833,300
孫　　F	$\dfrac{1}{2}\times\dfrac{1}{3}\times\dfrac{1}{2}=\dfrac{1}{12}$	8,333	833,300
孫　　E	$\dfrac{1}{2}\times\dfrac{1}{3}+$ $\dfrac{1}{2}\times\dfrac{1}{3}\times\dfrac{1}{2}=\dfrac{1}{4}$	25,000	3,250,000
合計　5人	1		相続税の総額　13,749,900円

〔計算過程〕

(1) 各人の課税価格の合計額

50,000千円＋40,000千円＋25,000千円＋30,000千円＋10,000千円＋5,000千円

＝160,000千円

(2) 遺産に係る基礎控除額

30,000千円＋6,000千円×法定相続人の数（5人）＝60,000千円

(3) 課税遺産額

(1)－(2)＝100,000千円

(4) 法定相続分に応ずる各取得金額（千円未満切捨）

配偶者乙　　　　　　　　　　　$\dfrac{1}{2}$　　　　　　　　　　　　＝50,000千円

孫C、孫D、孫F　　100,000千円×$\dfrac{1}{2}\times\dfrac{1}{3}\times\dfrac{1}{2}$　　＝8,333千円

孫　　E　　　　　　　　　　$\dfrac{1}{2}\times\dfrac{1}{3}+\dfrac{1}{2}\times\dfrac{1}{3}\times\dfrac{1}{2}$＝25,000千円

(5) 相続税の総額の基となる税額

50,000千円×20％－2,000千円＝8,000,000円

8,333千円×10％＝833,300円

25,000千円×15％－500千円＝3,250,000円

(6) 相続税の総額

8,000,000円＋833,300円×3＋3,250,000円＝13,749,900円

2　各相続人等の納付すべき相続税額の計算

（単位：円）

区　分＼相続人等	配偶者乙	孫　C	孫　D	孫　E	孫　F	G社団
あ ん 分 割 合	0.31	0.25	0.16	0.19	0.06	0.03
算 出 相 続 税 額	4,262,469	3,437,475	2,199,984	2,612,481	824,994	412,497
相続税額の加算額			439,996			82,499
納 付 税 額 （百円未満切捨）	4,262,400	3,437,400	2,639,900	2,612,400	824,900	494,900

〔計算過程〕

(1) あん分割合

配偶者乙　　50,000千円
孫　　C　　40,000千円
孫　　D　　25,000千円
孫　　E　　30,000千円　　÷160,000千円＝
孫　　F　　10,000千円
G 社 団　　 5,000千円

0.3125 ⇨0.31
0.25 ⇨0.25
0.1562 ⇨0.16
0.1875 ⇨0.19
0.0625 ⇨0.06
0.0312 ⇨0.03

(2) 算出相続税額

配偶者乙
孫　　C
孫　　D　　13,749,900円×
孫　　E
孫　　F
G 社 団

0.31＝4,262,469円
0.25＝3,437,475円
0.16＝2,199,984円
0.19＝2,612,481円
0.06＝　824,994円
0.03＝　412,497円

第7章
相続税の総額・算出相続税額・加算額

(3) 相続税額の加算額

孫　　D　　2,199,984円×$\frac{20}{100}$＝439,996円

G 社 団　　412,497円×$\frac{20}{100}$＝ 82,499円

解答への道

1　孫Eは、長男Bの代襲相続人であり、かつ、被相続人甲の養子となっているため、代襲相続人としての相続分と養子としての相続分との双方を有するが、法定相続人の数としては実子1人として計算する。（基通15－4）

2　相続分の指定があった場合でも、相続税の総額は民法第900条（法定相続分）及び第901条（代襲相続分）の規定による相続分で計算されるため、相続分の指定は影響しない。（法16、基通16－1）

3　孫Dは、長女Aの代襲相続人たる地位を放棄しているため、二親等の血族として相続税額の加算の適用対象者となる。なお、孫Eは、いわゆる孫養子であるが、長男Bの代襲相続人となっているため、相続税額の加算の適用対象者とはならない。

4　個人とみなされる納税義務者（人格のない社団等、持分の定めのない法人）については、被相続人の一親等の血族及び配偶者以外の者に該当するため、相続税額の加算の適用対象者となる。

第8章

贈与税額控除（暦年課税）

　　次の設例に基づき、各相続人等の贈与税額控除額を求めなさい。

＜設　例＞

1　被相続人甲は、令和7年7月10日に死亡した。

2　各相続人等が、相続開始前に暦年課税贈与により取得した財産の価額は次のとおりである。なお、受贈者は全員贈与年の1月1日において20歳以上であり、甲から相続又は遺贈により財産を取得している。

贈 与 年 月 日	贈与者	受贈者	財　　　産	贈 与 時 の 価 額	相続開始時の価額
令和4年2月10日	甲	長 男 A	現　　金	1,000千円	1,000千円
令和4年9月25日	甲	長 男 A	株　　式	6,000千円	6,200千円
令和5年1月4日	甲	長 女 B	山　　林	6,000千円	6,200千円
令和5年12月7日	乙	長 女 B	社　　債	2,000千円	2,150千円
令和6年3月29日	甲	配偶者乙	居住用不動産	22,000千円	23,000千円
令和6年8月3日	甲	長 男 A	株　　式	1,050千円	1,250千円
令和7年5月3日	甲	配偶者乙	預　　金	2,000千円	2,050千円

（注）配偶者乙は、令和6年分の贈与税につき、贈与税の配偶者控除の適用を受けている。

解　答

長男A

1　令和4年分

$(1,000千円＋6,000千円－1,100千円)×20％－300千円＝880千円$

$880千円×\dfrac{6,000千円}{1,000千円＋6,000千円}＝754.285千円$

2　令和6年分

贈与税の基礎控除額（1,100千円）以下のため、この年分の贈与税額は0となり、贈与税額控除の適用はない。

長女B

令和5年分

$(6,000千円＋2,000千円－1,100千円)×30％－900千円＝1,170千円$

$1,170千円×\dfrac{6,000千円}{6,000千円＋2,000千円}＝877.5千円$

配偶者乙

1　令和6年分

$$(22,000千円-20,000千円^{*}-1,100千円)\times10\%=90千円$$

　　＊　贈与税の配偶者控除額

　　　　$22,000千円\geqq20,000千円$　　∴　20,000千円

2　令和7年分

　　相続開始年分の被相続人からの贈与のため、贈与税の非課税となり、贈与税額控除の適用はない。

解答への道

1　生前贈与加算の規定（法19）により加算された贈与財産の取得につき課せられた贈与税がある場合には、贈与税額控除の適用がある。

《贈与税額控除額》（法19）

$$A\times\frac{C}{B}$$

A＝その取得の日の属する年分の贈与税額

　(1)　贈与税の外国税額控除前の税額

　(2)　延滞税、利子税、過少申告加算税、無申告加算税及び重加算税に相当する税額を除く。

　(3)　相続時精算課税適用財産に係る税額を除く。

B＝その年分の贈与税の課税価格

　　※　贈与税の配偶者控除の適用を受けたもの（特定贈与財産）及び相続時精算課税適用財産を除く。

C＝Bのうち生前贈与加算の規定により相続税の課税価格に加算された部分の金額

2　計算の流れとしては、まず生前贈与加算の対象となる財産の価額を求め、次にその財産に対応する贈与税額を計算する。

3　令和6年8月3日に長男Aが取得した株式1,050千円は、生前贈与加算の対象とはなるが、贈与税の基礎控除額1,100千円以下であり、納付すべき贈与税額が算出されないため贈与税額控除の対象とはならない。

4　令和7年5月3日に配偶者乙が取得した預金については、相続開始の年に被相続人から贈与により取得した財産で生前贈与加算の対象となる財産に該当するため、贈与税は非課税となり、贈与税額控除の対象にならない。（法21の2④）

【一暦年中に特例贈与財産と一般贈与財産の両方を取得した場合】

（1）贈与税額の計算

以下の手順により計算する。

① 〔（A＋B）－基礎控除額(1,100千円)〕×特例税率

② ①×$\dfrac{A}{A＋B}$

③ 〔（A＋B）－基礎控除額(1,100千円)〕×一般税率

④ ③×$\dfrac{B}{A＋B}$

⑤ ②＋④

（注）A：特例贈与財産の価額

B：一般贈与財産の価額

（2）贈与税額控除額の計算

以下の手順により計算する。

① 特例贈与財産に係る贈与税額控除額

(1)②×$\dfrac{Aのうち生前贈与加算された財産の価額の合計額}{A}$

② 一般贈与財産に係る贈与税額控除額

(1)④×$\dfrac{Bのうち生前贈与加算された財産の価額の合計額}{B}$

③ ①＋②

　　次の設例に基づき、各相続人等の贈与税額控除額を求めなさい。

<設　例>

1　　東京都X区に住所を有する被相続人甲は、令和7年4月14日に死亡した。甲の相続人等は次のとおりである。

　　（注）二男Bは被相続人甲の相続に関し、適法に相続の放棄をしている。

2　　配偶者乙及び長男Aは相続により、二男Bは遺贈により財産を取得している。

3　　被相続人甲及び相続人等は、出生時より法施行地外に住所を有したことはない。

4　　相続人等は、全員日本国籍を有している。

5　　相続人等は、全員贈与年の1月1日において18歳以上の者である。

6　　各相続人等が相続開始前に、暦年課税贈与により取得した財産は次のとおりである。

贈与年月日	贈与者	受贈者	財　産	贈与時の価額	相続開始時の価額
令和4年12月8日	甲	乙	現　金	1,200千円	1,200千円
令和5年3月4日	甲	B	家　屋	4,500千円	4,200千円
令和5年4月12日	甲	C	受益証券	800千円	950千円
令和6年3月4日	甲	乙	株　式	2,450千円	2,100千円
令和6年5月18日	乙の父	乙	土　地	5,800千円	6,200千円
令和6年10月3日	甲	A	社　債	2,500千円	2,730千円
令和6年11月19日	甲	乙	居住用不動産	23,000千円	24,100千円

（注）配偶者乙は、令和6年分の贈与税につき、贈与税の配偶者控除の適用を受けている。

配偶者乙

1　令和4年分

$(1,200千円-1,100千円)\times10\%=10千円$

2　令和6年分

(1)　$(2,450千円+5,800千円+23,000千円-20,000千円^{*}-1,100千円)\times40\%-1,900千円$

$=2,160千円$

＊　贈与税の配偶者控除額

$23,000千円\geqq20,000千円$　　　　$\therefore$　20,000千円

$2,160千円\times\dfrac{5,800千円}{2,450千円+5,800千円+23,000千円-20,000千円}=1,113.6千円$

(2)　$(2,450千円+5,800千円+23,000千円-20,000千円-1,100千円)\times45\%-1,750千円$

$=2,817.5千円$

$2,817.5千円\times\dfrac{2,450千円+23,000千円-20,000千円}{2,450千円+5,800千円+23,000千円-20,000千円}=1,364.922千円$

(3)①　特例贈与財産

$1,113.6千円\times\dfrac{0}{5,800千円}=0$

②　一般贈与財産

$1,364.922千円\times\dfrac{2,450千円+23,000千円-20,000千円}{2,450千円+23,000千円-20,000千円}=1,364.922千円$

③　①＋②＝1,364.922千円

3　1＋2＝1,374.922千円

長男A

令和6年分

$(2,500千円-1,100千円)\times10\%=140千円$

二男B

令和5年分

$(4,500千円-1,100千円)\times15\%-100千円=410千円$

孫　C

相続又は遺贈により財産を取得していないため、生前贈与加算の規定の適用はなく、したがって贈与税額控除の適用もない。

解答への道

1 特定贈与財産に該当する部分がある場合には、贈与税額控除の計算上、分子及び分母から特定贈与財産の価額は控除して計算する。

2 生前贈与加算の対象となる財産の贈与を受けた年が2以上に及ぶときは、贈与税が暦年単位課税であるため各年分ごとに贈与税額控除額を算出し、合計する。

問題 3　取得の日の属する年分の贈与税額　　重要度 | B

次の設例に基づき、各相続人等の贈与税額控除額を求めなさい。

＜設 例＞

1 被相続人甲は、令和7年4月20日に死亡した。

　甲から相続により長男A、二男B及び長女Cが財産を取得している。なお、全員が法施行地に住所を有しており、贈与により財産を取得した日の属する年の1月1日において、20歳以上の者である。また、相続時精算課税の適用を受けている者はいない。

2 各相続人が相続開始前に、贈与により取得した財産の価額は次のとおりであり、特に指示のあるものを除き、国内財産に該当する。

(1) 長男A

　令和5年7月29日にD株式5,000千円（国外財産）及び令和5年11月23日にE有価証券3,000千円を甲から贈与により取得している。

　なお、令和5年分の贈与税の申告に際し、贈与税の外国税額控除を700,000円受けている。

(2) 二男B

　令和4年1月10日にF社債2,000千円及び令和4年9月6日にG宅地3,000千円を甲から贈与により取得している。

　二男Bは贈与税の納期限後に、贈与税、延滞税及び無申告加算税の合計額633,800円を納付している。

(3) 長女C

　令和5年2月10日にH不動産20,000千円及びI社債2,000千円を甲から贈与により、令和5年10月1日にJ立木5,000千円を甲から贈与により取得している。

　長女Cは令和5年分の贈与税について延納の適用を受けており、相続開始時までに納付した税額は2,778,000円であった。

長男Ａ

（5,000千円＋3,000千円－1,100千円）×30％－900千円＝1,170千円

二男Ｂ

（2,000千円＋3,000千円－1,100千円）×15％－100千円＝485千円

$$485千円 \times \frac{3,000千円}{2,000千円＋3,000千円} ＝291千円$$

長女Ｃ

（20,000千円＋2,000千円＋5,000千円－1,100千円）×45％－2,650千円＝9,005千円

解答への道

1　贈与税額控除の計算上用いる「その取得の日の属する年分の贈与税額」は、贈与税の外国税額控除の適用を受けていた場合には、その控除前の税額を用いる。（法19）

2　「その取得の日の属する年分の贈与税額」には、延滞税、利子税等の附帯税は含まれない。（法19）

3　延納の適用を受け、まだ納付していない税額があった場合においても、贈与税額控除の対象となる。

第8章　贈与税額控除（暦年課税）

　　次の設例に基づき、各相続人等の相続税の課税価格に加算される贈与財産の価額及び贈与税額控除額を求めなさい。

＜設　例＞

1　被相続人甲は、令和7年8月17日に死亡した。甲の配偶者乙（70歳）、長男A（45歳）、長女B（43歳）及び二男C（40歳）はそれぞれ相続により財産を取得している。

2　各相続人等が相続開始前に暦年課税贈与により取得した財産は次のとおりである。

贈 与 年 月 日	贈与者	受贈者	財　　　産	贈 与 時 の 価 額	相続開始時の価額
令和4年9月7日	甲	A	土　　　地	12,000千円	18,000千円
令和4年10月3日	甲	B	株　　　式	2,450.3千円	3,400千円
令和4年11月5日	Bの夫	B	土　　　地	25,000千円	27,000千円
令和6年6月3日	甲	乙	居住用宅地	28,000千円	37,000千円
令和6年8月1日	甲	C	現　　　金	30,000千円	30,000千円

（注1）配偶者乙が令和6年6月3日に贈与を受けた居住用宅地については、乙が令和6年分の贈与税の申告に当たり、配偶者控除の特例の適用を受けている。

（注2）二男Cが令和6年8月1日に贈与を受けた現金については、贈与税の申告は行っていなかった。

解　答

1　生前贈与加算額

長　男　A　　　　　　　12,000千円

長　女　B　　　　　　　2,450.3千円

配偶者乙　　　　　　　28,000千円－20,000千円[＊]＝8,000千円

　　　　　　　　＊　28,000千円≧20,000千円　　∴　20,000千円

二　男　C　　　　　　　30,000千円

2　贈与税額控除額

長　男　A　　　　　　　(12,000千円－1,100千円)×40％－1,900千円＝2,460千円

長　女　B　　(1)①　(2,450.3千円＋25,000千円－1,100千円[＊])×45％－2,650千円

　　　　　　　　　　＝9,207.5千円

　　　　　　　　＊　カッコ内千円未満切捨

$$② \quad 9,207.5千円 \times \frac{2,450.3千円}{2,450.3千円＋25,000千円} ＝821,890円$$

　　　　　　(2)①　(2,450.3千円＋25,000千円－1,100千円[＊])×50％－2,500千円

　　　　　　　　　　＝10,675千円

　　　　　　　　＊　カッコ内千円未満切捨

$$② \quad 10,675千円 \times \frac{25,000千円}{2,450.3千円＋25,000千円} ＝9,722,115円$$

$$(3)① \quad (1)② \times \frac{2,450.3千円}{2,450.3千円} ＝821,890円$$

$$② \quad (2)② \times \frac{0}{25,000千円} ＝0$$

　　　　　　　③　①＋②＝821,890円

配偶者乙　　　　　　　(28,000千円－20,000千円－1,100千円)×40％－1,250千円＝1,510千円

二　男　C　　　　　　　(30,000千円－1,100千円)×45％－2,650千円＝10,355千円

解答への道

1　長女Bが令和4年10月3日に受けた贈与は、贈与税額の計算を行う上では、基礎控除額を控除した後の千円未満の端数は切り捨てるが、生前贈与加算額を求める場合には、千円未満の端数も加算対象となり、また、贈与税額控除額を求める場合のあん分計算にも、千円未満の端数を切り捨てない。

2　二男Cが令和6年8月1日に受けた贈与について申告は行われていないが、贈与税額控除の基となる課せられた贈与税には、相続開始前3年以内の贈与財産に対して課されるべき贈与税も含まれるため、贈与税額控除の適用を行うことになる。この場合において、その贈与税については、

第8章　贈与税額控除（暦年課税）

速やかに申告手続をとることになる。（基通19－6）

問題 5　住宅取得等資金の贈与を受けた場合　　重要度　A

　次の設例に基づき、各相続人等の相続税の課税価格に加算される贈与財産の価額及び贈与税額控除額を求めなさい。

＜設　例＞

1　被相続人甲は、令和7年8月17日に死亡した。甲の長男A、二男B及び長女Cは、それぞれ相続により財産を取得している。

2　各相続人等が相続開始前に暦年課税贈与により取得した財産は次のとおりである。なお、各受贈者は、各贈与年1月1日において18歳以上である。

贈 与 年 月 日	贈与者	受贈者	財　　　産	贈 与 時 の 価 額	相続開始時の価額
令和5年9月20日	甲	A	現　　金	15,000千円	15,000千円
令和5年10月3日	甲	C	現　　金	5,000千円	5,000千円
令和6年2月10日	甲	B	現　　金	25,000千円	25,000千円

（注1）長男Aは、令和5年分の贈与税で、住宅取得等資金の贈与を受けた場合の贈与税の非課税（省エネ等住宅以外）の規定の適用を受けている。

（注2）長女Cは、令和5年分の贈与税で、住宅取得等資金の贈与を受けた場合の贈与税の非課税（省エネ等住宅）の規定の適用を受けている。

（注3）二男Bは、令和6年分の贈与税で、住宅取得等資金の贈与を受けた場合の贈与税の非課税（省エネ等住宅以外）の規定の適用を受けている。

解　答

1　生前贈与加算額

　長男A　　15,000千円－5,000千円※＝10,000千円

　　　　　　※　15,000千円＞5,000千円　　∴　5,000千円

　長女C　　5,000千円－5,000千円※＝0

　　　　　　※　5,000千円≦10,000千円　　∴　5,000千円

　二男B　　25,000千円－5,000千円※＝20,000千円

　　　　　　※　25,000千円＞5,000千円　　∴　5,000千円

2 贈与税額控除額

長男A 　　　　(10,000千円−1,100千円)×30%−900千円＝1,770千円

長女C 　　　　0

二男B 　　　　(20,000千円−1,100千円)×45%−2,650千円＝5,855千円

解答への道

住宅取得等資金の贈与を受けた場合の贈与税の非課税限度額は、次のとおりである。

契約年（R4年以降は贈与年）		住宅資金非課税限度額			特別住宅資金非課税限度額	
		省エネ等住宅	左記以外		省エネ等住宅	左記以外
平成27年		15,000千円	10,000千円			
平成28年～平成30年		12,000千円	7,000千円			
平成31年（令和元年）	1月～3月					
	4月～12月				30,000千円	25,000千円
令和2年	1月～3月					
	4月～12月	10,000千円	5,000千円		15,000千円	10,000千円
令和3年						
令和4年～令和5年						
令和6年～令和8年						

※1　住宅資金非課税限度額は、受贈者が最初に住宅取得等資金の適用を受けた年度の額となる。

※2　既に非課税の適用を受けている場合には、上記のそれぞれの非課税限度額から既に非課税の適用を受けた部分を控除した残額までとなる。

※3　令和5年12月31日以前に旧法の適用を受けている場合には、令和6年1月1日以降の現行法の適用はない。

次の設例に基づき、各相続人の生前贈与加算額及び贈与税額控除額を求めなさい。

＜設　例＞

1　被相続人甲は、令和7年3月12日に死亡した。甲の長男A（24歳）及び二男B（21歳）は、それぞれ相続により財産を取得している。

2　各相続人が相続開始前に贈与により取得した財産は次のとおりである。なお、長男A及び二男Bは、各年において被相続人甲以外の者から贈与を受けたことはなく、相続時精算課税選択届出書を提出したことはない。

贈　与　年　月　日	受贈者	財　産	贈 与 時 の 価 額	相続開始時の価額	（注）
令和4年3月20日	長男A	現　金	3,000千円	3,000千円	1
令和6年8月7日	長男A	現　金	15,000千円	15,000千円	2
令和6年12月24日	二男B	現　金	10,000千円	10,000千円	3

（注1）大学の入学金として贈与を受けたもので、長男Aは、全額を入学金として納入している。

（注2）信託銀行との教育資金管理契約に基づくもので、教育資金非課税申告書を提出している。

（注3）信託銀行との教育資金管理契約に基づくもので、教育資金非課税申告書を提出している。

　　　　なお、二男Bは、令和7年10月10日に死亡しており、同日における教育資金支出額は、4,000千円であった。

解　答

1　生前贈与加算額

　　長男A　　3,000千円－3,000千円＋15,000千円－15,000千円＝0

　　二男B　　10,000千円－10,000千円＝0

2　贈与税額控除額

　　長男A　　＜令和4年分＞

　　　　　　　　生前贈与加算額なしのため、贈与税額控除なし。

　　　　　　　＜令和6年分＞

　　　　　　　　生前贈与加算額なしのため、贈与税額控除なし。

　　二男B　　生前贈与加算額なしのため、贈与税額控除なし。

　平成25年4月1日から令和8年3月31日までの間に直系尊属から教育資金等の贈与を受け、教育資金非課税申告書を提出した場合等（※）には、受贈者ごとに1,500万円までの金額が非課税となる。

　なお、既に非課税制度の適用を受けて贈与税が非課税となった金額がある場合には、その金額を控除した残額までとなる。

※　教育資金の贈与は、次のいずれかの方法により行われる必要がある。

(1) その直系尊属と受託者との間の教育資金管理契約に基づき、受贈者が信託受益権を取得する。

(2) その直系尊属からの書面による贈与により取得した金銭を教育資金管理契約に基づき銀行等の営業所等において預金もしくは貯金として預入をする。

(3) 教育資金管理契約に基づきその直系尊属からの書面による贈与により取得した金銭等で金融商品取引業者の営業所等において有価証券を購入する。

　また、受贈者が原則30歳になった時又は教育資金管理契約にかかる信託財産や預貯金等の残高がゼロになった時において、非課税拠出額から教育資金支出額を控除した残額があるときは、一定の場合を除き、その残額について、その時に贈与を受けたものとされる。

　また、受贈者が死亡した場合には、残額があっても贈与税課税を行わない。

　ただし、贈与者が契約終了前に死亡した場合には、贈与者に係る管理残額を除く相続税の課税価格の合計額が5億円を超えるとき、また受贈者が以下のいずれかに該当するときを除き、その贈与者死亡時における非課税拠出額から教育資金支出額を控除した残額を相続又は遺贈により取得したものとみなして相続税を課税する。

(1) 23歳未満である

(2) 学校等に在学中である

(3) 教育訓練を受けている

【図　解】

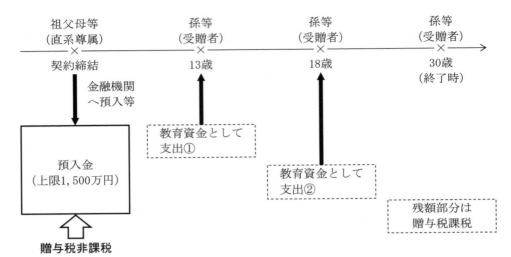

　次の設例に基づき、長男Aの令和6年分の贈与税額及び被相続人甲の相続税において相続又は遺贈により取得したものとみなされる金額を求めなさい。

＜設　例＞

1　被相続人甲は、令和7年3月12日に死亡した。甲の長男A（35歳）は相続により財産を取得している。

2　長男Aは、令和6年6月12日に、被相続人甲から結婚・子育て資金として現金10,000千円の贈与を受け、その全額を銀行と結婚・子育て資金管理契約を締結して預け入れた。結婚・子育て資金非課税申告書は適法に提出されている。

3　被相続人甲の相続開始時における管理残額は6,000千円であった。

解　答

1　令和6年分の贈与税額

　10,000千円－10,000千円＝0

2　相続又は遺贈により取得したものとみなされる金額

　6,000千円

解答への道

　平成27年4月1日から令和7年3月31日までの間に、直系尊属から結婚・子育て資金の贈与を受け、結婚・子育て資金非課税申告書を提出した場合には、受贈者ごとに1,000万円までの金額が非課税となる。

　なお、既にこの制度の適用を受けて贈与税が非課税となった金額がある場合には、その金額を控除した残額までとなる。

　※　結婚・子育て資金の贈与の方法は、教育資金の贈与と基本的に同様である。

　また、受贈者が50歳になった時又は結婚・子育て資金管理契約に係る信託財産や預貯金等の残高がゼロになった時において、非課税拠出額から結婚・子育て資金支出額を控除した残額があるときは、その残額について、その時に贈与を受けたものとされる。

　なお、受贈者が死亡した場合には、残額があっても贈与税課税を行わない。

　ただし、贈与者が契約終了前に死亡した場合には、その贈与者死亡時における非課税拠出額から結婚・子育て資金支出額を控除した残額を相続又は遺贈により取得したものとみなして相続税を課税する。

第8章　贈与税額控除（暦年課税）

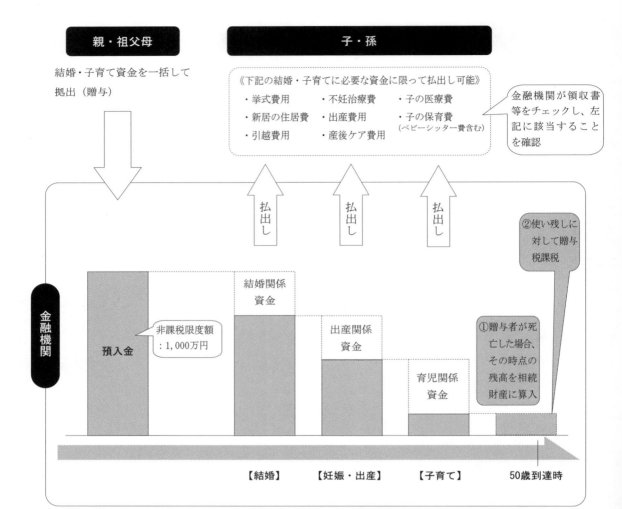

第9章

配偶者に対する相続税額の軽減

問 題 1　適用対象者の判定　　　　　　　　　重要度　A

次の１～４に掲げる者が、それぞれ被相続人から相続又は遺贈により財産を取得した場合
において、配偶者の税額軽減の適用が可能なものを答えなさい。

1　被相続人の配偶者で、アメリカ合衆国に住所を有する者

2　被相続人と正式な婚姻関係はないが、生計を一にしているいわゆる内縁関係にある者

3　相続を放棄している被相続人の配偶者

4　被相続人の配偶者で、婚姻期間が20年未満の者

解 答

１、３、４

解答への道

1　被相続人の配偶者が、その被相続人からの相続又は遺贈により財産を取得した場合に、配偶者
の税額軽減の適用対象者となる。（法19の２）

2　配偶者の税額軽減の規定は、財産の取得者が（居住・非居住）無制限納税義務者又は（居住・
非居住）制限納税義務者のいずれに該当する場合であっても適用がある。（基通19の２－１）

3　配偶者は、婚姻の届出をした者に限る。したがって、事実上婚姻関係と同様の事情にある者で
あっても婚姻の届出をしていない、いわゆる内縁関係にある者は、含まない。（基通19の２－２）

4　配偶者の税額軽減の規定は、配偶者が相続を放棄した場合であってもその配偶者が遺贈により
取得した財産があるときは、適用がある。（基通19の２－３）

問　題　2	基本型	重要度	A

　　次の設例に基づき、配偶者の税額軽減額を求めなさい。なお、被相続人は令和7年6月20日に死亡しており、遺産は相続税の申告期限までにすべて相続人である配偶者と子（1人）によって分割されている。

＜設　例＞

1　配偶者の課税価格の内訳

項　　　目	金　　　額
遺 贈 財 産 の 価 額	25,600千円
相 続 財 産 の 価 額	128,000千円
生 命 保 険 金 等	30,000千円
同上の非課税金額	△ 6,000千円
債 務 控 除 額	△31,600千円
生 前 贈 与 加 算 額	10,000千円
課 　税 　価 　格	156,000千円

2　課税価格の合計額　　　　　400,000千円

3　相 続 税 の 総 額　　　　　109,200千円

4　生前贈与加算額のうち6,000千円は令和6年10月12日に、4,000千円は令和7年2月8日に贈与により取得した財産である。なお、配偶者は令和6年12月25日に子から2,000千円の財産の贈与を受けている。

解　答

1　配偶者の算出相続税額

$$109,200千円 \times \frac{156,000千円}{400,000千円} = 42,588千円$$

2　贈与税額控除額

令和6年分　　（6,000千円＋2,000千円－1,100千円）×40％－1,250千円＝1,510千円

$$1,510千円 \times \frac{6,000千円}{6,000千円+2,000千円} = 1,132.5千円$$

令和7年分　　相続開始年分の贈与のため適用はない。

3　配偶者の税額軽減額

(1) 贈与税額控除後の税額

　　42,588千円－1,132.5千円＝41,455.5千円

(2)① 課税価格の合計額のうち配偶者の法定相続分相当額

　　$400,000千円 \times \dfrac{1}{2} ＝200,000千円 \geqq 160,000千円$　　∴　200,000千円

② 配偶者の課税価格相当額（千円未満切捨）

　　156,000千円

③ ①＞②　　∴　156,000千円

④ $109,200千円 \times \dfrac{156,000千円}{400,000千円} ＝42,588千円$

(3) 軽減額

　　(1)≦(2)④　　∴　41,455.5千円

解答への道

《配偶者の税額軽減額》（法19の２）

----

(1) 贈与税額控除後の配偶者の算出相続税額

(2)① 課税価格の合計額のうち配偶者の法定相続分相当額（１億6,000万円と比較し、いずれか大きい金額）

② 配偶者の課税価格相当額（千円未満切捨）

③ ①と②いずれか少ない金額

④ 相続税の総額 $\times \dfrac{③の金額}{相続税の課税価格の合計額}$

(3) 軽減額

　　(1)と(2)④のいずれか少ない金額

1　令和６年分の贈与税額控除額を求める際には、子からの贈与もあるため、あん分計算を要する。

2　令和７年中に被相続人から贈与により取得した財産で、生前贈与加算の対象となるものには贈与税が課税されないため、贈与税額控除の適用はない。

　次の各設例における配偶者の税額軽減額を求めなさい。なお、遺産は申告期限までにすべて各共同相続人によって分割されている。

＜設例1＞

1　被相続人甲の相続人等は次に図示するとおりである。

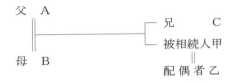

　　（注1）父Aは甲の相続開始前に死亡している。

　　（注2）母Bは甲の相続に関し、適法に相続の放棄をしている。

2　各相続人等の相続税の課税価格は、次のとおりである。

　　配偶者乙　　　273,200千円　　　　　　兄　　　C　　　29,950千円

　　母　　　B　　　23,850千円

3　相続税の総額は80,500千円であり、配偶者乙の贈与税額控除後の税額は67,620千円である。

＜設例2＞

1　被相続人甲の相続人等は次に図示するとおりである。

　　（注）父A及び母Bは、被相続人甲の相続開始前に死亡している。

2　各相続人の相続税の課税価格は次のとおりである。

　　配偶者乙　　　102,240千円　　　　　　姉　　　C　　　25,560千円

　　弟　　　D　　　22,152千円　　　　　　妹　　　E　　　20,448千円

3　相続税の総額は22,100千円であり、配偶者乙の贈与税額控除後の税額は13,260千円である。

解 答

＜設例1＞

(1) 贈与税額控除後の税額

67,620千円

(2)① 課税価格の合計額のうち配偶者の法定相続分相当額

273,200千円＋29,950千円＋23,850千円＝327,000千円

$327,000千円 \times \dfrac{2}{3} ＝218,000千円 \geqq 160,000千円$

∴ 218,000千円

② 配偶者の課税価格相当額（千円未満切捨）

273,200千円

③ ①＜② ∴ 218,000千円

④ $80,500千円 \times \dfrac{218,000千円}{327,000千円} ＝53,666.666千円$

(3) 軽減額

(1)＞(2)④ ∴ 53,666.666千円

＜設例2＞

(1) 贈与税額控除後の税額

13,260千円

(2)① 課税価格の合計額のうち配偶者の法定相続分相当額

102,240千円＋25,560千円＋22,152千円＋20,448千円＝170,400千円

$170,400千円 \times \dfrac{3}{4} ＝127,800千円 ＜ 160,000千円$

∴ 160,000千円

② 配偶者の課税価格相当額（千円未満切捨）

102,240千円

③ ①＞② ∴ 102,240千円

④ $22,100千円 \times \dfrac{102,240千円}{170,400千円} ＝13,260千円$

(3) 軽減額

(1)≦(2)④ ∴ 13,260千円

計算パターン(2)①課税価格の合計額のうち配偶者の法定相続分相当額で用いる相続分は民法第900条の規定による相続分である。したがって、配偶者と第1順位（子とその代襲相続人）との組み合わせのときは $\dfrac{1}{2}$、配偶者と第2順位（直系尊属）との組み合わせのときは $\dfrac{2}{3}$、配偶者と第3順位（兄弟姉妹とその代襲相続人）との組み合わせのときは $\dfrac{3}{4}$ となる。また、血族相続人が存在しない場合は、結果的に課税価格の合計額すべてが軽減額の対象となるため納付税額はないこととなる。

配偶者の法定相続分は、相続の放棄があった場合には、その放棄がなかったものとした場合における相続分であるため、設例1では $\dfrac{2}{3}$ となる。

問　題　4　　遺産が未分割の場合　－その1－　　　重要度　A

次の設例に基づき、配偶者の税額軽減額を求めなさい。なお、遺産は申告期限までに相続人である配偶者と子（1人）によって分割されていない。

<設　例>

1　配偶者の課税価格の内訳

項　　目	金　　額
遺 贈 財 産 の 価 額	16,480.5千円
未 分 割 遺 産 の 価 額	87,000千円
未 分 割 立 木 の 評 価 減	△ 1,200千円
退 職 手 当 金 等	20,000千円
債 務 控 除 額	△29,480.5千円
生 前 贈 与 加 算 額	8,000千円
課 　 税 　 価 　 格	100,800千円

2　課税価格の合計額　　　　　　　160,000千円

3　相　続　税　の　総　額　　　　　21,400千円

4　配偶者に係る贈与税額控除額　　　1,510千円

解　答

1　配偶者の算出相続税額

$$21,400千円 \times \frac{100,800千円}{160,000千円} = 13,482千円$$

2　配偶者の税額軽減額

(1)　贈与税額控除後の税額

$$13,482千円 - 1,510千円 = 11,972千円$$

(2)① 課税価格の合計額のうち配偶者の法定相続分相当額

$$160,000千円 \times \frac{1}{2} = 80,000千円 < 160,000千円 \qquad \therefore \quad 160,000千円$$

②　配偶者の課税価格相当額

$$87,000千円 - 1,200千円 > 29,480.5千円$$

$$\therefore \quad 16,480.5千円 + 20,000千円 + 8,000千円 = 44,480千円 （千円未満切捨）$$

③　①＞②　　∴　44,480千円

④ 　$21,400千円 \times \dfrac{44,480千円}{160,000千円} = 5,949.2千円$

(3)　軽減額

(1)＞(2)④　　∴　5,949.2千円

解答への道

1　配偶者の課税価格相当額を計算する場合に、申告期限までに分割されていない財産は含めない。

（法19の2②、基通19の2－4）

2　1の場合においては、まず未分割遺産の価額から債務控除を行う。（基通19の2－6）

《未分割遺産の価額≧債務控除額の場合》

配偶者の課税価格相当額（千円未満切捨）	＝	一部分割により取得した財産	＋	特定遺贈財産	＋	みなし相続遺贈財産	＋	生前贈与加算額

次の設例に基づき、配偶者の税額軽減額を求めなさい。なお、遺産の一部については申告期限までに相続人である配偶者と子（１人）によって分割されていない。

<設　例>

1　配偶者の課税価格の内訳

項　目	金　額
未分割相続財産の価額	19,500千円
上記に係る立木の評価減	△　1,500千円
分割相続財産の価額	76,201.6千円
上記に係る小規模宅地等の評価減	△　8,401.2千円
上記に係る立木の評価減	△　2,400千円
生命保険金等	48,000千円
債務控除額	△25,400千円
生前贈与加算額	6,000千円
課税価格（千円未満切捨）	112,000千円

2　課税価格の合計額　　　　　　448,000千円

3　相 続 税 の 総 額　　　　　　128,700千円

4　配偶者に係る贈与税額控除額　　　820千円

解 答

1 配偶者の算出相続税額

$$128,700千円 \times \frac{112,000千円}{448,000千円} = 32,175千円$$

2 配偶者の税額軽減額

(1) 贈与税額控除後の税額

$$32,175千円 - 820千円 = 31,355千円$$

(2)① 課税価格の合計額のうち配偶者の法定相続分相当額

$$448,000千円 \times \frac{1}{2} = 224,000千円 \geqq 160,000千円 \qquad \therefore \quad 224,000千円$$

② 配偶者の課税価格相当額

$$19,500千円 - 1,500千円 < 25,400千円$$

$$\therefore \quad 76,201.6千円 - 8,401.2千円 - 2,400千円 + 48,000千円$$

$$- \{25,400千円 - (19,500千円 - 1,500千円)\} + 6,000千円$$

$$= 112,000千円 （千円未満切捨）$$

③ ①＞② $\quad \therefore \quad 112,000千円$

④ $128,700千円 \times \dfrac{112,000千円}{448,000千円} = 32,175千円$

(3) 軽減額

(1)≦(2)④ $\quad \therefore \quad 31,355千円$

解答への道

《未分割遺産の価額＜債務控除額の場合》

配偶者の課税価格相当額（千円未満切捨）＝ A ＋ 生前贈与加算額

A ＝ 一部分割により取得した財産 ＋ 特定遺贈財産 ＋ みなし相続遺贈財産 － (債務控除額 － 未分割遺産の価額)

A＜0の時は、A＝0

MEMO

第10章

未成年者控除

問 題 1　基本型　　　　　　　　　　　　　　　　　　重要度　A

　　次の設例に基づき、未成年者控除額を求めなさい。

＜設　例＞

1　被相続人甲（日本国籍を有する者である。）は、令和7年5月10日に死亡し、その相続人
　等は、次に図示するとおりである。

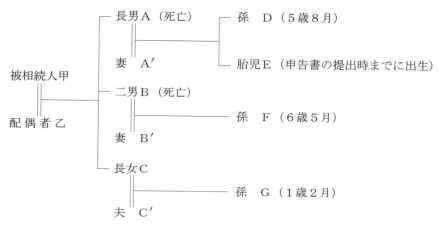

（注1）長女Cは被相続人甲の相続に関し、正式に相続の放棄をしている。

（注2）被相続人甲の相続人等は、妻B′を除き全員日本国籍を有している。

（注3）被相続人甲の相続開始時における甲及び各相続人等の住所は、次のとおりである。

　　　　　被相続人甲及び配偶者乙………東京都X区

　　　　　妻A′、孫D及び胎児E ………仏国

　　　　　妻B′及び孫F …………………英国

　　　　　長女C、夫C′及び孫G ………東京都Y区

（注4）長男A及び二男Bは、被相続人甲の死亡前に既に死亡しているが、その死亡に
　　　ついての相続税の課税関係は生じていない。

2　親族図に記載されている者は、妻A′、妻B′及び夫C′を除き相続又は遺贈により財産を
　取得している。

孫　D　　100,000円×(18歳－5歳)＝1,300,000円

胎児E　　　　　　　　　　　　　1,800,000円

孫　F　　100,000円×(18歳－6歳)＝1,200,000円

（注）孫Gは、法定相続人でないため、適用なし。

解答への道

1　次の要件のすべてを満たす者について、未成年者控除の適用がある。(法19の3①)

　①　相続又は遺贈により財産を取得した者

　②　$\left\{\begin{array}{l}\text{居住無制限納税義務者}\\\text{非居住無制限納税義務者}\end{array}\right\}$に該当する者

　③　法定相続人

　④　18歳未満の者

《未成年者控除額》(法19の3)

　　　　　　　　　　　　　　　　　　　　＊
　100,000円×(18歳－相続開始時の年齢)

　＊　　1年未満の端数切捨

2　相続を放棄したことにより相続人に該当しないこととなった場合においても、その者が、居住無制限納税義務者又は非居住無制限納税義務者、法定相続人、18歳未満の者に該当する場合には適用がある。

3　胎児が生きて生まれた場合における未成年者控除額は180万円となる。

| 問　題　2 | 扶養義務者から控除する場合 | 重要度 | C |

次の設例に基づき、未成年者控除額並びに各人の納付すべき相続税額を求めなさい。

なお、未成年者控除の控除不足額は、各扶養義務者の算出相続税額の比であん分するものとする。

＜設　例＞

1　東京都Ｘ区に住所を有する被相続人甲は、令和7年5月20日に死亡し、その相続人等は、次に図示するとおりである。

2　被相続人甲の相続人は全員相続により財産を取得しており、また、出生時から相続開始時まで法施行地に住所を有している。なお、年齢を記載してある者を除いて、全員18歳以上である。

3　算出相続税額

　　配偶者乙　　　70,200,000円

　　長　男　Ａ　　49,950,000円

　　二　男　Ｂ　　13,500,000円

　　長　女　Ｃ　　　1,350,000円

4　贈与税額控除額（暦年課税）

　　配偶者乙　　　10,750,000円

　　長　男　Ａ　　　3,450,000円

　　長　女　Ｃ　　　1,250,000円

5　配偶者の税額軽減額

　　配偶者乙　　　59,450,000円

解　答

1　配偶者の税額軽減まで適用後の算出相続税額

　　配偶者乙　　　70,200,000円－10,750,000円－59,450,000円＝0

　　長　男　Ａ　　49,950,000円－　3,450,000円＝46,500,000円

　　二　男　Ｂ　　13,500,000円

　　長　女　Ｃ　　　1,350,000円－　1,250,000円＝100,000円

2　未成年者控除額

長　女　C　　　100,000円×（18歳－12歳）＝600,000円＞100,000円

∴　100,000円

3　扶養義務者からの控除額

600,000円－100,000円＝500,000円

長　男　A　　　$500,000円 \times \dfrac{46,500,000円}{46,500,000円+13,500,000円} = 387,500円$

二　男　B　　　$500,000円 \times \dfrac{13,500,000円}{46,500,000円+13,500,000円} = 112,500円$

4　納付すべき相続税額（百円未満切捨）

配偶者乙　　　　0

長　男　A　　　46,500,000円－387,500円＝46,112,500円

二　男　B　　　13,500,000円－112,500円＝13,387,500円

長　女　C　　　100,000円－100,000円＝0

解答への道

1　未成年者控除として控除を受けることができる金額が、その控除を受ける者についての算出相続税額（配偶者の税額軽減まで適用後の金額。以下同じ。）を超える場合には、その超える部分の金額は、その控除を受ける者の扶養義務者が同一の被相続人から相続又は遺贈により取得した財産の価額についての算出相続税額から控除する。（法19の3②）

2　扶養義務者の意義（法1の2一）

① 配偶者

② 直系血族

③ 兄弟姉妹

④ 家庭裁判所の審判を受けて扶養義務者となった三親等内の親族（同一生計の場合には家庭裁判所の審判を要しない。）

《扶養義務者が2人以上いる場合の控除不足額の計算》（令4の3）

1　扶養義務者全員の協議により、控除不足額を配分して申告書に記載した場合

→　その記載額

2　1以外の場合　→　次の算式により算出した金額

〈算式〉

$$控除不足額 \times \dfrac{扶養義務者の配偶者の税額軽減まで適用後の算出相続税額}{各扶養義務者の配偶者の税額軽減まで適用後の算出相続税額の合計額}$$

既に未成年者控除を受けている場合　　　　　　重 要 度　B

次の設例に基づき、未成年者控除額を求めなさい。

＜設　例＞

1　東京都Ｘ区に住所を有する被相続人甲（令和7年6月26日死亡）の相続人等は、次に図示
　するとおりである。甲の相続人は全員相続により財産を取得しており、また出生時から相続
　開始時まで法施行地に住所を有している。

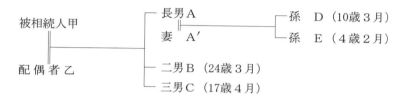

　　　　　　　　　　　　　　　　　　　　長男Ａ　　　　　　孫　　Ｄ　（10歳3月）
　　　被相続人甲　　　　　　　　　　　　妻　　Ａ′　　　　　孫　　Ｅ　（4歳2月）
　　　　　　　　　　　　　　　　　　　　二男Ｂ　（24歳3月）
　　　配偶者乙　　　　　　　　　　　　　三男Ｃ　（17歳4月）

2　配偶者乙は平成27年8月23日に死亡しており、配偶者乙の遺産に係る相続税の申告に際し
　て、二男Ｂ（当時14歳5月）が360千円及び三男Ｃ（当時7歳6月）が780千円の未成年者控
　除の適用を受け、それぞれ相続税を申告し、納付していた。

3　長男Ａは令和3年5月19日に死亡しており、長男Ａの遺産に係る相続税の申告に際して、
　孫Ｄ（当時6歳2月）は180千円、孫Ｅ（当時0歳1月）は530千円の未成年者控除の適用を
　受けていた。なお、扶養義務者から控除された金額はなかった。

4　年齢を記載してある者を除いて、全員18歳以上である。

解　答

孫　D

　　1　100,000円×(18歳−10歳)＝800,000円

　　2　100,000円×(18歳− 6 歳)−180,000円＝1,020,000円

　　3　1 、2 のいずれか少ない金額　　∴　800,000円

孫　E

　　1　100,000円×(18歳− 4 歳)＝1,400,000円

　　2　100,000円×(18歳− 0 歳)−530,000円＝1,270,000円

　　3　1 、2 のいずれか少ない金額　　∴　1,270,000円

三男C

　　1　100,000円×(18歳−17歳)＝100,000円

　　2　100,000円×(18歳− 7 歳)−780,000円＝320,000円

　　3　1 、2 のいずれか少ない金額　　∴　100,000円

解答への道

《既に未成年者控除の適用を受けている場合の控除額》（法19の 3 ③）

　　1　100,000円×(18歳−今回の相続開始時の年齢*)

　　2　100,000円×(18歳−前の相続開始時の年齢*)−既控除額

　　3　1 、2 のいずれか少ない金額

　　　＊　1 年未満の端数切捨

第11章

障害者控除

<table>
<tr><td>問　題　1</td><td>基本型</td><td>重　要　度</td><td>A</td></tr>
</table>

　次の設例に基づいて、障害者控除額を求めなさい。

＜設　例＞

1　東京都X区に住所を有する被相続人甲（日本国籍を有する者である。）の相続人等は、次のとおりである。

被相続人甲　　　　　長女A（36歳6月）

　　　　　　　　　　二女B（32歳2月）

配偶者乙（死亡）　　長男C（28歳8月）

　　　　　　　　　　三女D（22歳11月）

　（注1）被相続人甲の相続開始時における各相続人の住所は、次のとおりである。なお、三女Dは、日本国籍を有していない。

　　　　　長女A……………………………東京都X区

　　　　　二女B……………………………仏国

　　　　　長男C及び三女D………………英国

　（注2）被相続人甲の相続開始時において長女A、長男C及び三女Dは一般障害者に該当し、二女Bは特別障害者に該当している。

　（注3）配偶者乙は、被相続人甲の死亡前に既に死亡しているが、その死亡についての相続税の課税関係は生じていない。

2　被相続人甲の相続人等は、全員相続又は遺贈により財産を取得している。

長女A　　100,000円×(85歳－36歳)＝4,900,000円

（注）二女B、長男C及び三女Dは、非居住無制限納税義務者であるため、適用なし。

次の要件のすべてを満たす者について、障害者控除の適用がある。（法19の4①、21の16②）

①　相続又は遺贈により財産を取得した者

②　$\left\{\begin{array}{l}\text{居住無制限納税義務者}\\ \text{特定納税義務者で相続開始時において法施行地に住所を有するもの}\end{array}\right\}$に該当する者

③　法定相続人

④　障害者

《障害者控除額》（法19の4）

> (1)　一般障害者の場合　　100,000円×(85歳－相続開始時の年齢)[＊]
>
> (2)　特別障害者の場合　　200,000円×(85歳－相続開始時の年齢)[＊]
>
> 　＊　1年未満の端数切捨

問題 2　扶養義務者から控除する場合　　　重要度 C

次の設例に基づき、障害者控除額並びに各人の納付すべき相続税額を求めなさい。

なお、障害者控除の控除不足額は、各扶養義務者の算出相続税額の比であん分するものとする。

＜設　例＞

1　東京都X区に住所を有する被相続人甲は、令和7年5月5日に死亡し、その相続人等は、次に図示するとおりである。

被相続人甲 ── 長女A

配偶者乙 ── 長男B （12歳6月）

2　長男Bは、交付を受けている身体障害者手帳に身体上の障害の程度が3級として記載されている者である。

3　被相続人甲の相続人は全員相続により財産を取得しており、また、法施行地外に住所を有していたことはない。

なお、相続人はいずれも日本国籍を有しており、年齢を記載してある者を除いて、全員18歳以上である。

4　算出税額

配偶者乙　　17,810,000円

長　女　A　　6,850,000円

長　男　B　　4,480,000円

5　贈与税額控除額（暦年課税）

配偶者乙　　110,000円

長　女　A　　850,000円

長　男　B　　80,000円

6　配偶者の税額軽減額

配偶者乙　　13,700,000円

解　答

1　未成年者控除まで適用後の算出相続税額

配偶者乙　　17,810,000円－110,000円－13,700,000円＝4,000,000円

長　女　A　　6,850,000円－850,000円＝6,000,000円

長　男　B　　4,480,000円−80,000円−600,000円＝3,800,000円

　　　　　　＊　　未成年者控除額　100,000円×(18歳−12歳)＝600,000円

2　障害者控除額

長　男　B　　100,000円×(85歳−12歳)＝7,300,000円＞3,800,000円

　　　　　∴　　3,800,000円

3　扶養義務者からの控除額

7,300,000円−3,800,000円＝3,500,000円

配偶者乙　　3,500,000円×$\dfrac{4,000,000円}{4,000,000円＋6,000,000円}$＝1,400,000円

長　女　A　　3,500,000円×$\dfrac{6,000,000円}{4,000,000円＋6,000,000円}$＝2,100,000円

4　納付すべき相続税額（百円未満切捨）

配偶者乙　　4,000,000円−1,400,000円＝2,600,000円

長　女　A　　6,000,000円−2,100,000円＝3,900,000円

長　男　B　　3,800,000円−3,800,000円＝0

解答への道

1　障害者控除として控除を受けることができる金額が、その控除を受ける者についての算出相続税額（未成年者控除まで適用後の金額。以下同じ。）を超える場合には、その超える部分の金額は、その控除を受ける者の扶養義務者が同一の被相続人から相続又は遺贈により取得した財産の価額についての算出相続税額から控除する。（法19の4③）

《扶養義務者が2人以上いる場合の控除不足額の計算》（令4の4③）

> 1　扶養義務者全員の協議により、控除不足額を配分して申告書に記載した場合
>
> 　→　その記載額
>
> 2　1以外の場合　→　次の算式により算出した金額
>
> ＜算式＞
>
> 控除不足額×$\dfrac{扶養義務者の未成年者控除まで適用後の算出相続税額}{各扶養義務者の未成年者控除まで適用後の算出相続税額の合計額}$

2　長男Bは、一般障害者に該当する。身体障害者手帳の交付を受けている者のうち、3級から6級までは一般障害者、1級又は2級は特別障害者である。（基通19の4−1、2）

なお、長男Bは、未成年者控除の適用対象者となることにも留意すること。

問 題 3　既に障害者控除を受けている場合

重要度　B

次の設例に基づき、障害者控除額を求めなさい。

＜設　例＞

1　東京都Ｘ区に住所を有する被相続人甲（令和7年3月22日死亡）の相続人等は、次に図示するとおりである。甲の相続人は全員相続により、孫Ｅは遺贈により財産を取得している。また、全員が日本国籍を有しており、法施行地外に住所を有していたことはない。

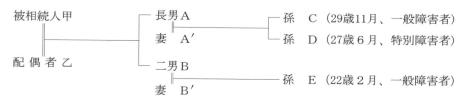

2　長男Ａは平成31年2月10日に死亡しており、長男Ａの遺産に係る相続税の申告に際して孫Ｃ（当時23歳10月、一般障害者）は520千円、孫Ｄ（当時21歳5月、一般障害者）は1,060千円の障害者控除の適用を受けていた。なお、扶養義務者から控除された金額はなかった。孫Ｄが特別障害者として認定されたのは、令和3年7月19日である。

解　答

孫　Ｃ

1　100,000円×（85歳－29歳）＝5,600,000円

2　100,000円×（85歳－23歳）－520,000円＝5,680,000円

3　1、2のいずれか少ない金額　∴　5,600,000円

孫　Ｄ

1　200,000円×（85歳－27歳）＝11,600,000円

2　11,600,000円＋100,000円×7年※－1,060,000円＝11,240,000円

　　※　平成31年2月10日～令和7年3月22日＝6年1月　∴　7年

3　1、2のいずれか少ない金額　∴　11,240,000円

（注）孫Ｅは、法定相続人でないため、適用はない。

1 既に障害者控除の適用を受けている者が、今回の相続に際し控除を受けることができる金額は、前の相続から今回の相続までの間に障害の程度に変化を生じたか否かによって、控除限度額の計算方法が以下のように異なる。（令4の4④、基通19の4－4、5）

《障害の程度に変化がない場合》

(1) 前の相続開始時、今回の相続開始時、ともに一般障害者の場合

① 100,000円×(85歳－今回の相続開始時の年齢)[*]

② 100,000円×(85歳－前の相続開始時の年齢)[*]－既控除額

③ ①、②のいずれか少ない金額

(2) 前の相続開始時、今回の相続開始時、ともに特別障害者の場合

① 200,000円×(85歳－今回の相続開始時の年齢)[*]

② 200,000円×(85歳－前の相続開始時の年齢)[*]－既控除額

③ ①、②のいずれか少ない金額

　　* 　1年未満の端数切捨

《障害の程度に変化がある場合》

(1) 前の相続開始時には一般障害者、今回の相続開始時には特別障害者の場合

① 200,000円×(85歳－今回の相続開始時の年齢)[*1]

② 200,000円×(85歳－今回の相続開始時の年齢)[*1]＋100,000円

　　×最初に障害者控除の適用を受けた時から今回の相続開始時までの年数[*2]－既控除額

③ ①、②のいずれか少ない金額

(2) 前の相続開始時には特別障害者、今回の相続開始時には一般障害者の場合

① 100,000円×(85歳－今回の相続開始時の年齢)[*1]

② 100,000円×(85歳－今回の相続開始時の年齢)[*1]＋200,000円

　　×最初に障害者控除の適用を受けた時から今回の相続開始時までの年数[*2]－既控除額

③ ①、②のいずれか少ない金額

　　*1 　1年未満の端数切捨

　　*2 　1年未満の端数切上

2 孫Cは、障害の程度に変化がない場合、孫Dは障害の程度に変化がある場合である。
なお、障害の程度に変化を生じた日は、計算に当たって必要としない資料である。

問　題　4　複合問題

重要度　B

次の設例に基づき、未成年者控除額及び障害者控除額を求めなさい。

<設　例>

　東京都X区に住所を有する被相続人甲（令和7年8月31日死亡）の相続人等は、次に図示するとおりである。なお、親族図に記載されている者は全員日本国籍を有しており、相続又は遺贈により財産を取得している。

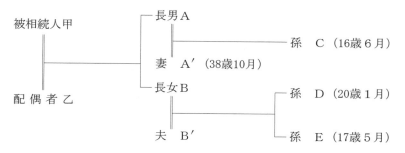

（注1）孫Dは、特別障害者に、妻A′は、一般障害者に該当している。

（注2）被相続人甲の相続開始時における各相続人等の住所は、全員日本国内にあり、また、日本国外に住所を有していたことはない。

（注3）年齢表示のない者は、全員18歳以上である。

（注4）長男Aは、相続開始以前に死亡しているが、長男Aの遺産は、遺産に係る基礎控除額以下であった。

（注5）長女Bは、平成27年4月30日に死亡しているが、その際の相続税の申告内容は、次のとおりである。なお、孫Dは、平成27年11月までは一般障害者であった。

相続人 項　目	夫　　　B′	孫　　　D	孫　　　E
算 出 相 続 税 額	3,250千円	2,390千円	1,820千円
配偶者の税額軽減額	△ 3,250千円		
未 成 年 者 控 除 額		△ 1,100千円	△ 1,300千円
障 害 者 控 除 額		△ 1,290千円	△　 520千円
納付すべき相続税額	0	0	0

解　答

＜未成年者控除額＞

孫　Ｃ　　　100,000円×（18歳－16歳）＝200,000円

孫　Ｅ　　① 100,000円×（18歳－17歳）＝100,000円

　　　　　② 100,000円×（18歳－ 7歳）−1,300,000円＝△200,000円＜ 0　∴　　0

　　　　　＊　平成27年 4 月30日〜令和 7 年 8 月31日→10年 4 月

　　　　　　　∴　17歳 5 月−10年 4 月＝ 7 歳（ 1 年未満切捨）

　　　　　③ ①＞②　　∴　　0

＜障害者控除額＞

妻　Ａ′　　法定相続人でないため、適用なし。

孫　Ｄ　　① 200,000円×（85歳−20歳）＝13,000,000円

　　　　　② 200,000円×（85歳−20歳）＋100,000円×11年−（1,290,000円＋520,000円）

　　　　　　＝12,290,000円

　　　　　＊　平成27年 4 月30日〜令和 7 年 8 月31日→10年 4 月　　∴　11年

　　　　　③ ①＞②　　∴　12,290,000円

解答への道

1　孫Ｃについて

　　長男Ａの遺産が、遺産に係る基礎控除額以下であったことから、長男Ａの死亡時に孫Ｃは未成年者控除の適用を受けていないと判断できる。

2　孫Ｄについて

　　長女Ｂ死亡時に孫Ｅが受けている障害者控除額は、孫Ｄの扶養義務者として受けているものである。今回の孫Ｄの障害者控除額を求めるに当たって、既控除額には、扶養義務者から控除された金額も含めなければならない。

第12章

相次相続控除

重要度

問 題 1	適用対象者の判定	重 要 度	A

次の1～4に掲げる場合のうち、相次相続控除の適用を受けられる者を答えなさい。

1　被相続人甲の死亡（令和7年3月10日）に関し、長男Aは相続により、長女Bは相続を放棄したが遺贈により財産を取得した。なお、甲は令和2年6月4日に死亡した父から相続により財産を取得し、相続税を納付していた。

2　被相続人乙の死亡（令和7年4月25日）に関し、長女Cは相続人に該当したが、遺贈による取得財産があったため、相続財産は事実上取得しなかった。なお、乙は平成29年8月29日に死亡した母から相続により財産を取得し、相続税を納付していた。

3　被相続人丙の死亡（令和7年7月10日）に関し、長男Dは相続により、二男Eは相続を放棄したが、遺贈により財産を取得した。なお、丙は令和4年11月9日に死亡した友人から遺贈により財産を取得し、相続税を納付していた。

4　被相続人丁の死亡（令和7年9月18日）に関し、配偶者Fは相続により財産を取得した。
　　なお、丁は平成25年12月24日に死亡した父から相続により財産を取得し、相続税を納付していた。

解　答

1　長男A　　　　2　長女C　　　　3　なし　　　　4　なし

解答への道

1　相続（被相続人からの相続人に対する遺贈を含む。）により財産を取得した者で、第2次相続に係る被相続人が、第1次相続により財産を取得している場合には、相次相続控除の適用対象者となる。（法20）

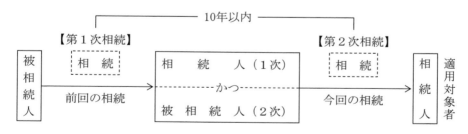

2　相続を放棄した者及び相続権を失った者については、たとえその者について遺贈により取得した財産がある場合においても、相次相続控除の規定の適用はない。（基通20−1）

　次の設例に基づき、相次相続控除額を求めなさい。

＜設　例＞

1　被相続人甲（令和7年9月24日死亡）の相続人等は次に図示するとおりである。

　　（注1）長男Aは相続開始前に死亡している。

　　（注2）二男Bは被相続人甲の相続に関し、正式に相続の放棄をしている。

2　各相続人等の課税価格は次のとおりである。

課　税　価　格　表　　　　　　（単位：千円）

項　目　＼　相続人等	配偶者乙	長 女 C	孫　　　D	二 男 B	合　　計
遺 贈 財 産 の 価 額	21,000	54,000	24,000	21,000	
分 割 相 続 財 産 の 価 額	98,000		75,000		
生 命 保 険 金 等	15,000			15,000	
債 務 控 除 額	△14,000		△ 9,000		
純 資 産 価 額	120,000	54,000	90,000	36,000	300,000
生 前 贈 与 加 算 額	5,000	2,000			
課 税 価 格	125,000	56,000	90,000	36,000	307,000

3　被相続人甲の父死亡（令和元年7月16日）に伴い、甲は次のとおり財産を取得している。

　遺 贈 財 産 の 価 額　　　　257,000千円

　相 続 財 産 の 価 額　　　　290,000千円

　生 命 保 険 金 等　　　　　 48,000千円

　同上の非課税金額　　　　　△ 9,000千円

　債 務 控 除 額　　　　　　△26,000千円

　生 前 贈 与 加 算 額　　　　 12,000千円

　課 税 価 格　　　　　　　　572,000千円

　課された相続税額（注）　　 160,049.5千円

　　（注）このうちには、延滞税の額49.5千円が含まれている。

解 答

1 控除総額

$$(160,049.5千円 - 49.5千円) \times \frac{300,000千円}{\underset{*1}{560,000千円 - (160,049.5千円 - 49.5千円)}} \times \frac{\overset{*2}{10 - 6}}{10}$$

＝48,000千円

* 1　257,000千円＋290,000千円＋48,000千円－9,000千円－26,000千円＝560,000千円

* 2　令和元年7月16日〜令和7年9月24日≒6年2月　　∴　6年

2 各人の控除額

配偶者乙　　　　　　　　　　$\dfrac{120,000千円}{300,000千円} = 19,200千円$

長 女　C　　48,000千円×　$\dfrac{54,000千円}{300,000千円} = 8,640千円$

孫　　　D　　　　　　　　　　$\dfrac{90,000千円}{300,000千円} = 14,400千円$

（注）二男Bは、相続人でないため、相次相続控除の適用はない。

《相次相続控除額》（法20、基通20－3）

1 控除総額

$$A \times \frac{C}{B-A} \left[\text{求めた割合が} \frac{100}{100} \text{を超える場合は} \frac{100}{100} \right] \times \frac{10-E}{10}$$

2 各人の控除額

$$\text{控除総額} \times \frac{D}{C}$$

A＝第2次相続に係る被相続人が第1次相続により取得した財産につき課せられた相続税額[1]（附帯税に相当する相続税額を除く。）。

B＝第2次相続に係る被相続人が第1次相続により取得した財産の価額[1]（債務控除をした後の金額。）。

C＝第2次相続により相続人及び受遺者の全員が取得した財産の価額[2]（債務控除をした後の金額。）。

D＝第2次相続により相次相続控除の適用対象者が取得した財産の価額[2]（債務控除をした後の金額。）。

E＝第1次相続開始の時から第2次相続開始の時までの期間に相当する年数（1年未満の端数は切捨て。）。

（＊1）第1次相続に係る被相続人からの相続時精算課税適用財産を含む。

（＊2）第2次相続に係る被相続人からの相続時精算課税適用財産を含む。

1 長女Cは相続財産は取得していないが、「被相続人からの相続人に対する遺贈」による取得財産があるため、相次相続控除の適用対象者となる。

2 二男Bは相続を放棄しているため相続人に該当せず、遺贈による取得財産があっても相次相続控除の適用はない。

第13章

相続税の外国税額控除

問題 1 　基本型　　　　　　　　　　　　　　　重要度 A

　　次の設例に基づいて、各相続人及び受遺者の納付すべき相続税額を求めなさい。

＜設　例＞

1　令和7年5月10日に死亡した被相続人甲の相続人等は、次のとおりである。

被相続人甲
配偶者乙（死亡）
長女A（41歳）
夫　A′
孫　D
二女B
三女C

　　（注）被相続人甲の相続開始時における甲及び各相続人等の住所は、次のとおりである。

　　　　なお、被相続人甲は、日本国籍を有する者である。

　　　　　被相続人甲……………………………………………東京都X区

　　　　　長女A、夫A′、二女B、三女C及び孫D ………米国

2　長女A、二女B、三女C及び孫Dは、被相続人甲から相続又は遺贈により次の財産を取得し、また、債務を負担した。

　（1）相続又は遺贈により取得した財産

　　　　長女A　　140,588千円（うち国外財産の価額 5,000千円）

　　　　二女B　　 52,285千円（うち国外財産の価額52,285千円）

　　　　三女C　　 76,923千円（すべて国内財産）

　　　　孫　D　　 44,104千円（すべて国内財産）

　（2）債務の金額

　　　　長女A　　 4,000千円（うち国外財産に係るもの 1,500千円）

　　　　二女B　　10,000千円（うち国外財産に係るもの10,000千円）

　　　　三女C　　 9,000千円（すべて取得した国内財産に係るもの）

3　被相続人甲から相続開始前に暦年課税贈与を受けた財産（すべて国内財産）の価額は、次のとおりである。なお、その年分に他の者から贈与を受けた財産はない。

　　　長女A　　令和5年6月9日　10,000千円

　　　孫　D　　令和7年3月15日　 1,000千円

4　上記2(1)に掲げる国外財産について、所在国の法令に基づいて課された相続税に相当する税額は次のとおりである。なお、納付すべき日における電信売相場は1ドル123円、国内から送金する日の電信売相場は1ドル125円であり、送金は遅延していない。

　　　長女A　3,200ドル　　　二女B　32,000ドル

5　相続税の総額　　55,169,700円

6 課税価格の合計額　　281,900千円

7 あん分割合　　長女A　0.49　二女B　0.14　三女C　0.22　孫　D　0.15

答案用紙

納　付　税　額　表　　　　　　　　（単位：円）

項　目 ＼ 相続人等				
算 出 相 続 税 額				
相 続 税 額 の 加 算 額				
贈 与 税 額 控 除 額（暦年課税分）				
外 国 税 額 控 除 額				
納 付 税 額（百円未満切捨）				

解　答

1　算出相続税額

　　長女Ａ

　　二女Ｂ　　　　55,169,700円×

　　三女Ｃ

　　孫　Ｄ

$$\begin{cases} 0.49＝27,033,153円 \\ 0.14＝\ 7,723,758円 \\ 0.22＝12,137,334円 \\ 0.15＝\ 8,275,455円 \end{cases}$$

2　相続税額の加算額

　　孫　Ｄ　　　8,275,455円×$\dfrac{20}{100}$＝1,655,091円

3　贈与税額控除額（暦年課税）

　　長女Ａ（令和5年分）　（10,000千円－1,100千円）×30％－900千円＝1,770,000円

　　孫　Ｄ（令和7年分）　相続開始年分の被相続人からの贈与のため、非課税。

4　外国税額控除額

　（1）長女Ａ

　　①　その地の法令に基づいて課された相続税相当額

　　　　123円＜125円　　∴　　125円×3,200ドル＝400,000円

　　②　控除限度額

　　　　（27,033,153円－1,770,000円）×$\dfrac{5,000千円－1,500千円}{140,588千円－4,000千円}$＝647,355円

　　③　控除額

　　　　①＜②　　∴　　400,000円

　（2）二女Ｂ

　　①　その地の法令に基づいて課された相続税相当額

　　　　123円＜125円　　∴　　125円×32,000ドル＝4,000,000円

　　②　控除限度額

　　　　7,723,758円×$\dfrac{52,285千円－10,000千円}{52,285千円－10,000千円}$＝7,723,758円

　　③　控除額

　　　　①＜②　　∴　　4,000,000円

納 付 税 額 表 （単位：円）

項　目＼相続人等	長　女　A	二　女　B	三　女　C	孫　　　D
算 出 相 続 税 額	27,033,153	7,723,758	12,137,334	8,275,455
相 続 税 額 の 加 算 額				1,655,091
贈 与 税 額 控 除 額（暦年課税分）	△ 1,770,000			――
外 国 税 額 控 除 額	△　400,000	△ 4,000,000		
納 付 税 額（百円未満切捨）	24,863,100	3,723,700	12,137,300	9,930,500

解答への道

《相続税の外国税額控除額》（法20の２）

---

(1) その地の法令に基づいて課された相続税相当額

(2) 控除限度額

$$\left[\begin{array}{l}\text{相次相続控除までの規定}\\\text{適用後の算出相続税額}\end{array}\right] \times \frac{\text{国外財産の価額－国外財産に係る債務の金額}}{\begin{array}{c}\text{債務控除後の金額＋相続開始の年分の受贈財産の価額}\\\text{（純資産価額）}\end{array}}$$

(3) 控除額

(1)、(2)のいずれか少ない金額

1　邦貨換算（基通20の２－１）

　　送金が著しく遅延して行われる場合を除き、納付すべき日の対顧客直物電信売相場と、国内から送金する日の電信売相場のレートのいずれか高い方を、納税者有利の観点から選択する。

2　孫Dは被相続人の２親等の血族に該当するため、相続税額の加算の適用対象者となる。（法18）

問題 2　生前贈与加算となる国外財産　　　重要度　B

　　次の設例に基づき、配偶者乙の相続税の外国税額控除額及び納付すべき相続税額を求めなさい。

＜設　例＞

1　　東京都Ｘ区に住所を有する被相続人甲の死亡（令和7年12月23日）により、配偶者乙（日本国籍を有する者であり、法施行地外に住所を有していたことはない。）は相続又は遺贈により次の財産を取得している。

　　なお、他の相続人は長男Ａ及び二男Ｂであった。

項　　　目	金　　　額
遺 贈 財 産 の 価 額	172,000千円（注1）
相 続 財 産 の 価 額	131,000千円
生 命 保 険 金 等	20,000千円
同上の非課税金額	△12,500千円
債 務 控 除 額	△ 7,500千円（注2）
生 前 贈 与 加 算 額	5,000千円（注3）
課 税 価 格	308,000千円

（注1）国外財産が10,000千円含まれている。

（注2）国外財産に係る債務が 5,000千円含まれている。

（注3）このうち1,500千円は令和4年12月25日に、3,500千円は令和7年5月14日に贈与により取得した財産（いずれも国外財産）である。なお、それぞれの年において他の者から贈与を受けた財産はなかった。

2　課税価格の合計額　　　440,000千円

3　相続税の総額　　　106,200,000円

4　上記1の（注1）に掲げる国外財産について、所在国の法令に基づいて相続税に相当する税が、1,725,000円課されている。

5　上記1の（注3）に掲げる国外財産のうち1,500千円につき220,000円、3,500千円につき520,000円、それぞれ所在国の法令に基づいて贈与税に相当する税が課されている。なお、令和4年分の贈与税の申告に際し、贈与税の外国税額控除の適用を受けたため納付すべき贈与税額はなかった。

解 答

1 算出相続税額

$$106,200,000円 \times \frac{308,000千円}{440,000千円} = 74,340,000円$$

2 贈与税額控除額（暦年課税）

〈令和4年分〉 $(1,500千円 - 1,100千円) \times 10\% = 40,000円$

〈令和7年分〉 相続開始の年分の贈与のため、非課税。

3 配偶者の税額軽減額

(1) 贈与税額控除後の税額

$74,340,000円 - 40,000円 = 74,300,000円$

(2)① 課税価格の合計額のうち配偶者の法定相続分相当額

$$440,000千円 \times \frac{1}{2} = 220,000千円 \geqq 160,000千円 \qquad \therefore \quad 220,000千円$$

② 配偶者の課税価格相当額（千円未満切捨）

$308,000千円$

③ ①＜② $\therefore$ $220,000千円$

④ $106,200,000円 \times \dfrac{220,000千円}{440,000千円} = 53,100,000円$

(3) 軽減額

(1)＞(2)④ $\therefore$ $53,100,000円$

4 外国税額控除額

(1) その地の法令に基づいて課された相続税相当額

$1,725,000円 + 520,000円 = 2,245,000円$

(2) 控除限度額

$(74,340,000円 - 40,000円 - 53,100,000円) \times \dfrac{10,000千円 - 5,000千円 + 3,500千円}{*303,000千円 + 3,500千円}$

$= 587,928円$

* $172,000千円 + 131,000千円 + 20,000千円 - 12,500千円 - 7,500千円 = 303,000千円$

(3) 控除額

(1)＞(2) $\therefore$ $587,928円$

5 納付すべき相続税額

$74,340,000円 - 40,000円 - 53,100,000円 - 587,928円 = 20,612,072円$

→20,612,000円（百円未満切捨）

解答への道

1　贈与税額控除額の計算上用いる贈与税額は、贈与税の外国税額控除適用前の金額を用いる。（法19）

2　相続税の外国税額控除における控除限度額の計算（法20の2、基通20の2－2）

分子　＝　$\boxed{\text{相続、遺贈、相続開始の年の贈与により取得した国外財産の価額}}$　－　$\boxed{\text{国外財産に係る債務の金額}}$

分母　＝　$\boxed{\text{純資産価額}}$　＋　$\boxed{\text{相続開始の年に贈与により取得した財産（国外財産、国内財産を問わない。）の価額}}$

第13章

相続税の外国税額控除

第14章

みなし贈与財産

　次の各設例の場合において、贈与により取得したものとみなされる生命保険金等の金額を求めなさい。

＜設例1＞

　被相続人甲の死亡時において、次のような生命保険契約があった。

(1) 被 保 険 者　　　甲　　　　(4) 保 険 金 額　　　　40,000千円

(2) 保険契約者　　　甲　　　　(5) 保険料負担者及び負担金額

(3) 保険金受取人　　　乙　　　　　　甲の父　　1,000千円　　　甲　　2,000千円

　　　　　　　　　　　　　　　　　　A　　　　1,000千円

　（注）甲は甲の父の死亡時において、生命保険契約に関する権利を相続により取得したものとみなされている。

＜設例2＞

　次に掲げる生命保険契約が満期になった。

(1) 被 保 険 者　　　甲　　　　(4) 保 険 金 額　　死亡時　　30,000千円

(2) 保険契約者　　　乙　　　　　　　　　　　満期時　　　6,000千円

(3) 保険金受取人　　　A　　　　(5) 保険料負担者及び負担金額
　　（満期時も同じ）

　　　　　　　　　　　　　　　　　　甲　　3,000千円　　　　乙　　2,000千円

＜設例3＞

　被相続人甲の死亡により、Bは生命保険契約の保険金15,000千円と剰余金800千円を取得した。なお、保険料は甲と乙が $\frac{1}{2}$ ずつ負担していた。

解　答

<設例１>

$$40,000千円 \times \frac{1,000千円}{1,000千円 + 2,000千円 + 1,000千円} = 10,000千円$$

乙はＡから10,000千円を贈与により取得したものとみなされる。

<設例２>

$$6,000千円 \times \frac{3,000千円}{3,000千円 + 2,000千円} = 3,600千円$$

$$6,000千円 \times \frac{2,000千円}{3,000千円 + 2,000千円} = 2,400千円$$

Ａは甲から3,600千円、乙から2,400千円を贈与により取得したものとみなされる。

<設例３>

$$(15,000千円 + 800千円) \times \frac{1}{2} = 7,900千円$$

Ｂは乙から 7,900千円を贈与により取得したものとみなされる。

解答への道

《生命保険金等》（法５）

1　課税要件

(1) 生命保険契約の保険事故（傷害、疾病その他これらに類する保険事故で死亡を伴わないものを除く。）又は損害保険契約の保険事故（偶然な事故に基因する保険事故で死亡を伴うものに限る。）が発生した場合において、これらの契約に係る保険料の全部又は一部が保険金受取人以外の者によって負担されたものであるとき。

(2) 相続又は遺贈により取得したものとみなされる場合を除く。

2　課税対象者

保険金受取人

3　課税金額

$$取得した保険金の額 \times \frac{保険金受取人以外の者が負担した保険料の金額}{保険事故が発生した時までに払い込まれた保険料の全額}$$

4　贈与者

保険料負担者

問 題 2 定期金

重要度 A

次の各設例の場合における、贈与税の課税対象者及び課税金額を求めなさい。

＜設例１＞

Aが掛金の全額を負担していた個人年金契約に基づきBが年額 1,000千円を20年間にわたり取得することとなった。なお、年金に代えて一時金で取得する場合の金額は17,000千円である。

＜設例２＞

被相続人甲は生前、次に掲げる保証期間付の生命保険契約に基づく年金の給付を受けていた。甲は６年間支給を受けた後死亡したため、甲の配偶者である乙がその後９年間の継続受取人となった。

① 給付金額　　　　　　　　年額600千円

② 保証期間　　　　　　　　15年

③ 保険料の負担者及びその負担金額

　子A　　　　　　　　　4,000千円

④ 解約返戻金の額　　　　　5,000千円

《参　考》

予定利率による複利年金現価率

　９年：8.566

　20年：18.046

解 答

＜設例１＞　定期金に関する権利

B

(1) 17,000千円

(2) 1,000千円×18.046＝18,046千円

(3) (1)＜(2)　　∴　18,046千円

＜設例２＞　保証期間付定期金に関する権利

乙

(1) 5,000千円

(2) 600千円×8.566＝5,139.6千円

(3) (1)＜(2)　　∴　5,139.6千円

《定期金に関する権利》（法6①）

1 課税要件

　定期金給付契約（生命保険契約を除く。）の定期金給付事由が発生した場合において、その契約に係る掛金又は保険料の全部又は一部が定期金受取人以外の者によって負担されたものであるとき

2 課税対象者

　定期金受取人

3 課税金額

$$\text{定期金給付契約に関する権利の価額}^{※} \times \frac{\text{定期金受取人以外の者が負担した掛金又は保険料の金額}}{\text{定期金給付事由が発生した時までに払い込まれた掛金又は保険料の全額}}$$

4 贈与者

　掛金又は保険料負担者

※　定期金給付契約に関する権利の価額

　法24により評価する。

《保証期間付定期金に関する権利》（法6③）

1 課税要件

　第3条第1項第五号の規定に該当する場合において、定期金給付契約に係る掛金又は保険料の全部又は一部が同号に規定する定期金受取人又は一時金受取人及び被相続人以外の第三者によって負担されたものであるとき

2 課税対象者

　定期金受取人又は一時金受取人

3 課税金額

$$\text{定期金給付契約に関する権利の価額}^{※} \times \frac{\text{第三者が負担した掛金又は保険料の金額}}{\text{相続開始の時までに払い込まれた掛金又は保険料の全額}}$$

4 贈与者

　第三者

※　定期金給付契約に関する権利の価額

　法24により評価する。

低額譲受益、債務免除等による利益　　　重 要 度　B

次の各設例の場合における、贈与税の課税対象者及び課税金額を求めなさい。

<設例1>

　Cの父は、Cに上場株式24,000千円を対価4,000千円で譲渡した。この譲渡は、Cの資産状態が債務超過（13,000千円）の状態であるため、その債務の返済に充てるためになされたものである。

<設例2>

　Dは、友人Eに対する貸付金4,500千円の求償権を放棄した。なお、Eの資産状態は良好である。

解 答

<設例1>　低額譲受益（みなし贈与）

　C　　　① 低額譲受けによる利益

　　　　　24,000千円－4,000千円＝20,000千円

　　　　② 贈与により取得したものとみなされる金額

　　　　　20,000千円－13,000千円＝7,000千円

<設例2>　債務免除等による利益（みなし贈与）

　E　　　4,500千円

解答への道

《低額譲受益》（法7）

1　課税要件

　著しく低い価額の対価で財産の譲渡を受けた場合

2　課税対象者

　財産の譲渡を受けた者

3　課税金額

　財産の時価　－　対価

4　贈与者

　財産を譲渡した者

第14章 みなし贈与財産

《債務免除等による利益》（法8）

1　課税要件

　対価を支払わないで又は著しく低い価額の対価で、債務の免除、引受け又は第三者のために
する債務の弁済による利益を受けた場合

2　課税対象者

　債務の免除、引受け又は弁済による利益を受けた者

3　課税金額

　債務の免除、引受け又は弁済に係る債務の金額に相当する金額

4　贈与者

　債務の免除、引受け又は弁済をした者

《課税されない場合》

1　低額譲受、債務の引受け、弁済の場合

　(1) 要　件

　　①　譲渡を受ける者又は債務者が資力を喪失して債務を弁済することが困難

　　②　扶養義務者からの債務の弁済に充てるための譲渡又は扶養義務者によって債務の引受け
又は弁済がなされたとき

　(2) 課税されない金額

　　贈与により取得したものとみなされた金額のうち、その債務を弁済することが困難である
部分の金額

2　債務の免除の場合

　(1) 要　件

　　①　債務者が資力を喪失して債務を弁済することが困難

　　②　債務の免除を受けたとき

　(2) 課税されない金額

　　贈与により取得したものとみなされた金額のうち、その債務を弁済することが困難である
部分の金額

次の各設例に基づいて、令和7年分の贈与税の課税価格を求めなさい。

＜設例1＞

甲は、令和7年5月10日に次の宅地を乙から借地権を設定して賃借した。なお、甲は借地権の設定に際し権利金の支払に代え、地代年額600千円を支払っている。

(1) 借地権設定時の自用地評価額　　50,000千円

(2) 本年以前3年間の自用地評価額の平均額　　44,000千円

(3) 借地権割合　　60％

(4) 通常の地代の年額　　240千円

＜設例2＞

Aは、令和7年6月5日に次の宅地をBから借地権を設定して賃借した。なお、Aは借地権の設定に際し権利金30,000千円及び地代年額700千円を支払っている。

(1) 借地権設定時の自用地評価額　　45,000千円

(2) 本年以前3年間の自用地評価額の平均額　　40,000千円

(3) 借地権設定時のこの宅地の通常の取引価額　　80,000千円

(4) 借地権割合　　60％

(5) 通常の地代の年額　　400千円

＜設例3＞

Cは、令和7年7月5日に次の宅地をDから借地権を設定して賃借した。なお、Cは借地権の設定に際し権利金20,000千円及び地代年額1,800千円を支払っている。

(1) 借地権設定時の自用地評価額　　44,000千円

(2) 本年以前3年間の自用地評価額の平均額　　40,000千円

(3) 借地権設定時のこの宅地の通常の取引価額　　80,000千円

(4) 借地権割合　　70％

(5) 通常の地代の年額　　600千円

第14章

みなし贈与財産

解 答

＜設例１＞

(1) 相当の地代の判定

44,000千円 × 6 ％＝2,640千円＞600千円　　∴　相当の地代を支払っていない。

(2) 贈与税の課税価格

$$50,000千円 \times 60\% \times \left[1 - \frac{600千円 - 240千円}{44,000千円 \times 6\% - 240千円} \right] = 25,500千円$$

＜設例２＞

(1) 相当の地代の判定

$$\left[40,000千円 - 30,000千円 \times \frac{40,000千円}{80,000千円} \right] \times 6\% = 1,500千円 > 700千円$$

∴　相当の地代を支払っていない。

(2) 贈与税の課税価格

$$80,000千円 \times 60\% \times \left[1 - \frac{700千円 - 400千円}{40,000千円 \times 6\% - 400千円} \right] - 30,000千円 = 10,800千円$$

＜設例３＞

相当の地代の判定

$$\left[40,000千円 - 20,000千円 \times \frac{40,000千円}{80,000千円} \right] \times 6\% = 1,800千円 \leqq 1,800千円$$

∴　相当の地代を支払っているため、贈与税の課税関係は生じない。

《借地権設定時における贈与税の課税関係》

(1) 課税要件（相当の地代の判定）

① 権利金等なし

$$\text{借地権設定時において実際に支払っている地代の年額} < \text{借地権の設定があった年以前3年間の自用地としての価額の平均額} \times 6\%$$

② 権利金等あり

$$\text{借地権設定時において実際に支払っている地代の年額} < \left\{ \begin{array}{c} \text{借地権の設定があった年以前3年間の自用地としての価額の平均額} \end{array} - \begin{array}{c} \text{実際に支払った権利金等の額} \end{array} \times \dfrac{\text{借地権の設定があった年以前3年間の自用地としての価額の平均額}}{\text{借地権の設定時におけるその土地の通常の取引価額}} \right\} \times 6\%$$

(2) 課税対象者

宅地の借地権者

(3) 贈与者

宅地の所有者

(4) 課税金額

① 権利金等なし

$$\text{借地権設定時の自用地としての価額（相続税評価額）} \times \text{借地権割合} \times \left(1 - \dfrac{\text{実際の地代年額－通常の地代年額}}{\underset{*}{\text{相当の地代年額}}-\text{通常の地代年額}} \right)$$

② 権利金等あり

$$\text{借地権設定時の通常の取引価額} \times \text{借地権割合} \times \left(1 - \dfrac{\text{実際の地代年額－通常の地代年額}}{\underset{*}{\text{相当の地代年額}}-\text{通常の地代年額}} \right) - \text{実際に支払った権利金等の額}$$

＊　相当の地代年額 ＝ 借地権の設定があった年以前3年間の自用地としての価額の平均額 × 6%

　　次の各設例の場合における、贈与税の課税対象者及び課税金額を求めなさい。

＜設例1＞

　　甲は、配偶者乙と離婚するにあたり家庭裁判所に申立て、現金40,000千円を分与すること
を条件に離婚が成立した。

＜設例2＞

　　Aは家屋の名義をBに変更した。この家屋の相続税評価額は7,000千円であり、対価の授
受は行われていない。

＜設例3＞

　　Cは、Dに対し無利子で現金50,000千円を貸与した。この貸与により通常受けるべき利子
の額は1,500千円である。なお、この利子の額は少額であると認められない。

＜設例4＞

　　Eは、Fに対し株式8,500千円を贈与した。ただし、この贈与はFがGに対する貸付金2,500
千円を免除することを条件としている。

解　答

＜設例1＞

　　　乙　　　　0

＜設例2＞

　　　B　　　7,000千円

＜設例3＞

　　　D　　　1,500千円

＜設例4＞

　　　G　　　2,500千円

　　　F　　　8,500千円－2,500千円＝6,000千円

1　婚姻の取消し又は離婚による財産の分与によって取得した財産については、贈与により取得した財産とはならない。（基通9－8）

2　不動産、株式等の名義の変更があった場合において対価の授受が行われていないときは、原則として贈与として取り扱う。（基通9－9）

3　無利子の金銭の貸与等があった場合には、そのことによる利益相当額（利子等）の贈与があったものとして取り扱う。（基通9－10）

4　負担付贈与があった場合（基通9－11）

課　税　対　象　者	課　税　金　額
贈与を受けた者	贈与財産の価額－負担額
利益を受けた第三者	負担額（みなし贈与財産）

第14章

みなし贈与財産

第15章

贈与税の課税価格の計算・非課税財産

　次の各設例において、贈与によりそれぞれに掲げる財産を取得したそれぞれの者の納税義務者の区分を答えなさい。

＜設例1＞

　東京都に住所を有する甲（日本国籍あり）から財産を取得した者

（1）　日本国内にある財産を取得したA（東京都に住所、日本国籍あり）

（2）　日本国外にある財産を取得したB（東京都に住所、日本国籍なし）

（3）　日本国外にある財産を取得したC（米国に住所、日本国籍あり）

　　※　Cは贈与前10年以内に日本国内に住所を有したことがない。

（4）　日本国外にある財産を取得したD（米国に住所、日本国籍なし）

　　※　Dは贈与前10年以内に日本国内に住所を有したことがない。

＜設例2＞

　米国に住所を有する乙から財産を取得した者（乙は贈与前10年以内に日本国内に住所を有したことがない）

（1）　日本国内にある財産を取得したE（東京都に住所、日本国籍あり）

（2）　日本国外にある財産を取得したF（東京都に住所、日本国籍なし）

　　※　Fは贈与前15年以内に日本国内に住所を有していた期間の合計は、10年超である。

（3）　日本国外にある財産を取得したG（米国に住所、日本国籍あり）

　　※　Gは贈与前10年以内に日本国内に住所を有したことがある。

（4）　日本国内にある財産を取得したH（米国に住所、日本国籍なし）

第15章　贈与税の課税価格の計算・非課税財産

解答

＜設例1＞

(1) 居住無制限納税義務者

(2) 居住無制限納税義務者

(3) 非居住無制限納税義務者

(4) 非居住無制限納税義務者

＜設例2＞

(1) 居住無制限納税義務者

(2) 居住無制限納税義務者

(3) 非居住無制限納税義務者

(4) 非居住制限納税義務者

解答への道

贈与税の納税義務者の区分は次のとおりである。

贈与者＼受贈者		国内に住所あり	一時居住者（※）	国内に住所なし 日本国籍あり 10年以内に住所あり	日本国籍あり 10年以内に住所なし	日本国籍なし
国内に住所あり		A	A	C	C	C
	在留資格を有する者	A	B	C	D	D
国内に住所なし	10年以内に住所あり 日本国籍あり	A	A	C	C	C
	10年以内に住所あり 日本国籍なし	A	B	C	D	D
	10年以内に住所なし	A	B	C	D	D

※　出入国管理及び難民認定法別表第1の在留資格の者で、過去15年以内において国内に住所を有していた期間の合計が10年以下のもの

A：居住無制限納税義務者　⇨　国内財産及び国外財産の全てに納税義務を負う

B：居住制限納税義務者　⇨　国内財産のみ納税義務を負う

C：非居住無制限納税義務者　⇨　国内財産及び国外財産の全てに納税義務を負う

D：非居住制限納税義務者　⇨　国内財産のみ納税義務を負う

次の各設例に基づいて、各受贈者の贈与税の課税価格に算入される価額を計算しなさい。

1　Aは令和7年3月20日に父から5,000,000円、翌21日に母から2,000,000円の預金の贈与を受けた。なお、父は同年10月13日に死亡しており、Aはその際に相続により土地40,000,000円を取得した。

2　Bは令和7年3月5日に大学に合格し、父に入学金2,000,000円を納入してもらった。その他に父から100,000円の贈与を受け、文具を購入した。

3　Cは令和7年7月18日に特別障害者である子Dに対して、Dを受益者とする特定障害者扶養信託契約を結んだ。それにより、Dは60,000,000円の信託受益権を有することになった。なお、Dは納税地の所轄税務署長に障害者非課税信託申告書を提出している。

4　Eは令和7年5月14日に父から土地50,000,000円の贈与を受けた。同年9月10日、Eは贈与を受けた土地のうち10,000,000円部分を県立F高校に対してプール建設用地として贈与した。

5　Gは令和7年3月25日に母から社債3,500,000円、同年6月14日に父が役員をしているH株式会社から株式1,500,000円の贈与を受けた。また、Gは同年9月1日に父から大学に通うための教育費として現金2,000,000円の贈与を受けたが、Gはこれを全額定期預金（教育資金管理契約に基づくものではない）とした。

6　Iは令和7年8月11日に障害者である子J（特別障害者以外の特定障害者）に対して、Jを受益者とする特定障害者扶養信託契約を結んだ。それによりJは30,000,000円の信託受益権を有することになった。なお、Jは納税地の所轄税務署長に障害者非課税信託申告書を提出している。

解　答

1　2,000,000円

2　0

3　60,000,000円－60,000,000円＝0

4　50,000,000円

5　3,500,000円＋2,000,000円＝5,500,000円

6　30,000,000円－30,000,000円＝0

1 令和7年10月13日に父が死亡し、かつ、父死亡時にAは相続により財産を取得しているため、令和7年3月20日の父からの贈与財産は、相続開始年分の贈与で、かつ、生前贈与加算の対象となるため、贈与税の非課税財産となる。

2 扶養義務者相互間において教育費に充てるためにした贈与により取得した財産のうち通常必要と認められるものは、贈与税の非課税財産となる。なお、ここでいう「教育費」とは、被扶養者の教育上通常必要と認められる学費、教材費、文具費等をいい、義務教育費に限らない。したがって、本問では、大学の入学金及び文具購入のための贈与は非課税となる。

3 特定障害者扶養信託契約に基づく信託受益権は、特別障害者の場合6,000万円まで非課税となり、それ以外の特定障害者は3,000万円まで非課税となる。

4 措置法第70条の非課税規定は、相続又は遺贈により取得した財産を贈与等した場合について設けられた規定であるため、贈与により取得した財産を贈与等しても非課税とはならない。

5 H株式会社からの贈与は、法人からの贈与であるため、贈与税は非課税となる。

　また、扶養義務者相互間において教育費に充てるためにした贈与により取得した財産のうち通常必要と認められるものは、贈与税の非課税となるが、教育費に充てるためになされた贈与であっても、その取得した財産を預金等した場合には、非課税とはならない。

問 題 3　　**特定障害者に対する信託受益権の非課税**　　重 要 度 | A

> 次の設例に基づき、令和7年分の贈与税の課税価格を求めなさい。
>
> **＜設 例＞**
>
> 　Aは令和7年10月6日にB信託銀行に現金42,000千円を特定障害者扶養信託契約に基づき信託した。この信託の委託者はA、受益者は長男C（特別障害者に該当する者）である。なお、Cはこの信託の際、納税地の所轄税務署長に障害者非課税信託申告書を提出している。また、令和5年5月にも特別障害者として信託受益権18,000千円について障害者非課税信託申告書を提出し、非課税の適用を受けている。

長男C　　42,000千円－(60,000千円－18,000千円)＝0

　非課税となるのは、信託受益権の価額のうち6,000万円までの金額である。ただし、既に他の信託受益権について障害者非課税信託申告書を提出して適用を受けている場合には、その部分の価額を6,000万円から控除した残額が非課税の限度額となる。(法21の4)

問　題　4　　不動産の負担付贈与等

重要度　B

　次の各設例の場合における令和7年分の贈与税の課税対象者及び課税金額を求めなさい。

＜設例1＞

　甲は、乙に対して、令和7年5月20日、土地25,000千円（路線価に基づく自用地としての価額）をその土地の取得に係る借入金20,000千円を負担することを条件に贈与した。なお、この土地の贈与時の通常の取引価額は60,000千円である。

＜設例2＞

　Aは、Bに対して、令和7年6月10日、建物18,000千円（固定資産税評価額）を対価16,000千円で譲渡した。なお、この建物の譲渡時の通常の取引価額は35,000千円である。

＜設例1＞

　乙　　60,000千円－20,000千円＝40,000千円

＜設例2＞

　B　　35,000千円－16,000千円＝19,000千円

　不動産の負担付贈与又は低額譲渡等については、原則として通常の取引価額から負担額又は対価を控除して贈与税の課税価格を計算する。(個通)

第15章　贈与税の課税価格の計算・非課税財産

MEMO

第16章

贈与税の配偶者控除

　　次の各設例の場合における令和7年分の贈与税の配偶者控除額を求めなさい。なお、婚姻期間の要件はすべて満たしているものとし、その贈与は令和7年中においてなされたものとする。

＜設例1＞

　　Aは、配偶者A′から居住用の家屋6,000千円及びその敷地18,000千円を贈与により取得した。

＜設例2＞

　　Bは、配偶者B′から土地12,000千円と現金10,000千円の贈与を受け、その土地に贈与を受けた現金のうち7,000千円をもって家屋を建築し居住の用に供している。また、贈与を受けた現金の残額3,000千円は家庭用動産の購入に充てている。

＜設例3＞

　　Cは、配偶者C′から現金18,000千円の贈与を受けた。これに自己資金3,500千円を加えた資金合計21,500千円をもって、居住用家屋を17,000千円で増築するとともに、家庭用動産4,500千円を購入した。

＜設例4＞

　　Dは、配偶者D′から居住用家屋の敷地18,000千円を贈与により取得した。なお、家屋7,500千円の所有者は配偶者D′であった。

＜設例5＞

　　Eは、配偶者E′から居住用家屋の敷地10,000千円を贈与により取得した。なお、Eは令和元年中にE′から居住用家屋8,000千円を贈与により取得した時に贈与税の配偶者控除の適用を受けている。

解 答

＜設例1＞

1　20,000千円

2　6,000千円＋18,000千円＝24,000千円

3　1 ≦ 2　　∴　20,000千円

＜設例2＞

1　20,000千円

2　12,000千円＋7,000千円＝19,000千円

3　1 ＞ 2　　∴　19,000千円

＜設例３＞

  1 20,000千円

  2 18,000千円＞17,000千円   ∴   17,000千円

  3 1＞2   ∴   17,000千円

＜設例４＞

  1 20,000千円

  2 18,000千円

  3 1＞2   ∴   18,000千円

＜設例５＞

  贈与税の配偶者控除の適用は受けられない。

解答への道

《贈与税の配偶者控除額》（法21の６）

  1 20,000千円

  2 贈与により取得した ＋ 贈与により取得した金銭のうち
     居住用不動産の価額   居住用不動産の取得に充てられた部分の金額

  3 1、2のいずれか少ない金額

(1) 金銭の贈与を受けた場合に贈与税の配偶者控除の適用対象となるのは、そのうち居住用不動産の取得に充てられた部分の金額に限られる。また、家庭用動産は、適用対象となる居住用不動産には含まれない。

(2) 居住用不動産の取得には、家屋の増築も含まれる。（基通21の６－４）

(3) 配偶者から贈与により取得した金銭及びその金銭以外の資金をもって、居住用不動産と同時に居住用不動産以外の財産を取得した場合には、その贈与により取得した金銭は、まず居住用不動産の取得に充てられたものとして取り扱うことができる。（基通21の６－５）

(4) その年の前年以前のいずれかの年において贈与により同一配偶者から取得した財産に係る贈与税につき、贈与税の配偶者控除の適用を受けた者は、適用を受けることはできない。（法21の６①）

　次の各設例に基づき、令和7年分の贈与税の配偶者控除額を求めなさい。なお、受贈配偶者は贈与税の配偶者控除の適用要件をすべて満たし、その最高限度額の控除を受けるものとし、その贈与は令和7年中においてなされたものとする。

＜設例1＞

1　Aは配偶者Bに対して、次の宅地を贈与した。

　　相続税評価額　　　　42,000千円

　　地　　　　　積　　　300㎡

2　1の宅地は、下記の建物（所有者はA）の敷地の用に供されている。

　　3階建コンクリート造り（床面積は各階とも同一である。）

　　┌　1、2階………Aの事業の用に供されている。　　　┐
　　└　3階………A及びBの居住の用に供されている。　　┘

＜設例2＞

　Cは配偶者Dに対して、次の家屋及びその敷地の用に供されている宅地を贈与した。

1　家　　屋

　　相続税評価額　　　　8,000千円

　　床　　面　　積　　　400㎡

　　┌　C及びDの居住の用に供されている部分　　　380㎡　┐
　　└　専ら店舗の用に供されている部分　　　　　　20㎡　┘

2　宅　　地（家屋の利用状況に応じて使用されている。）

　　相続税評価額　　　　11,000千円

　　地　　　　　積　　　750㎡

解　答

＜設例1＞

1　20,000千円

2　居住用不動産等の価額

$$42,000千円 \times \frac{1}{3} = 14,000千円$$

3　贈与税の配偶者控除額

　　1＞2　　　∴　14,000千円

第16章　贈与税の配偶者控除

＜設例２＞

1　20,000千円

2　居住用不動産等の価額

居住用部分の床面積　380㎡ ≧ 全床面積　400㎡ × $\dfrac{9}{10}$　　∴　全部が居住用不動産

8,000千円＋11,000千円＝19,000千円

3　贈与税の配偶者控除額

1 ＞ 2　　∴　19,000千円

解答への道

《**居住用不動産の範囲**》（基通21の６－１）

（1）居住用とそれ以外の用に供している土地等又は家屋を取得した場合

	ケ　ー　ス	居住用不動産の範囲
①	受贈配偶者が取得した土地等又は家屋で、その専ら居住の用に供している部分と居住の用以外の用に供されている部分がある場合。	居住の用に供している部分の土地等及び家屋
②	①の場合において次に該当するとき。 $\begin{bmatrix}居住の用に供して\\いる部分の面積\end{bmatrix} \geq \begin{bmatrix}土地等又は\\家屋の面積\end{bmatrix} \times \dfrac{9}{10}$	土地等又は家屋の全部

（2）土地等のみを取得した場合

	ケ　ー　ス	居住用不動産の範囲
①	受贈配偶者がその専ら居住の用に供する家屋の存する土地等のみを取得した場合で、その家屋の所有者がその受贈配偶者の配偶者又はその受贈配偶者と同居するその者の親族であるとき。	土地等（底地部分を含む。）
②	受贈配偶者が店舗兼住宅の用に供する家屋の存する土地等のみを取得した場合で、その受贈配偶者がその家屋のうち住宅の部分に居住し、かつ、その家屋の所有者がその受贈配偶者の配偶者又はその受贈配偶者と同居するその者の親族であるとき。	その居住の用に供している部分の土地等（底地部分を含む。）

　　次の設例に基づき、令和７年分の贈与税の配偶者控除額を求めなさい。なお、受贈配偶者は贈与税の配偶者控除の適用要件をすべて満たし、その最高限度額の控除を受けるものとし、その贈与は令和７年中においてなされたものとする。

＜設　例＞　甲は配偶者乙に対して、次の財産を贈与した。

1　家　屋（店舗併用住宅）

　(1)　床面積　360㎡　　利用状況は次のとおりである。

利　用　状　況	床　面　積
甲及び乙の居住の用に供されている部分	200㎡
甲及び乙の居住の用と店舗の用とに併用されている部分	60㎡
店舗の用に供されている部分	100㎡

　(2)　相続税評価額　8,400千円

2　宅　地（１の家屋の敷地であり、家屋の利用状況に応じて使用されている。）

　(1)　地　積　400㎡

　(2)　相続税評価額　18,000千円

3　現　金　1,000千円（この現金はすべて、家屋（居住用部分）の増築費に充てた。）

解　答

1　20,000千円

2　居住用不動産等の価額

　(1)　居住用家屋部分の価額

$$8,400千円 \times \frac{240㎡\overset{*}{}}{360㎡} = 5,600千円$$

　　*　$200㎡ + 60㎡ \times \dfrac{200㎡}{360㎡ - 60㎡} = 240㎡$

　(2)　居住用土地等部分の価額

$$18,000千円 \times \frac{240㎡}{360㎡} = 12,000千円$$

　(3)　居住用不動産取得のための金銭

　　　1,000千円

　(4)　(1)＋(2)＋(3)＝18,600千円

3　贈与税の配偶者控除額

　　　1 ＞ 2　　∴　18,600千円

解答への道

《居住用家屋部分の価額》（基通21の6－2）

1　居住用床面積の算出

$$\left[\begin{array}{l}\text{家屋のうちその居住の用に専ら}\\\text{供している部分の床面積（A）}\end{array}\right]+\left[\begin{array}{l}\text{家屋のうちその居住の用と}\\\text{居住の用以外の用とに併用}\\\text{されている部分の床面積（B）}\end{array}\right]\times\dfrac{A}{\text{家屋の床面積}-B}$$

2　居住用家屋部分の価額

$$\text{家屋の価額}\times\dfrac{\text{居住用床面積}}{\text{家屋の床面積}}$$

《居住用土地等部分の価額》（基通21の6－2）

1　居住用土地等の面積の算出

$$\left[\begin{array}{l}\text{土地等のうちその居住の用に}\\\text{専ら供している部分の面積}\end{array}\right]+\left[\begin{array}{l}\text{土地等のうちその居住の用と居}\\\text{住の用以外の用とに併用されて}\\\text{いる部分の面積}\end{array}\right]\times\dfrac{\text{居住用床面積}}{\text{家屋の床面積}}$$

2　居住用土地等部分の価額

$$\text{土地等の価額}\times\dfrac{\text{居住用土地等の面積}}{\text{土地等の面積}}$$

　　Aは令和7年中に次に掲げる家屋及び宅地を配偶者Bに持分で2分の1ずつ贈与した。この場合における贈与税の配偶者控除額を求めなさい。なお、贈与税の配偶者控除の適用要件はすべて満たしているものとし、その最高限度額の控除を受けるものとする。

1　家　屋　　　床面積　300㎡　　　相続税評価額　　9,000千円

2　宅　地　　　地　積　400㎡　　　相続税評価額　20,000千円

　（注）1の家屋のうち180㎡に相当する部分は、A、Bの居住の用に供されており、残りの部分はAの事業の用に供されている。また、宅地は家屋の利用状況に応じて使用されている。

解　答

1　贈与を受けた財産のうち居住用不動産に該当する部分の価額

　(1) 家　屋

　　①　贈与を受けた持分の割合　　　$\dfrac{1}{2}$

　　②　居住の用に供している部分の割合にAとBとの持分の割合を乗じて計算した割合

　　　　$\dfrac{180㎡}{300㎡} \times \left[\dfrac{1}{2} + \dfrac{1}{2} \right] = \dfrac{3}{5}$

　　③　配偶者控除の対象とすることができる居住用不動産の価額

　　　　①＜②　　∴　　9,000千円 $\times \dfrac{1}{2}$ ＝4,500千円

　(2) 宅　地

　　①　贈与を受けた持分の割合　　　$\dfrac{1}{2}$

　　②　居住の用に供している部分の割合にAとBとの持分の割合を乗じて計算した割合

　　　　$\dfrac{180㎡}{300㎡} \times \left[\dfrac{1}{2} + \dfrac{1}{2} \right] = \dfrac{3}{5}$

　　③　配偶者控除の対象とすることができる居住用不動産の価額

　　　　①＜②　　∴　　20,000千円 $\times \dfrac{1}{2}$ ＝10,000千円

　(3) (1)＋(2)＝14,500千円

2 贈与税の配偶者控除額

(1) 20,000千円

(2) 14,500千円

(3) (1) > (2)　　∴　14,500千円

解答への道

《店舗兼住宅等の持分の贈与があった場合の居住用部分の判定》（基通21の6－3）

贈与税の配偶者控除の規定の適用に当たっての特例

① 贈与を受けた持分の割合

② 居住用部分の割合×受贈配偶者と贈与配偶者との持分の割合を合わせた割合

③ 家屋又は土地の相続税評価額 ×（①、②いずれか少ない割合）

第17章

納付すべき贈与税額の計算

| 問　題　1 | 贈与税の計算体系 | 重要度 | A |

　次の各設例に基づき、それぞれの者の令和7年分の納付すべき贈与税額（暦年課税による贈与税額）を求めなさい。

＜設例1＞

　甲（1月1日において18歳以上）は令和7年5月に父から、同年9月に母から次の財産の贈与を受けた。

贈　与　者	受 贈 物 件 と そ の 価 額
父	土地　10,000千円
母	株式　10,000千円

＜設例2＞

　甲（1月1日において18歳以上）は令和7年6月に父から、同年8月に配偶者Aから次の財産の贈与を受けた。

贈　与　者	受 贈 物 件 と そ の 価 額
父	株式　3,000千円
配偶者A	居住用不動産26,500千円（贈与税の配偶者控除の適用を受けた。）

＜設例3＞

　人格のない社団乙は令和7年中に次の財産の贈与を受けた。

贈　与　者	受 贈 物 件 と そ の 価 額
C	土地　8,000千円
D	社債　3,000千円及び現金　1,000千円
E	現金　500千円

＜設例１＞

(10,000千円＋10,000千円－1,100千円)×45％－2,650千円＝5,855千円

＜設例２＞

(1) 特例税率で計算した贈与税額

(3,000千円＋26,500千円－20,000千円－1,100千円)×30％－900千円＝1,620千円

(2) 一般税率で計算した贈与税額

(3,000千円＋26,500千円－20,000千円－1,100千円)×40％－1,250千円＝2,110千円

(3) ① $1,620千円 \times \dfrac{3,000千円}{3,000千円＋26,500千円－20,000千円} ＝511.578千円$（円未満切捨）

② $2,110千円 \times \dfrac{26,500千円－20,000千円}{3,000千円＋26,500千円－20,000千円} ＝1,443.684千円$（円未満切捨）

③ ①＋②＝1,955.2千円（100円未満切捨）

＜設例３＞

(1) Cからの贈与分　(8,000千円－1,100千円)×40％－1,250千円＝1,510千円

(2) Dからの贈与分　(3,000千円＋1,000千円－1,100千円)×15％－100千円＝335千円

(3) Eからの贈与分　500千円－1,100千円＜0　　∴　　0

(4) (1)＋(2)＋(3)＝1,845千円

解答への道

《個人とみなされる納税義務者の場合》（法66①）

　　贈与により取得した財産について、その贈与者の異なるごとに、その贈与者の各一人のみから財産を取得したものとみなして算出した場合の贈与税額の合計額をもって、納付すべき贈与税額とする。

《直系尊属からの贈与財産とその他の者からの贈与財産がある場合の贈与税額計算》

　　その年中に贈与により取得した財産の合計額に対して、特例税率と一般税率のそれぞれを適用して計算した税額を求め、それぞれの税額を贈与税の課税価格に算入される価額の比によってあん分した金額を合計する事により求める。

問　題　2　　贈与税の外国税額控除

重要度　B

次の設例に基づき、贈与税の外国税額控除額及び令和7年分の納付すべき贈与税額（暦年課税による贈与税額）を求めなさい。

＜設　例＞

神奈川県に住所を有するAは、配偶者Bから令和7年中に次の財産の贈与を受けた。

居住用宅地　18,000千円(注1)

居住用家屋　10,000千円(注1)

宅　　　地　　4,000千円(注2)

現　　　金　　2,000千円

(注1) 居住用宅地と居住用家屋については、令和7年分の贈与税につき、贈与税の配偶者控除の適用を受けた。

(注2) ドイツ連邦共和国に所在するもので、同国において贈与税に相当する税1,450千円が課されている。

解　答

1　算出贈与税額

$(18,000千円＋10,000千円＋4,000千円＋2,000千円－20,000千円^{*}－1,100千円)\times 45\%$

$－1,750千円＝4,055千円$

※　贈与税の配偶者控除額　18,000千円＋10,000千円≧20,000千円　　∴　20,000千円

2　贈与税の外国税額控除額

(1) その地の法令により課された贈与税相当額

1,450千円

(2) 控除限度額

$$4,055千円\times \frac{4,000千円}{18,000千円＋10,000千円＋4,000千円＋2,000千円}＝477,058円$$

(3) 控除額

(1)＞(2)　　∴　477,058円

3　納付すべき贈与税額

1－2＝3,577,942円→3,577,900円（百円未満切捨）

《贈与税の外国税額控除額》（法21の８）

1　その地の法令により課された贈与税相当額

2　控除限度額

$$算出贈与税額 \times \frac{法施行地外に所在する財産の価額}{法施行地外に所在する財産を取得した日の属する年分の贈与税の課税価格に算入された財産の価額}$$

3　控除額

　　１、２のいずれか少ない金額

1　贈与により法施行地外にある財産を取得した者で、その財産についてその地の法令により贈与税に相当する税が課せられている場合には、贈与税の外国税額控除の適用対象者となる。

2　邦貨換算（基通21の８－１）

　　送金が著しく遅延している場合を除き、納付すべき日の対顧客直物電信売相場と国内から送金する日の電信売相場のレートのいずれか高い方を納税者有利の観点から選択する。

3　控除限度額の算式中の分子及び分母の価額（基通21の８－３）

　　暦年課税においては贈与税の配偶者控除及び贈与税の基礎控除前の価額をいい、相続時精算課税においては、特別控除額控除前の価額をいう。

第18章

期限内申告書

問 題 1　相続税の期限内申告書

重 要 度　A

　　次の各設例の場合において、Aの死亡に係る相続税の期限内申告書の提出義務者、提出期限及び提出先を答えなさい。

＜設例1＞

　　東京都W区に住所を有するAは令和7年4月4日に死亡した。Aの相続人及び受遺者は次のとおりであり、相続人及び受遺者はすべて納付税額が算出されている。

相続人等	備　　　考
配偶者B	東京都W区に住所を有している。
長 男 C	ドイツに住所を有している。
長 女 D	長女D（東京都X区に住所を有している。）は、令和7年8月31日に死亡し、孫Eが長女Dの相続人となっている。孫Eは、東京都Y市に住所を有している。
二 男 F	相続開始時には、東京都W区に住所を有していたが、令和7年6月7日に納税管理人の届出をしないでイギリスへ転居した。
母　　G	東京都Z市に住所を有している。

　　なお、配偶者B、長女D及び母Gは令和7年4月4日に、長男C及び二男Fは同年4月5日にAの死亡を知った。また、孫Eは令和7年8月31日に長女Dが死亡したことを知った。

＜設例2＞

　　設例1において、被相続人Aがイギリスに住所を有していたとした場合における、Aの死亡に係る相続税の期限内申告書の提出義務者、提出期限及び提出先を答えなさい。

解　答

＜設例1＞

提出義務者	提出期限	提　出　先
配偶者B、母G	令和8年2月4日	東京都W区を所轄する税務署長
長　男　　C	令和8年2月5日	
孫　　　　E	令和8年6月30日	
二　男　　F	令和7年6月7日	

＜設例2＞

提出義務者	提出期限	提　出　先
配　偶　者　B	令和8年2月4日	東京都W区を所轄する税務署長
長　　男　　C	令和8年2月5日	納税地を定めて、納税地の所轄税務署長に申告しなければならない。その申告がないときは、国税庁長官がその納税地を指定し、これを通知する。
孫　　　　　E	令和8年6月30日	東京都X区を所轄する税務署長
二　　男　　F	令和7年6月7日	東京都W区を所轄する税務署長
母　　　　　G	令和8年2月4日	東京都Z市を所轄する税務署長

解答への道

1　提出義務者

(1) 本来の提出義務者の場合（法27①）……配偶者B、長男C、二男F、母G

(2) 提出義務の承継者の場合（法27②）……孫E

2　提出期限

(1) 本来の提出義務者の場合……その相続の開始があったことを知った日の翌日から10月を経過する日（二男Fは、納税管理人の届出をしないでその期間内に出国したため、その出国の日）

(2) 提出義務の承継者の場合……本来の提出義務者の相続の開始があったことを知った日の翌日から10月を経過する日

3　提出先

提出義務者の納税地の所轄税務署長

※1　被相続人の死亡の時における住所が法施行地にある場合には、当分の間納税地は被相続人の死亡の時における住所地とする。（法附則3）

※2　※1以外の場合の納税地（法62）

(1) 居住無制限納税義務者、居住制限納税義務者又は特定納税義務者

法施行地にある住所地（法施行地に住所を有しないこととなったときは、居所地）

(2) 非居住無制限納税義務者、非居住制限納税義務者又は居住無制限納税義務者、居住制限納

税義務者又は特定納税義務者で出国することとなる者

納税地を定めて、納税地の所轄税務署長に申告しなければならない。その申告がないとき

は、国税庁長官がその納税地を指定し、これを通知する。

(3) 納税義務者が死亡した場合（提出義務の承継者の納税地）

その死亡した者の死亡当時の納税地

問題2　贈与税の期限内申告書

重要度　A

次のそれぞれの場合における贈与税の期限内申告書の提出義務者、提出期限及び提出先を
答えなさい。

1　Aが令和7年中に贈与により取得した財産の価額の合計額は12,000千円であった。なお、
Aは、東京都M区に住所を有していた。

2　Bは大阪市N区に住所を有していたが、令和7年10月22日に死亡した。Bの相続人は兵庫
県O市に住所を有しており、同年10月23日に相続の開始があったことを知った。Bが令和7
年1月1日から同年10月22日までに贈与により取得した財産の価額の合計額は4,500千円で
あった。

3　Cが令和7年中に贈与により取得した財産の価額の合計額は2,400千円であった。Cは神
奈川県P市に住所を有していたが、贈与税の申告書を提出しないで令和8年1月31日に死亡
した。Cの相続人は、埼玉県Q市に住所を有しており、同日相続の開始があったことを知っ
た。

4　Dは東京都R区に住所を有していたが、令和7年7月18日に納税管理人の届出をしない
で、イギリスへ出国した。Dが令和7年中に贈与により取得した財産の価額の合計額は7,200
千円であり、その内訳は、同年4月19日国外財産2,500千円、同年10月15日に国外財産4,700
千円である。なお、Dは、日本国籍を有している。

提 出 義 務 者	提 出 期 限	提 出 先
A	令和8年3月15日	東京都M区を所轄する税務署長
Bの相続人	令和8年8月23日	大阪市N区を所轄する税務署長
Cの相続人	令和8年11月30日	神奈川県P市を所轄する税務署長
D	令和8年3月15日	納税地を定めて納税地の所轄税務署長に申告しなければならない。その申告がないときは国税庁長官がその納税地を指定し、これを通知する。

解答への道

1 提出義務者

(1) 本来の提出義務者の場合（法28①）………A、D

(2) 提出義務の承継者の場合（法28②）………B及びCの相続人

2 提出期間

(1) 本来の提出義務者の場合………贈与により財産を取得した年の翌年2月1日から3月15日まで

(2) 提出義務の承継者の場合………本来の提出義務者の相続の開始があったことを知った日の翌日から10月を経過する日まで

3 提出先

提出義務者の納税地の所轄税務署長

第19章

延　　納

| 問 題 1 | 不動産等の割合 | | 重要度 | A |

　次の各設例の場合における、最長延納期間を求めなさい。

＜設例1＞　相続開始　令和7年8月3日

（1）相続人Aの相続税の課税価格の内訳は、次のとおりである。

宅　　地	100,000千円
家　　屋	20,000千円
転換社債	10,200千円
特定同族会社の株式	21,050千円
生命保険金	15,000千円
同上の非課税金額	5,000千円
債務控除額	30,000千円
生前贈与加算額　※	12,000千円

　　※　令和6年に贈与を受けた借地権である。

（2）延納申請税額　　　35,000千円

＜設例2＞　相続開始　令和7年3月7日

（1）相続人Bの相続税の課税価格の内訳は、次のとおりである。

特別緑地保全地区等内の土地	4,000千円
森林計画立木	24,000千円
事業用機械	5,500千円
売掛金及び受取手形	10,000千円
たな卸商品	4,230千円
預金、貯金及び手持現金	30,000千円
債務控除額	4,300千円
生前贈与加算額　※	3,500千円

　　※　令和7年に贈与を受けた家庭用車両である。

（2）延納申請税額　　　2,500千円

<設例3> 相続開始 令和7年4月21日

(1) 相続人Cの相続税の課税価格の内訳は、次のとおりである。

宅　地	30,000千円
家　屋	5,400千円
森林計画立木	23,000千円
特定森林計画立木	7,550千円
上場株式	20,000千円
家庭用財産	5,050千円
債務控除額	15,000千円
生前贈与加算額　※	9,000千円

　　※　令和7年2月に贈与を受けた家屋である。

(2) 延納申請税額　　　8,860千円

<設例4> 相続開始 令和7年5月10日

(1) 相続人Dの相続税の課税価格の内訳は、次のとおりである。

借地権	22,800千円
家　屋	6,700千円
森林計画立木	10,345.6千円
割引国債	7,350千円
預金、貯金及び手持現金	28,700千円
債務控除額	7,000千円

(2) 延納申請税額　　　1,150千円

解　答

<設例1>

1　不動産等の割合

$$\frac{\overset{*1}{141,050千円}}{\underset{*2}{161,250千円}}=0.8747\cdots\geqq\frac{3}{4} \qquad 35,000千円\geqq2,000千円$$

　　＊1　100,000千円＋20,000千円＋21,050千円＝141,050千円

　　＊2　141,050千円＋10,200千円＋15,000千円－5,000千円＝161,250千円

2　最長延納期間

　　不動産等に係る延納相続税額　　　20年

　　動産等に係る延納相続税額　　　10年

<設例2>

1 不動産等の割合

$$\frac{\overset{*1}{33,500千円}}{\underset{*2}{77,730千円}}=0.4309\cdots<\frac{5}{10} \qquad 2,500千円\geqq 500千円$$

＊1 4,000千円＋24,000千円＋5,500千円＝33,500千円

＊2 33,500千円＋10,000千円＋4,230千円＋30,000千円＝77,730千円

2 最長延納期間

すべての延納相続税額 5年

<設例3>

1 不動産等の割合

$$\frac{5}{10}\leqq\frac{\overset{*1}{65,950千円＋9,000千円}}{\underset{*2}{91,000千円＋9,000千円}}=0.7495<\frac{3}{4}$$

＊1 30,000千円＋5,400千円＋23,000千円＋7,550千円＝65,950千円

＊2 65,950千円＋20,000千円＋5,050千円＝91,000千円

2 森林計画立木の割合

$$\frac{23,000千円＋7,550千円}{91,000千円＋9,000千円}=0.3055\geqq\frac{2}{10} \qquad 8,860千円\geqq 4,000千円$$

3 最長延納期間

特定森林計画立木に係る延納相続税額 40年

森林計画立木に係る延納相続税額 20年

森林以外の不動産等に係る延納相続税額 15年

動産等に係る延納相続税額 10年

<設例4>

1 不動産等の割合

$$\frac{5}{10}\leqq\frac{\overset{*1}{39,845.6千円}}{\underset{*2}{75,895.6千円}}=0.5250\cdots<\frac{3}{4} \qquad 1,150千円<1,500千円$$

＊1 22,800千円＋6,700千円＋10,345.6千円＝39,845.6千円

＊2 39,845.6千円＋7,350千円＋28,700千円＝75,895.6千円

2 最長延納期間

$$\frac{1,150千円}{100千円}=11.5年\to 12年 （1年未満切上）$$

不動産等に係る延納相続税額 12年

動産等に係る延納相続税額 10年

解答への道

1 延納の計算は、次の手順で行う。

---

(1) 不動産等の割合を求める。

(2) (1)の割合に応じ、必要があれば、森林計画立木、特別緑地保全地区等内土地及び立木の
　　割合を求める。

(3) (1)、(2)より、最長延納期間及び利子税の割合を判定する。

(4) (3)より、必要があれば、延納期間及び利子税の割合の異なるごとの延納税額を求める。
　　（延納税額の分割）

(5) 分割した延納税額を延納期間に応じた年数により除して、分納税額を求める。

(6) 各分納期限において納付すべき利子税の額を求める。

2　不動産等の割合

$$\frac{\text{不 動 産 等 の 価 額（千円未満切捨）}}{\text{課税相続財産の価額（千円未満切捨）}} = \frac{\text{小 数 点 以 下}}{\text{第 3 位未満切上}}$$

（注1）不動産等の価額（令13、基通38－4）

　　　　① 不動産（たな卸資産である不動産を含む）

　　　　② 不動産の上に存する権利

　　　　③ 立　木

　　　　④ 事業用の減価償却資産

　　　　⑤ 特定同族会社の発行する株式又は出資

（注2）課税相続財産の価額

　　　　相続又は遺贈により取得した積極財産（法12の規定による非課税財産を除く。）の価額
　　　の合計額をいう。

（注3）相続又は遺贈により取得した財産に含める贈与財産（基通38－3）

　　　　相続開始の年分における生前贈与加算財産又は相続時精算課税適用財産のうちに不動
　　　産等の価額がある場合には、その財産の価額は分母分子に含める。

（注4）不動産等の割合の端数処理（基通38－8）

　　　　① 延納税額を分割する場合…端数処理あり（上記算式のとおり）

　　　　② 不動産等の割合が10分の5未満、10分の5以上4分の3未満又は4分の3以上のいず
　　　れに属するかを判定する場合…端数処理なし

　　　なお、この端数処理は、森林計画立木の割合等を求める場合も同様に取り扱う。

3 最長延納期間と利子税の割合

(1) 最長延納期間（法38①、措法70の8の2①、70の10①）

不動産等の割合		原　則	特　　　　　則	
			要　件	期　間
①	$\dfrac{3}{4}$ 以上	不動産等に係る税額　⇨ 20年	森林の割合≧$\dfrac{2}{10}$	特定森林に係る税額 ⇨ 40年
		動産等に係る税額　⇨ 10年		
②	$\dfrac{3}{4}$ 未満 $\dfrac{5}{10}$ 以上	不動産等に係る税額　⇨ 15年	森林の割合≧$\dfrac{2}{10}$	森林に係る税額 ⇨ 20年 （特定森林は40年）
		動産等に係る税額　⇨ 10年		
③	$\dfrac{5}{10}$ 未満	すべての税額　⇨ 5年		

（注）延納税額からの制限

《要　件》 延納税額が次に掲げる金額未満であるとき		《最長延納期間》 次の算式で計算した年数
ケース	延　納　税　額	$\dfrac{延納税額}{10万円}$ の年数 （1年未満切上）
①	200万円（特定森林 ⇨ 400万円）	
②	150万円（森林 ⇨ 200万円、特定森林 ⇨ 400万円）	
③	50万円	

(2) 利子税の割合（法52①、措法70の8の2③、70の9①、70の10②、70の11）

不動産等の割合	原則	特則	
		要件	割合
$\dfrac{5}{10}$ 以上	不動産等に係る税額 ⇨ 年3.6%	森林の割合 $\geqq \dfrac{2}{10}$	森林に係る税額 ⇨ 年 1.2%
	動産等に係る税額 ⇨ 年5.4%		
$\dfrac{5}{10}$ 未満	すべての税額 ⇨ 年6.0%	森林の割合 $\geqq \dfrac{2}{10}$	森林に係る税額 ⇨ 年 1.2%
		な し	緑地に係る税額 ⇨ 年 4.2%
		立木の割合 $> \dfrac{30}{100}$	立木に係る税額 ⇨ 年 4.8%

（注）各年の延納特例基準割合が年7.3%の割合に満たない場合には、上記の利子税の割合は、次の算式により計算した割合とする。（措法93）

$$上記利子税の割合 \times \frac{延納特例基準割合^{*}}{年7.3\%} \quad (0.1\%未満切捨)$$

＊　延納特例基準割合……貸出約定平均金利＋年0.5%

| 問　題　2 | 延納税額の分割 | 重要度 | A |

　次の各設例の場合において、A及びBの延納相続税額について最長の延納期間、利子税の割合の異なるごとの相続税額を求めなさい。なお、延納の申請は納税者に最も有利になるように行うものとする。また、延納特例基準割合は、各年とも年0.9%であるものとする。

＜設例1＞

　相続人Aの相続税の申告内容等は、次のとおりである。

相 続 財 産 の 内 容 等	金　　額
①　土　　　　　　地（②の土地を除く）	30,000千円
②　特 別 緑 地 保 全 地 区 等 内 の 土 地	11,000
③　家　　　　　　　　　屋	8,000
④　事 業 用 の 減 価 償 却 資 産	5,000
⑤　特 定 同 族 会 社 の 株 式	10,000
⑥　上 場 株 式、現 金・預 貯 金 等	20,000
⑦　立　　　　　　木（⑧の立木を除く）	3,000
⑧　森 林 計 画 立 木（計画伐採立木）	63,000
⑨　生　命　保　険　金	20,000
⑩　生 命 保 険 金 の 非 課 税 金 額	10,000
⑪　課　　税　　価　　格	160,000
⑫　納 付 す べ き 相 続 税 額	38,490
⑬　⑫のうち物納申請する相続税額	10,000
⑭　⑫のうち延納申請する相続税額	25,500

<設例2>

Bの相続税の申告内容等は、次のとおりである。

相続財産の内容等	金額
① 特別緑地保全地区等内の土地	5,000千円
② 立　　　　木（③の立木を除く）	3,000
③ 森林計画立木（計画伐採立木）	38,500
④ 上場株式、現金・預貯金等	45,000
⑤ 商品、製品等の事業用財産	6,500
⑥ 生　命　保　険　金	7,000
⑦ 生命保険金の非課税金額	5,000
⑧ 債　務　控　除　額	5,000
⑨ 生　前　贈　与　加　算　額	10,000
⑩ 課　税　価　格	105,000
⑪ 納付すべき相続税額	46,100
⑫ ⑪のうち延納申請する相続税額	29,000

(注)⑨の生前贈与加算の対象となった財産は、相続開始の年の前年に被相続人から贈与を受けた立木である。

解　答

<設例1>

1　不動産等の割合

$$\frac{130,000千円^{*1}}{160,000千円_{*2}} = 0.8125 \geqq \frac{3}{4} \qquad 25,500千円 \geqq 2,000千円$$

＊1　30,000千円＋11,000千円＋8,000千円＋5,000千円＋10,000千円＋3,000千円
　　　＋63,000千円＝130,000千円

＊2　130,000千円＋20,000千円＋20,000千円－10,000千円＝160,000千円

2　延納税額の分割

(1) 森林計画立木に係る延納相続税額

$$\frac{63,000千円}{160,000千円} = 0.39375 \geqq \frac{2}{10} \qquad \therefore \quad 特例あり$$

①　(38,490千円－10,000千円)×0.394（小数点以下第3位未満切上）＝11,225.06千円

②　25,500千円

③　①＜②　　∴　11,225,100円（百円未満切上）

(2) 不動産等に係る延納相続税額

① （38,490千円－10,000千円）×0.813（小数点以下第3位未満切上）＝23,162.37千円

② 25,500千円

③ ①＜② ∴ 23,162,370円－(1)＝11,937,300円 （百円未満切上）

(3) 動産等に係る延納相続税額

25,500千円－(1)－(2)＝2,337,600円

3 利子税の割合

0.9％＜7.3％

$1.2\% \times \dfrac{0.9\%}{7.3\%} = 0.1\%$ （0.1％未満切捨）

$3.6\% \times \dfrac{0.9\%}{7.3\%} = 0.4\%$ （0.1％未満切捨）

$5.4\% \times \dfrac{0.9\%}{7.3\%} = 0.6\%$ （0.1％未満切捨）

4 延納期間及び利子税の割合が異なるごとの延納相続税額

区　　　　　　分	最長延納期間	利子税の割合	延納相続税額
森林計画立木に係る延納相続税額	20年	0.1％	11,225,100円
不動産等に係る延納相続税額	20年	0.4％	11,937,300円
動産等に係る延納相続税額	10年	0.6％	2,337,600円

<設例2>

1 不動産等の割合

$\dfrac{\overset{*1}{46,500千円}}{\underset{*2}{100,000千円}} = 0.465 < \dfrac{5}{10}$ 、29,000千円≧500千円

＊1 5,000千円＋3,000千円＋38,500千円＝46,500千円

＊2 46,500千円＋45,000千円＋6,500千円＋7,000千円－5,000千円＝100,000千円

2 延納税額の分割

(1) 森林計画立木に係る延納相続税額

$\dfrac{38,500千円}{100,000千円} = 0.385 \geq \dfrac{2}{10}$ ∴ 特例あり

① 46,100千円×0.385＝17,748.5千円

② 29,000千円

③ ①＜② ∴ 17,748,500円

(2) 特別緑地保全地区等内の土地に係る延納相続税額

① $46,100千円 \times \dfrac{5,000千円}{100,000千円}$ （0.050）$=2,305,000円$

② 29,000千円

③ ①＜②　　∴　2,305,000円

(3) 立木に係る延納相続税額

$$\dfrac{38,500千円＋3,000千円}{100,000千円}=0.415＞\dfrac{30}{100}　　∴　特例あり$$

① $46,100千円 \times 0.415 = 19,131,500円$

② 29,000千円

③ ①＜②　　∴　19,131,500円－(1)＝1,383,000円

(4) その他の財産に係る延納相続税額

29,000,000円－(1)－(2)－(3)＝7,563,500円

3　利子税の割合

0.9％＜7.3％

$1.2％ \times \dfrac{0.9％}{7.3％} = 0.1％$　（0.1％未満切捨）

$4.2％ \times \dfrac{0.9％}{7.3％} = 0.5％$　（0.1％未満切捨）

$4.8％ \times \dfrac{0.9％}{7.3％} = 0.5％$　（0.1％未満切捨）

$6.0％ \times \dfrac{0.9％}{7.3％} = 0.7％$　（0.1％未満切捨）

4　延納期間及び利子税の割合が異なるごとの延納相続税額

区　　　　　分	最長延納期間	利子税の割合	延納相続税額
森林計画立木に係る延納相続税額	5年	0.1％	17,748,500円
特別緑地保全地区等内土地に係る延納相続税額	5年	0.5％	2,305,000円
立木に係る延納相続税額	5年	0.5％	1,383,000円
その他の財産に係る延納相続税額	5年	0.7％	7,563,500円

《延納期間及び利子税の割合に応じた延納税額の分割》（令14①、②）

不動産等の割合	延納税額の分割
$\dfrac{5}{10}$ 以上 $\left(\dfrac{3}{4}\right.$ 以上も同様$\left.\right)$	(1) 森林計画立木に係る延納相続税額 　① 納付すべき相続税額 × 森林計画立木の割合 （3位未満切上） 　② 延納申請税額 　③ ①、②のいずれか少ない金額 （百円未満切上） (2) (1)以外の不動産等に係る延納相続税額 　① 納付すべき相続税額 × 不動産等の割合 （3位未満切上） 　② 延納申請税額 　③ ①、②のいずれか少ない金額 －(1)の金額 （百円未満切上） (3) 動産等に係る延納相続税額 　延納申請税額 －(1)の金額 －(2)の金額
$\dfrac{5}{10}$ 未満	(1) 森林計画立木に係る延納相続税額 　① 納付すべき相続税額 × 森林計画立木の割合 （3位未満切上） 　② 延納申請税額 　③ ①、②のいずれか少ない金額 （百円未満切上） (2) 特別緑地保全地区等内に存する土地に係る延納相続税額 　① 納付すべき相続税額 × 特別緑地保全地区等内に存する土地の割合 （3位未満切上） 　② 延納申請税額 　③ ①、②のいずれか少ない金額 （百円未満切上） (3) 立木に係る延納相続税額 　① 納付すべき相続税額 × 立木((1)を含む)の割合 （3位未満切上） 　② 延納申請税額 　③ ①、②のいずれか少ない金額 －(1)の金額 （百円未満切上） (4) その他の財産に係る延納相続税額 　延納申請税額 －(1)の金額 －(2)の金額 －(3)の金額

（注）上記表中の納付すべき相続税額とは、物納申請税額及び納税猶予額控除後の金額である。

第19章

延納

問 題 3　分納税額

重 要 度　A

> 次の各設例の場合における最長延納期間及び最長延納期間を選択した場合における各年における分納税額を求めなさい。なお、各設例ともに立木及び特別緑地保全地区等内の土地の価額は含まれていない。
>
> | | 〈設例1〉 | 〈設例2〉 | 〈設例3〉 | 〈設例4〉 |
> |---|---|---|---|---|
> | 不 動 産 等 の 割 合 | 0.386 | 0.672 | 0.549 | 0.780 |
> | 納付すべき相続税額 | 2,929千円 | 3,965千円 | 1,750千円 | 5,500千円 |
> | 物 納 申 請 税 額 | 850千円 | 645千円 | 278千円 | 430千円 |
> | 金 銭 納 付 額 | 583.5千円 | 640千円 | 852千円 | 470千円 |
> | 延 納 申 請 税 額 | 1,495.5千円 | 2,680千円 | 620千円 | 4,600千円 |

解 答

＜設例1＞

1　不動産等の割合

$$0.386 < \frac{5}{10} 、 1,495.5千円 \geqq 500千円$$

2　延納期間　　5年

3　延納年割額

2年目～5年目　　$\dfrac{1,495.5千円}{5} = 299,100円 \rightarrow 299,000円$

1年目　　　　　　$1,495.5千円 - 299千円 \times 4 = 299,500円$

＜設例2＞

1　不動産等の割合

$$\frac{5}{10} \leqq 0.672 < \frac{3}{4} 、 2,680千円 \geqq 1,500千円$$

2　延納期間

(1) 不動産等に係る延納相続税額　　15年

①　$(3,965千円 - 645千円) \times 0.672 = 2,231,040円$

②　2,680千円

③　①＜②　　∴　2,231,100円（百円未満切上）

(2) 動産等に係る延納相続税額　　10年

2,680千円 － 2,231.1千円 ＝ 448,900円

3 延納年割額

   (1) 2年目～15年目 $\dfrac{2,231.1千円}{15}＝148,740円→148,000円$

       1年目   2,231.1千円－148千円×14＝159,100円

   (2) 2年目～10年目 $\dfrac{448.9千円}{10}＝44,890円→44,000円$

       1年目   448.9千円－44千円×9＝52,900円

   (3) (1)＋(2)

       1年目   159,100円＋52,900円＝212,000円

       2年目～10年目   148,000円＋44,000円＝192,000円

       11年目～15年目   148,000円

＜設例3＞

1 不動産等の割合

   $\dfrac{5}{10}≦0.549<\dfrac{3}{4}$ 、620千円＜1,500千円

2 延納期間

   $\dfrac{620千円}{100千円}＝6.2年→7年$

   不動産等に係る延納相続税額   7年

   ① (1,750千円－278千円)×0.549＝808,128円

   ② 620千円

   ③ ①＞②   ∴   620千円

3 延納年割額

   2年目～7年目 $\dfrac{620千円}{7}＝88,571円→88,000円$

   1年目   620千円－88千円×6＝92,000円

＜設例4＞

1 不動産等の割合

   $\dfrac{3}{4}≦0.780$ 、4,600千円≧2,000千円

2 延納期間

   (1) 不動産等に係る延納相続税額   20年

   ① (5,500千円－430千円)×0.780＝3,954,600円

   ② 4,600千円

   ③ ①＜②   ∴   3,954,600円

(2) 動産等に係る延納相続税額　　10年

　　　4,600千円－3,954.6千円＝645,400円

3　延納年割額

　(1)　2年目〜20年目　　　$\dfrac{3,954.6千円}{20}$＝197,730円→197,000円

　　　1年目　　　3,954.6千円－197千円×19＝211,600円

　(2)　2年目〜10年目　　　$\dfrac{645.4千円}{10}$＝64,540円→64,000円

　　　1年目　　　645.4千円－64千円×9＝69,400円

　(3)　(1)＋(2)

　　　1年目　　　211,600円＋69,400円＝281,000円

　　　2年目〜10年目　　　197,000円＋64,000円＝261,000円

　　　11年目〜20年目　　　197,000円

解答への道

《延納年割額》（法38）

1　**不動産等の割合が $\dfrac{5}{10}$ 未満の場合**

　　$\dfrac{延納税額}{延納期間の年数}$＝□ ※

　※　千円未満の端数金額はすべて第1回目に納付すべき分納税額に合算する。

2　**不動産等の割合が $\dfrac{5}{10}$ 以上の場合（ $\dfrac{3}{4}$ 以上も同様）**

　(1)　$\dfrac{不動産等に係る延納相続税額}{延納期間の年数}$＝□ ※

　(2)　$\dfrac{動産等に係る延納相続税額}{延納期間の年数}$＝□ ※

　(3)　(1)＋(2)

　※　千円未満の端数金額はすべて第1回目に納付すべき分納税額に合算する。

問題 4 利子税

　次の各設例の場合における延納の許可を受けた相続税額の各回の分納税額、その納期限及び実際に納付した日が次のとおりであるとした場合に、各回の分納税額にあわせて納付しなければならない利子税の額を各回ごとに求めなさい。なお、延納特例基準割合は各年とも年0.9%であるものとして計算すること。

＜設例1＞

	分納税額	納　期　限	実際に納付した日
第1回	925千円	令和8年8月10日	令和8年8月10日
第2回	925千円	令和9年8月10日	令和9年8月10日
第3回	925千円	令和10年8月10日	令和10年8月10日
第4回	925千円	令和11年8月10日	令和11年8月10日

　また、上記に関係する参考事項は、次のとおりである。

(1) 相続税の申告書の提出期限　　令和7年8月10日

(2) 納付すべき相続税額　　　　　5,000千円

(3) 延納の許可を受けた相続税額　3,700千円

(4) 延納の許可の通知のあった日　令和7年11月10日

(5) 課税相続財産の価額のうち不動産等（立木及び特別緑地保全地区等内に存する土地は含まない。）の割合　　0.424

＜設例2＞

	分納税額	納　期　限	実際に納付した日
第1回	2,000千円	令和8年3月20日	令和8年3月20日
第2回	2,000千円	令和9年3月20日	令和9年3月20日
第3回	2,000千円	令和10年3月20日	令和10年3月20日

　また、上記に関係する参考事項は、次のとおりである。

(1) 相続税の申告書の提出期限　　令和7年3月20日

(2) 納付すべき相続税額　　　　　8,000千円

(3) 延納の許可を受けた相続税額　6,000千円

(4) 延納の許可の通知のあった日　令和7年6月20日

(5) 課税相続財産の価額のうち不動産等（立木は含まない。）の割合　　0.600

＜設例１＞

利子税の額

0.9％＜7.3％

∴　$6.0\% \times \dfrac{0.9\%}{7.3\%} = 0.7\%$（0.1％未満切捨）

(1) 第1回

　　$3,700千円 \times 0.7\% \times \dfrac{365日}{365日} = 25.9千円$

(2) 第2回

　　$(3,700千円 - 925千円\overset{*}{}) \times 0.7\% \times \dfrac{365日}{365日} = 19.39千円 \to 19.3千円$（百円未満切捨）

　　＊　万円未満切捨

(3) 第3回

　　$(3,700千円 - 925千円 \times 2) \times 0.7\% \times \dfrac{365日}{365日} = 12.95千円 \to 12.9千円$（百円未満切捨）

(4) 第4回

　　$(3,700千円 - 925千円 \times 3\overset{*}{}) \times 0.7\% \times \dfrac{365日}{365日} = 6.44千円 \to 6.4千円$（百円未満切捨）

　　＊　万円未満切捨

＜設例２＞

1　延納税額の分割

　(1) 不動産等に係る延納相続税額

　　①　$8,000千円 \times 0.600 = 4,800千円$

　　②　$6,000千円$

　　③　①＜②　　∴　$4,800千円$

　(2) 動産等に係る延納相続税額

　　　$6,000千円 - 4,800千円 = 1,200千円$

2　延納年割額

　(1) 不動産等に係る延納相続税額　　$4,800千円 \div 3年 = 1,600千円$

　(2) 動産等に係る延納相続税額　　$1,200千円 \div 3年 = 400千円$

3 利子税の額

0.9%＜7.3%

$\therefore \quad 3.6\% \times \dfrac{0.9\%}{7.3\%} = 0.4\%$ （0.1%未満切捨）

$5.4\% \times \dfrac{0.9\%}{7.3\%} = 0.6\%$ （0.1%未満切捨）

(1) 第1回

① 不動産等に係る利子税　$4,800千円 \times 0.4\% \times \dfrac{365日}{365日} = 19.2千円$

② 動産等に係る利子税　$1,200千円 \times 0.6\% \times \dfrac{365日}{365日} = 7.2千円$

③ ①＋②＝26.4千円

(2) 第2回

① 不動産等に係る利子税　$(4,800千円 - 1,600千円) \times 0.4\% \times \dfrac{365日}{365日} = 12.8千円$

② 動産等に係る利子税　$(1,200千円 - 400千円) \times 0.6\% \times \dfrac{365日}{365日} = 4.8千円$

③ ①＋②＝17.6千円

(3) 第3回

① 不動産等に係る利子税　$(4,800千円 - 1,600千円 \times 2) \times 0.4\% \times \dfrac{365日}{365日} = 6.4千円$

② 動産等に係る利子税　$(1,200千円 - 400千円 \times 2) \times 0.6\% \times \dfrac{365日}{365日} = 2.4千円$

③ ①＋②＝8.8千円

《利子税》（法52）

1　利子税の計算

> (1)　第1回目の分納税額に係るもの
>
> $$延納税額 \times \frac{利子税}{の割合} \times \frac{\substack{納期限の翌日から \\ 第1回目の分納期限までの日数}}{365日}$$
>
> (2)　第2回目以後の分納税額に係るもの
>
> $$\left[延納税額 - \frac{前回までの分納}{税額の合計額}\right] \times \frac{利子税}{の割合} \times \frac{\substack{前回の分納期限の翌日から \\ 今回の分納期限までの日数}}{365日}$$

　※　利子税の計算における端数処理

　①　利子税の割合を乗ずる前……万円未満切捨（国通法118③）

　②　納付すべき利子税の額……合計額について百円未満切捨（国通法119④）

2　不動産等の割合が10分の5以上である場合等

　　延納税額のうちに延納期間又は利子税の割合が異なる税額がある場合には、その異なるものごとに利子税の計算を行った上で合計し、納付すべき利子税の額とする。

問 題 5　森林計画立木の特例

重 要 度　B

次の各設例に基づいて、延納の許可を受けた場合、第1回及び第2回の分納税額にあわせて納付しなければならない利子税の額を、計算の過程を示して求めなさい。なお、延納特例基準割合は各年とも年0.9％であるものとして計算すること。

＜設例1＞

1　延納の許可を受けた期間　　最長延納期間？年

2　相続税の申告書の提出期限　　令和7年5月15日

3　分納税額等

	分 納 税 額	分 納 期 限	実際に納付した日
第1回	2,710千円	令和8年5月15日	令和8年5月15日
第2回	2,550	令和9年5月15日	令和9年5月15日
	⋮	⋮	⋮

4　相続税の申告内容等

相 続 財 産 の 内 容 等	金 額
①　土　　　　　　　地　（②の土地を除く）	32,400千円
②　特別緑地保全地区等内の土地	21,600
③　家　　　　　　　　　　　　屋	9,000
④　立　　　　　　　木　（⑤の立木を除く）	7,200
⑤　森林計画立木　（計画伐採立木）	57,600
⑥　上場株式、現金・預貯金等	34,200
⑦　生　命　保　険　金	28,000
⑧　生命保険金の非課税金額	10,000
⑨　債　務　控　除　額	20,000
⑩　課　税　価　格	160,000
⑪　納付すべき相続税額	50,000
⑫　⑪のうち延納の許可を受けた税額	40,000

5　上記4の表中の森林計画立木（計画伐採立木）部分の延納税額については、申請により、その立木の当該森林経営計画に基づく伐採の時期及び材積を基礎として、第1回に納付すべき分納税額については、その立木部分の延納税額のうち6％相当額とし、第2回に納付すべき分納税額については、その立木部分の延納税額のうち5％相当額とした。

＜設例２＞

1　延納の許可を受けた期間　　最長延納期間？年

2　相続税の申告書の提出期限　　令和７年12月20日

3　分納税額等

	分納税額	分　納　期　限	実際に納付した日
第１回	7,000千円	令和８年12月20日	令和８年12月20日
第２回	6,120	令和９年12月20日	令和９年12月20日
	⋮	⋮	⋮

4　相続税の申告内容等

相　続　財　産　の　内　容　等	金　　額
①　土　　　　　　地（②の土地を除く）	12,000千円
②　特別緑地保全地区等内の土地	6,600
③　立　　　　　　木（④の立木を除く）	8,800
④　森林計画立木（計画伐採立木）	70,400
⑤　上場株式、現金・預貯金等	66,600
⑥　生　命　保　険　金	60,000
⑦　生命保険金の非課税金額	10,000
⑧　債　務　控　除　額	20,000
⑨　生　前　贈　与　加　算　額	5,600
⑩　課　税　価　格	200,000
⑪　納　付　す　べ　き　相　続　税　額	55,000
⑫　⑪のうち延納の許可を受けた税額	35,000

　　（注）生前贈与加算額は、相続開始年に贈与を受けた家屋の価額である。

5　上記４の表中の森林計画立木（計画伐採立木）部分の延納税額については、申請により、その立木の当該森林経営計画に基づく伐採の時期及び材積を基礎として、第１回に納付すべき分納税額については、その立木部分の延納税額のうち20％相当額とし、第２回に納付すべき分納税額については、その立木部分の延納税額のうち15％相当額とした。

解　答

＜設例 1 ＞

1　不動産等の割合及び最長延納期間

　(1)　不動産等の価額

　　　32,400千円＋21,600千円＋9,000千円＋7,200千円＋57,600千円＝127,800千円

　(2)　課税相続財産の価額

　　　127,800千円＋34,200千円＋28,000千円－10,000千円＝180,000千円

　(3)　$\dfrac{(1)}{(2)}=0.71$　　$\dfrac{5}{10}\leqq 0.71<\dfrac{3}{4}$

　(4)　森林計画立木の割合　　　$\dfrac{57,600千円}{180,000千円}=0.32\geqq \dfrac{2}{10}$

　(5)　最長延納期間　　40,000千円≧2,000千円

　　　∴　森林計画立木に係る延納税額は20年

　　　　森林計画立木以外の不動産等に係る延納税額は15年

　　　　動産等に係る延納税額は10年

2　延納税額の分割

　(1)　森林計画立木に係る部分の税額

　　①　50,000千円×0.32＝16,000千円

　　②　40,000千円

　　③　①＜②　　∴　16,000千円

　(2)　(1)以外の不動産等に係る部分の税額

　　①　50,000千円×0.71＝35,500千円

　　②　40,000千円

　　③　①＜②　　∴　35,500千円－16,000千円＝19,500千円

　(3)　動産等に係る部分の税額

　　　40,000千円－16,000千円－19,500千円＝4,500千円

3　各回の分納税額

　(1)　森林計画立木に係る部分の税額

　　　第1回　16,000千円×6％＝960千円

　　　第2回　16,000千円×5％＝800千円

　(2)　(1)以外の不動産等に係る部分の税額

　　　19,500千円÷15年＝1,300千円

　(3)　動産等に係る部分の税額

　　　4,500千円÷10年＝450千円

4 各回の利子税の額

$0.9\% < 7.3\%$

$\therefore \quad 1.2\% \times \dfrac{0.9\%}{7.3\%} = 0.1\%$ （0.1％未満切捨）

$\quad\quad 3.6\% \times \dfrac{0.9\%}{7.3\%} = 0.4\%$ （0.1％未満切捨）

$\quad\quad 5.4\% \times \dfrac{0.9\%}{7.3\%} = 0.6\%$ （0.1％未満切捨）

(1) 第1回

① $16,000千円 \times 0.1\% \times \dfrac{365日}{365日} = 16千円$

② $19,500千円 \times 0.4\% \times \dfrac{365日}{365日} = 78千円$

③ $4,500千円 \times 0.6\% \times \dfrac{365日}{365日} = 27千円$

④ ①＋②＋③＝121,000円

(2) 第2回

① $(16,000千円 － 960千円) \times 0.1\% \times \dfrac{365日}{365日} = 15.04千円$

② $(19,500千円 － 1,300千円) \times 0.4\% \times \dfrac{365日}{365日} = 72.8千円$

③ $(4,500千円 － 450千円) \times 0.6\% \times \dfrac{365日}{365日} = 24.3千円$

④ ①＋②＋③＝112,140円→112,100円 （百円未満切捨）

<設例2＞

1 不動産等の割合及び最長延納期間

(1) 不動産等の価額

12,000千円＋6,600千円＋8,800千円＋70,400千円＋5,600千円＝103,400千円

(2) 課税相続財産の価額

103,400千円＋66,600千円＋60,000千円－10,000千円＝220,000千円

(3) $\dfrac{(1)}{(2)} = 0.47 \qquad 0.47 < \dfrac{5}{10}$

(4) 最長延納期間　　35,000千円 ≧ 500千円

$\therefore$　　5年

2 延納税額の分割

(1) 森林計画立木に係る部分の税額

① 55,000千円 × $\dfrac{70,400千円}{220,000千円}$ (0.32) = 17,600千円

② 35,000千円

③ ① < ②　∴　17,600千円

(2) 特別緑地保全地区等内の土地に係る部分の税額

① 55,000千円 × $\dfrac{6,600千円}{220,000千円}$ (0.03) = 1,650千円

② 35,000千円

③ ① < ②　∴　1,650千円

(3) (1)以外の立木に係る部分の税額

① 55,000千円 × $\dfrac{8,800千円 + 70,400千円}{220,000千円}$ (0.36) = 19,800千円

② 35,000千円

③ ① < ②　∴　19,800千円 − 17,600千円 = 2,200千円

(4) その他の部分の税額

35,000千円 − 17,600千円 − 1,650千円 − 2,200千円 = 13,550千円

3 各回の分納税額

(1) 森林計画立木に係る部分の税額

第1回　17,600千円 × 20% = 3,520千円

第2回　17,600千円 × 15% = 2,640千円

(2) 特別緑地保全地区等内の土地に係る部分の税額

1,650千円 ÷ 5年 = 330千円

(3) (1)以外の立木に係る部分の税額

2,200千円 ÷ 5年 = 440千円

(4) その他の部分の税額

13,550千円 ÷ 5年 = 2,710千円

4 各回の利子税の額

0.9%＜7.3%

∴ $1.2\% \times \dfrac{0.9\%}{7.3\%} = 0.1\%$ （0.1%未満切捨）

$4.2\% \times \dfrac{0.9\%}{7.3\%} = 0.5\%$ （0.1%未満切捨）

$4.8\% \times \dfrac{0.9\%}{7.3\%} = 0.5\%$ （0.1%未満切捨）

$6.0\% \times \dfrac{0.9\%}{7.3\%} = 0.7\%$ （0.1%未満切捨）

（1）第1回

① $17,600千円 \times 0.1\% \times \dfrac{365日}{365日} = 17.6千円$

② $1,650千円 \times 0.5\% \times \dfrac{365日}{365日} = 8.25千円$

③ $2,200千円 \times 0.5\% \times \dfrac{365日}{365日} = 11千円$

④ $13,550千円 \times 0.7\% \times \dfrac{365日}{365日} = 94.85千円$

⑤ ①＋②＋③＋④＝131,700円

（2）第2回

① $(17,600千円 － 3,520千円) \times 0.1\% \times \dfrac{365日}{365日} = 14.08千円$

② $(1,650千円 － 330千円) \times 0.5\% \times \dfrac{365日}{365日} = 6.6千円$

③ $(2,200千円 － 440千円) \times 0.5\% \times \dfrac{365日}{365日} = 8.8千円$

④ $(13,550千円 － 2,710千円) \times 0.7\% \times \dfrac{365日}{365日} = 75.88千円$

⑤ ①＋②＋③＋④＝105,360円→105,300円（百円未満切捨）

《森林計画立木に係る分納税額の特例》（措法70の8の2②）

　税務署長は、相続税額について延納の許可をする場合において、課税相続財産の価額のうちに森林経営計画が定められている区域内に存する立木の割合が10分の2以上であるときは、その延納の許可をする相続税額のうち森林計画立木部分の税額については、納税義務者の申請により、延納年割額の規定にかかわらず、その立木の森林経営計画に基づく伐採の時期及び材積を基礎として納付すべき分納税額を定めることができる。

第19章

延納

MEMO

第20章

相続時精算課税制度

重要度

| 問 題 1 | 適用の有無の判定 | 重要度 | A |

次の１から５に掲げる贈与のうち、贈与者及び受贈者の要件を満たして相続時精算課税の適用が受けられるものを答えなさい。なお、いずれの贈与も令和７年５月に行われたものとする。

1　令和７年１月１日において、63歳である親から、同年１月１日において18歳である子供に対する車両の贈与。

2　令和７年１月１日において、59歳である親から、同年１月１日において22歳である子供に対する車両の贈与。

3　令和７年１月１日において、70歳である親から、同年１月１日において35歳である子供に対する車両の贈与。

4　令和７年１月１日において、66歳である夫から、同年１月１日において55歳である妻に対する車両の贈与。

5　令和７年１月１日において、77歳である祖父から、同年１月１日において24歳である孫に対する車両の贈与。なお、孫の親は、生きているものとする。

解 答

1、3、5

解答への道

相続時精算課税制度は、次に掲げる要件を満たす贈与者から受贈者に贈与があった場合について選択をすることができる。（法21の９①、措法70条の２の６）

なお、相続時精算課税制度は、贈与者ごと及び受贈者ごとに選択することができる。

(1) 贈与者（特定贈与者）

> 贈与年１月１日において60歳以上の者であること

(2) 受贈者（相続時精算課税適用者）

次の要件をいずれも満たす者

> ① 贈与者の直系卑属である推定相続人又は孫に該当すること
> ② 贈与年１月１日において18歳以上であること

次の各設例の場合における、各受贈者の令和7年分の納付すべき贈与税額を求めなさい。

＜設例1＞

　A（35歳）は、令和7年4月15日に、Aの父（70歳）から、上場株式15,000千円の贈与を受けた。なお、Aは、この贈与につき、相続時精算課税選択届出書を納税地の所轄税務署長に提出している。

＜設例2＞

　B（45歳）は、令和7年5月21日に、Bの母（66歳）から、貸家14,000千円及びその敷地25,700千円の贈与を受けた。なお、Bは、この贈与につき、相続時精算課税選択届出書を納税地の所轄税務署長に提出している。

＜設例3＞

　C（28歳）は、令和7年10月15日に、Cの父（67歳）から、現金10,000千円の贈与を受け、この贈与につき相続時精算課税に係る必要な手続を行っている。なお、Cは、令和6年5月8日に父から公社債20,000千円の贈与を受けており、この贈与につき、相続時精算課税選択届出書を納税地の所轄税務署長に提出している。

解 答

＜設例1＞

15,000千円－1,100千円－13,900千円＝0　　∴　　0

＊　15,000千円－1,100千円＝13,900千円≦25,000千円　　∴　13,900千円

＜設例2＞

（14,000千円＋25,700千円－1,100千円－25,000千円）×20％＝2,720千円

＊　14,000千円＋25,700千円－1,100千円＝38,600千円＞25,000千円　　∴　25,000千円

＜設例3＞

（10,000千円－1,100千円－5,000千円）×20％＝780千円

＊　10,000千円－1,100千円＝8,900千円＞25,000千円－20,000千円＝5,000千円

　∴　5,000千円

　相続時精算課税制度は、暦年課税に代えて、同一の贈与者からの贈与については、累積で25,000千円（特別控除額）までは贈与税が課税されず（25,000千円を超える部分については、一律20%の贈与税が課税される）、当該贈与者の死亡時において、当該贈与財産のすべてを相続税の計算に取り込むことにより精算をしようとする制度である。

　また、令和5年の改正により令和6年1月1日以後の贈与については、1年当たり1,100千円の基礎控除が設けられた。

＜相続時精算課税制度を選択した場合の贈与税額の計算＞（法21の10、21の11、21の11の2、21の12、21の13、措法70の3の2）

$$\left[\begin{array}{l}\text{特定贈与者から取得}\\\text{した贈与財産の価額}\end{array} - \overset{※1}{\text{基礎控除額}} - \overset{※2}{\text{贈与税の特別控除額}}\right] \times 20\% = \text{贈与税額}$$

※1　基礎控除額

　　　令和6年1月1日以後の相続時精算課税贈与については、1年当たり1,100千円

※2　贈与税の特別控除額

　(1)　25,000千円

　　＊　既に適用を受けたことがある場合

　　　　25,000千円 － 既に控除を受けた金額の合計額

　(2)　特定贈与者ごとの贈与税の課税価格（基礎控除後）

　(3)　(1)、(2)いずれか低い金額

　なお、相続時精算課税制度を選択した場合の贈与税額の計算は、特定贈与者ごとに計算をすることになる。

第21章

納 税 猶 予

| 問 題 1 | 農地等についての贈与税の納税猶予 | | 重 要 度 | B |

次の各設例の場合における令和7年分の贈与税の納税猶予額を求めなさい。なお、租税特別措置法第70条の4（農地等についての贈与税の納税猶予及び免除）の適用要件はすべて満たしているものとする。また、いずれの受贈者も相続時精算課税の適用は受けていないものとする。

＜設例1＞

農業経営者である甲は、令和7年5月25日に次の中間農地を長男A（35歳）に贈与した。

中間農地　イ　固定資産税課税標準額　　110千円

　　　　　ロ　固定資産税評価額　　　　120千円

　　　　　ハ　倍　率　　　　　　　　　45倍

＜設例2＞

農業経営者である乙は、令和7年7月16日に次の純農地と現金1,500千円を二男B（40歳）に贈与した。

純 農 地　イ　固定資産税課税標準額　　85千円

　　　　　ロ　固定資産税評価額　　　　90千円

　　　　　ハ　倍　率　　　　　　　　　40倍

解 答

＜設例1＞

（120千円×45－1,100千円）×20％－300千円＝560千円

∴　納税猶予額　　560千円

＜設例2＞

① （90千円×40＋1,500千円－1,100千円）×15％－100千円＝500千円

② （1,500千円－1,100千円）×10％＝40千円

③ ①－②＝460千円

∴　納税猶予額　　460千円

解答への道

《贈与税の納税猶予額》（措法70の4）

1　農地等の贈与があった年分の贈与税の額

2　その農地等の贈与がなかったものとして計算した場合のその年分の贈与税の額

3　納税猶予額

　　1－2

　次の設例に基づき、各相続人等が期限内に納付すべき相続税額及び相続税の納税猶予額を
計算しなさい。なお、長男Aは租税特別措置法第70条の6（農地等についての相続税の納税猶
予及び免除）の適用を受ける農業相続人に該当する。

＜設　例＞

1　被相続人甲（令和7年12月23日死亡）の相続人等は次のとおりである。

2　甲の遺産については、各相続人が次のとおり取得している。

　　　　配偶者乙　　248,000千円

　　　　長　男　A　　156,000千円（農地の価額48,000千円が含まれている。なお、農業投資価
　　　　　　　　　　　　　　　　　格は8,000千円である。）

　　　　長　女　B　　38,000千円

3　甲の債務は12,000千円であり、配偶者乙、長男A、長女Bがそれぞれ3分の1ずつ負担し
　ている。

4　長女Bは、甲から令和7年10月15日に現金10,000千円の贈与を受けている。

5　甲は、平成31年4月25日に父が死亡した際、相続により次のとおり財産を取得している。

　　　　遺 贈 財 産 の 価 額　　　　　2,000千円

　　　　相 続 財 産 の 価 額　　　　33,000千円

　　　　債 務 控 除 額　　　　△ 6,000千円

　　　　生 前 贈 与 加 算 額　　　　　1,000千円

　　　　課 税 価 格　　　　　　　30,000千円

　　　　課せられた相続税額　　　　　8,500千円

答案用紙

納 付 税 額 表　　　　　（単位：円）

項　目　＼　相続人等	配偶者乙	長 男 A	長 女 B	合　　計
相 続 税 の 総 額				
あ ん 分 割 合				
算 出 税 額				
相 続 税 の 総 額 の 差 額				
合 計 算 出 税 額				
税額控除項目　配偶者の税額軽減額				
税額控除項目　相 次 相 続 控 除 額				
差 引 税 額 （百円未満切捨）				
納 税 猶 予 額 （百円未満切捨）				
期 限 内 納 付 税 額				

解　答

1　各相続人の相続税の課税価格の計算

配偶者乙　　$248,000千円 - 12,000千円 \times \dfrac{1}{3} = 244,000千円$

長 男 A　（1）相続税評価額に基づく課税価格

$$156,000千円 - 12,000千円 \times \dfrac{1}{3} = 152,000千円$$

（2）農業投資価格を基準とした課税価格

$$156,000千円 - 48,000千円 + 8,000千円 - 12,000千円 \times \dfrac{1}{3} = 112,000千円$$

長 女 B　　$38,000千円 - 12,000千円 \times \dfrac{1}{3} + 10,000千円 = 44,000千円$

2　各相続人の算出相続税額の計算

（1）相続税評価額に基づく相続税の総額

① 各人の課税価格の合計額

$244,000千円 + 152,000千円 + 44,000千円 = 440,000千円$

② 遺産に係る基礎控除額

$30,000千円 + 6,000千円 \times 3人 = 48,000千円$

③　課税遺産額　　①－②＝392,000千円

④　法定相続人の法定相続分に応ずる各取得金額

乙

$$392{,}000千円 \times \begin{cases} \dfrac{1}{2} = 196{,}000千円 \\[2ex] \dfrac{1}{2} \times \dfrac{1}{2} = 98{,}000千円 \end{cases}$$

A、B各々

⑤　④×税率

196,000千円×40％－17,000千円＝61,400,000円

98,000千円×30％－　7,000千円＝22,400,000円

⑥　相続税の総額

61,400,000円＋22,400,000円×2＝106,200,000円

(2)　農業投資価格に基づく相続税の総額

①　各人の課税価格の合計額

244,000千円＋112,000千円＋44,000千円＝400,000千円

②　遺産に係る基礎控除額

30,000千円＋6,000千円×3人＝48,000千円

③　課税遺産額　　①－②＝352,000千円

④　法定相続人の法定相続分に応ずる各取得金額

乙

$$352{,}000千円 \times \begin{cases} \dfrac{1}{2} = 176{,}000千円 \\[2ex] \dfrac{1}{2} \times \dfrac{1}{2} = 88{,}000千円 \end{cases}$$

A、B各々

⑤　④×税率

176,000千円×40％－17,000千円＝53,400,000円

88,000千円×30％－　7,000千円＝19,400,000円

⑥　相続税の総額

53,400,000円＋19,400,000円×2＝92,200,000円

(3)　あん分割合

$$\left.\begin{array}{ll} 乙 & 244{,}000千円 \\ A & 112{,}000千円 \\ B & 44{,}000千円 \end{array}\right\} \div 400{,}000千円 = \begin{cases} 0.61 \\ 0.28 \\ 0.11 \end{cases}$$

(4)　算出相続税額

$$\begin{array}{ll} 乙 & \\ A & 92{,}200{,}000円 \times \\ B & \end{array} \begin{cases} 0.61 = 56{,}242{,}000円 \\ 0.28 = 25{,}816{,}000円 \\ 0.11 = 10{,}142{,}000円 \end{cases}$$

(5) 相続税の総額の差額

106,200,000円－92,200,000円＝14,000,000円

(6) 合計算出税額の計算

配偶者乙　　56,242,000円

長　男　A　　25,816,000円＋14,000,000円＝39,816,000円

長　女　B　　10,142,000円

3　各相続人の納付すべき相続税額の計算

(1) 配偶者の税額軽減額

① 贈与税額控除後の税額

56,242,000円

②イ　課税価格の合計額のうち配偶者の法定相続分相当額

$400,000千円 \times \dfrac{1}{2} = 200,000千円 \geqq 160,000千円$　　∴　200,000千円

ロ　配偶者の課税価格相当額

244,000千円

ハ　イ＜ロ　　∴　200,000千円

ニ　$92,200,000円 \times \dfrac{200,000千円}{400,000千円} = 46,100,000円$

③ 軽減額

①＞②ニ　　∴　46,100,000円

(2) 相次相続控除額

① 控除総額

$8,500千円 \times \dfrac{\overset{*1}{430,000千円}}{\underset{*2}{29,000千円 - 8,500千円}} \left[> \dfrac{100}{100} \quad \therefore \quad \dfrac{100}{100} \right] \times \dfrac{\overset{*3}{10 - 6}}{10} = 3,400千円$

＊1　244,000千円＋152,000千円＋34,000千円＝430,000千円

＊2　2,000千円＋33,000千円－6,000千円＝29,000千円

＊3　平成31年4月25日～令和7年12月23日　　6年7月　　∴　6年

② 各人の控除額

配偶者乙　　3,400千円 × $\dfrac{244,000千円}{390,000千円}$ ＝2,127,179円

　　　　　　　　　　　　　　 ＊

　　　　　　＊　244,000千円＋112,000千円＋34,000千円＝390,000千円

長男A　　　3,400千円 × $\dfrac{112,000千円}{390,000千円}$ ＝976,410円

　　　　　　　　　　　　　　 ＊

長女B　　　3,400千円 × $\dfrac{34,000千円}{390,000千円}$ ＝296,410円

　　　　　　　　　　　　　　 ＊

納 付 税 額 表　　　　　　　　　　　　（単位：円）

項　目　＼　相続人等	配偶者乙	長男A	長女B	合　計
相 続 税 の 総 額				92,200,000
あ ん 分 割 合	0.61	0.28	0.11	
算 出 税 額	56,242,000	25,816,000	10,142,000	
相 続 税 の 総 額 の 差 額		14,000,000		14,000,000
合 計 算 出 税 額	56,242,000	39,816,000	10,142,000	
税額控除項目　配偶者の税額軽減額	△46,100,000			
税額控除項目　相次相続控除額	△2,127,179	△　976,410	△　296,410	
差 引 税 額 （百円未満切捨）	8,014,800	38,839,500	9,845,500	
納 税 猶 予 額 （百円未満切捨）		14,000,000		
期 限 内 納 付 税 額	8,014,800	24,839,500	9,845,500	

解答への道

《相続税の納税猶予額算出のプロセス》（措法70の6）

I　各相続人等の相続税の課税価格の計算

項　目	農 業 相 続 人	農業相続人以外
特 例 農 地 等 の 価 額	農業投資価格に基づく価額と相続税評価額に基づく価額との2通り算出する。	――
各 人 の 課 税 価 格	同　上	相続税評価額に基づく価額で算出する。

Ⅱ 各相続人等の算出相続税額の計算

項　　目	農　業　相　続　人	農業相続人以外
相続税の総額	農業投資価格を基準とした課税価格の合計額に基づき相続税の総額を算出する。	
あん分割合	農業投資価格を基準とした課税価格の比であん分割合を算出する。	
算出相続税額	農業投資価格を基準とした相続税の総額に、農業投資価格を基準として求めたあん分割合を乗じて算出する。	
相続税の総額の差額	相続税評価額を基準とした相続税の総額から、農業投資価格を基準とした相続税の総額を控除する。	――
各人へのあん分額	$\text{相続税の総額の差額} \times \dfrac{\text{農業相続人の農地等に係る農業投資価格控除後の価額}}{\text{各農業相続人の農地等に係る農業投資価格控除後の価額の合計額}}$	――
合計算出税額	算出相続税額＋各人へのあん分額	算出相続税額
相続税額の加算額	$\left[\text{算出相続税額} + \text{各人へのあん分額}\right] \times \dfrac{20}{100}$	$\text{算出相続税額} \times \dfrac{20}{100}$

Ⅲ 各相続人等の納付すべき相続税額の計算

　※　贈与税額控除額、未成年者控除額、障害者控除額については、通常の場合と同じ。

項　　目	農　業　相　続　人	農　業　相　続　人　以　外
配偶者の税額軽減額	相続税評価額を基準とした相続税の総額、相続税評価額を基準とした課税価格で計算する。	農業投資価格を基準とした相続税の総額、農業投資価格を基準とした課税価格で計算する。
相次相続控除額	$A \times \dfrac{C}{B-A} \times \dfrac{D}{C'} \times \dfrac{10-E}{10}$ A　＝被相続人が納税猶予の適用を受けていた場合には、免除を受けた相続税額以外の税額に限る。 B　＝農地等については相続税評価額に基づく価額で計算する。 C　＝農地等については相続税評価額に基づく価額で計算する。 C′　＝農地等については農業投資価格に基づく価額で計算する。 D　＝その者が取得した特例農地等については農業投資価格に基づく価額で計算する。 E　＝第1次相続開始の時から第2次相続開始の時までの期間に相当する年数 　　　（1年未満の端数は切捨て）	
外国税額控除額	相続税評価額を基準とした算出相続税額、相続税評価額を基準とした純資産価額で限度額を算出する。	農業投資価格を基準とした算出相続税額、農業投資価格を基準とした純資産価額で限度額を計算する。

Ⅳ 納税猶予額の計算

ケース	納税猶予額（百円未満切捨）
農業投資価格ベースの算出相続税額（相続税額の加算後）≧ 各税額控除額の合計額	各人へのあん分額（農業相続人が1人の場合には相続税の総額の差額。以下同じ。）
農業投資価格ベースの算出相続税額（相続税額の加算後）(a) < 各税額控除額の合計額(b)	各人へのあん分額 － （(b)－(a)）

問 題 3 　個人の事業用資産についての贈与税の納税猶予　　重 要 度　B

次の設例に基づいて、租税特別措置法第70条の6の8（個人の事業用資産についての贈与税の納税猶予及び免除の特例）の適用を受ける場合の納税猶予額を計算の過程を示して求めなさい。

＜設　例＞

製造業を営んでいた甲は令和7年5月10日に甲が所有していた製造業の用に供されていた資産（以下、「特定事業用資産」という）を子A（35歳）に贈与した。なお、子Aは、この贈与により取得した特定事業用資産について、租税特別措置法第70条の6の8（個人の事業用資産についての贈与税の納税猶予及び免除の特例）の適用を受けるために円滑化法認定を受け、他の要件もすべて満たしている。また、子Aは、当該贈与について相続時精算課税を適用していない。

(1) 特定事業用資産

　① 宅地　400㎡　　　40,000,000円

　② 家屋　500㎡　　　20,000,000円

　③ 減価償却資産　　 30,000,000円

(2) 現金　30,000,000円

解　答

（90,000,000円－1,100,000円）×55％－6,400,000円＝42,495,000円

＊　40,000,000円＋20,000,000円＋30,000,000円＝90,000,000円

《納税猶予分の贈与税額（暦年課税贈与）の計算》

受贈者の納税猶予額及び納付すべき贈与税額の計算は次の手順により計算する。

(1) 第一段階（通常の税額計算）

　特例受贈事業用資産についての贈与税の納税猶予の規定の適用がないものとして通常の税額計算を行う。

(2) 第二段階（受贈者の猶予税額の計算）

　受贈者の特例受贈事業用資産に係る納税猶予分の贈与税額の計算を次のように行う。

納税猶予分の贈与税額（百円未満切捨）	＝	特例受贈事業用資産の価額のみをその年分の贈与税の課税価格とみなして計算した算出贈与税額

(3) 第三段階（受贈者の納付税額の計算）

　受贈者の納付税額は、第一段階で求めた税額から第二段階で求めた猶予税額を差し引いた金額となる。

第21章　納税猶予

問 題 4 　個人の事業用資産についての相続税の納税猶予　　重 要 度　B

　次の設例に基づいて、租税特別措置法第70条の6の10（個人の事業用資産についての相続税の納税猶予及び免除の特例）の適用を受ける場合の納税猶予額を計算の過程を示して求めなさい。

＜設　例＞

1　製造業を営んでいた被相続人甲は令和7年2月19日に死亡した。被相続人甲の法定相続人は子A及び子Bの2人のみである。

2　相続開始以前より当該製造業に従事していた子Aは被相続人甲が所有していた製造業の用に供されていた資産（以下、「特定事業用資産」という）を遺産分割により取得した。なお、子Aは、この相続により取得した特定事業用資産について、租税特別措置法第70条の6の10（個人の事業用資産についての相続税の納税猶予及び免除の特例）の適用を受けるために円滑化法認定を受け、他の要件もすべて満たしている。

3　子Aの納税猶予額の計算に必要な事項は次のとおりである。

(1) 子Aが相続により取得した財産

　① 特定事業用資産

　　イ 宅地 400㎡　　　60,000,000円

　　ロ 家屋 500㎡　　　20,000,000円

　　ハ 減価償却資産　　10,000,000円

　② 現金 30,000,000円

(2) 子Bが相続により取得した財産

　　現金 50,000,000円

（注）算出税額の計算に当たってのあん分割合は、端数を調整しないで計算する。

解　答

① 90,000,000円＋50,000,000円＝140,000,000円

　＊ 60,000,000円＋20,000,000円＋10,000,000円＝90,000,000円

② 140,000,000円－（30,000,000円＋6,000,000円×2）＝98,000,000円

③ 98,000,000円×$\dfrac{1}{2}$＝49,000,000円

④ 49,000,000円×20％－2,000,000円＝7,800,000円

⑤ 7,800,000円×2＝15,600,000円

⑥ 15,600,000円×$\dfrac{90,000,000円}{140,000,000円}$＝10,028,500円 （百円未満切捨）

解答への道

《納税猶予分の相続税額の計算 （措法70の6の10）》

特例事業相続人等の納税猶予額の計算は次により計算する。

特例事業相続人等の特例事業用資産に係る納税猶予分の相続税額の計算は次のように行う。

納税猶予分の相続税額（百円未満切捨）	＝	※特例事業用資産の価額のみを特例事業相続人等に係る相続税の課税価格とみなして計算したその特例事業相続人等の算出相続税額

※　特例事業用資産の価額

　　特例事業相続人等が債務控除の適用を受けている場合には、その債務控除額のうち次の金額を控除した後の金額とする。

$$\begin{array}{l}\text{特例事業相続人等の}\\\text{特 例 事 業 用 資 産}\\\text{に 係 る 債 務 控 除 額}\end{array} + \left[\begin{array}{l}\text{特例事業相続人等の}\\\text{特 例 事 業 用 資 産}\\\text{以 外 の 債 務 控 除 額}\end{array} - \begin{array}{l}\text{特例事業相続人等の}\\\text{特 例 事 業 用 資 産}\\\text{以 外 の 財 産 の 価 額}\end{array}\right]^{\text{(注)}}$$

（注）計算した金額が0を下回る場合には0とする。

問題 5　　非上場株式等についての贈与税の納税猶予　　重要度 B

　　次の設例に基づいて、【ケース1】又は【ケース2】の場合におけるそれぞれの令和7年分の贈与税の納税猶予額及び納付税額を求めさい。なお、租税特別措置法第70条の7（非上場株式等についての贈与税の納税猶予及び免除）及び租税特別措置法第70条の7の5（非上場株式等についての贈与税の納税猶予及び免除の特例）の適用要件はすべて満たしており、限度額の上限まで、納税猶予の適用を受けることとする。

＜設　例＞

　　非上場会社であるX株式会社（以下「X会社」という。）の創業者であり、代表取締役であった贈与者甲は、令和7年3月8日に次の財産を長男A（40歳）に贈与した。なお、X会社の贈与直前における発行済株式の総数は、150,000株（贈与者甲が150,000株保有）である。また、長男Aは、当該贈与について相続時精算課税を適用していない。

(1)　X会社の株式　150,000株　1株当たりの相続税評価額　　200円

(2)　事業用の減価償却資産　30,000千円

【ケース1】

　　非上場株式等についての贈与税の納税猶予及び免除の規定の適用を受ける場合

【ケース2】

　　非上場株式等についての贈与税の納税猶予及び免除の特例の規定の適用を受ける場合

解 答

【ケース1】

(1) 贈与を受けたすべての財産の価額の合計額に基づく贈与税額

(200円×150,000株＋30,000千円－1,100千円)×55％－6,400千円＝25,995千円

(2) 贈与を受けた財産が対象受贈非上場株式等のみであるとした場合の贈与税額

(200円×100,000株※－1,100千円)×45％－2,650千円＝5,855千円 （**納税猶予額**）

※ 150,000株×$\frac{2}{3}$＝100,000株＜150,000株 ∴ 100,000株

(3) 納付税額

(1)－(2)＝20,140千円

【ケース2】

(1) 贈与を受けたすべての財産の価額の合計額に基づく贈与税額

(200円×150,000株＋30,000千円－1,100千円)×55％－6,400千円＝25,995千円

(2) 贈与を受けた財産が特例対象受贈非上場株式等のみであるとした場合の贈与税額

(200円×150,000株－1,100千円)×45％－2,650千円＝10,355千円 （**納税猶予額**）

(3) 納付税額

(1)－(2)＝15,640千円

《納税猶予分の贈与税額（暦年課税贈与）の計算（措法70の７）》

受贈者の納税猶予額及び納付すべき贈与税額の計算は次の手順により計算する。

---

(1) 第一段階（通常の税額計算）

　非上場株式等についての贈与税の納税猶予の規定の適用がないものとして通常の税額計算を行う。

(2) 第二段階（受贈者の猶予税額の計算）

　受贈者の対象受贈非上場株式等（発行済株式総数等の３分の２に達するまでの一定の部分※）に係る納税猶予分の贈与税額の計算を次のように行う。

納税猶予分 の贈与税額 （百円未満切捨）	＝	対象受贈非上場株式等の価額のみを その年分の贈与税の課税価格とみな して計算した算出贈与税額

(3) 第三段階（受贈者の納付税額の計算）

　受贈者の納付税額は、第一段階で求めた受贈者に係る税額から第二段階で求めた猶予税額を差し引いた金額となる。

※　租税特別措置法第70条の７の５（非上場株式等についての贈与税の納税猶予及び免除の特例）の特例対象受贈非上場株式等には３分の２に達するまでの制限がない。

第21章

納税猶予

次の設例に基づいて、子Ａが租税特別措置法第70条の７の２（非上場株式等についての相続税の納税猶予及び免除）又は租税特別措置法第70条の７の６（非上場株式等についての相続税の納税猶予及び免除の特例）の適用を受ける場合の納税猶予額を計算の過程を示して求めなさい。

＜設　例＞

1　被相続人甲は、非上場会社であるＸ株式会社（以下「Ｘ社」という。）の創業者であり、代表取締役であったが、令和７年６月10日に死亡した。

　　被相続人甲の法定相続人は、子Ａ及び子Ｂの２人のみである。

2　子Ａは、被相続人甲が100％所有していたＸ社の株式（発行済株式はすべて普通株式に該当する。）120,000株を遺産分割により取得し、令和７年９月30日に代表取締役に就任している。なお、子Ａは、この相続により取得したＸ社の株式について、下記【ケース１】又は【ケース２】の規定の適用を限度額の上限まで受けるものとする。

3　子Ａの納税猶予額の計算に必要な事項は、次のとおりである。

(1) 子Ａが相続により取得した財産

　①　Ｘ社の株式　　120,000株　　１株当たりの相続税評価額　　600円

　②　①以外の財産の価額の合計額　　50,000千円

(2) 子Ｂが相続により取得した財産の合計額　　100,000千円

　　なお、算出相続税額の計算に当たってのあん分割合は、端数を調整しないで計算する。

【ケース１】

　　非上場株式等についての相続税の納税猶予及び免除

【ケース２】

　　非上場株式等についての相続税の納税猶予及び免除の特例

解　答

【ケース１】

(1) 対象非上場株式等の価額を子Ａに係る相続税の課税価格とみなして計算した子Ａの相続税額

①　600円×80,000株（＝48,000千円）＋100,000千円＝148,000千円
　　　　　　　＊

　＊　120,000株×$\frac{2}{3}$＝80,000株＜120,000株　　　∴　80,000株

②イ　148,000千円－42,000千円（＝30,000千円＋6,000千円×2人）＝106,000千円

　　ロ　106,000千円×$\frac{1}{2}$＝53,000千円

　　ハ　53,000千円×30％－7,000千円＝8,900千円

　　ニ　8,900千円×2＝17,800千円

　　ホ　17,800千円×$\frac{48,000千円}{148,000千円}$＝5,772.972千円（円未満切捨）

(2)　対象非上場株式等の20％部分のみを子Ａに係る相続税の課税価格とみなして計算した子Ａの相続税額

　①　48,000千円×20％（＝9,600千円）＋100,000千円＝109,600千円

　②イ　109,600千円－42,000千円（＝30,000千円＋6,000千円×2人）＝67,600千円

　　ロ　67,600千円×$\frac{1}{2}$＝33,800千円

　　ハ　33,800千円×20％－2,000千円＝4,760千円

　　ニ　4,760千円×2＝9,520千円

　　ホ　9,520千円×$\frac{9,600千円}{109,600千円}$＝833.868千円（円未満切捨）

(3)　子Ａの納税猶予額（100円未満切捨）

　　(1)－(2)＝4,939.1千円

【ケース2】

(1)　600円×120,000株（＝72,000千円）＋100,000千円＝172,000千円

(2)①　172,000千円－42,000千円（＝30,000千円＋6,000千円×2人）＝130,000千円

　②　130,000千円×$\frac{1}{2}$＝65,000千円

　③　65,000千円×30％－7,000千円＝12,500千円

　④　12,500千円×2＝25,000千円

　⑤　25,000千円×$\frac{72,000千円}{172,000千円}$＝10,465.116千円（円未満切捨）→10,465.1千円（100円未満切捨）

《納税猶予分の相続税額の計算（措法70の７の２）》

　経営承継相続人等がいる場合の納付すべき相続税額の計算、経営承継相続人等の納税猶予額及び納付すべき相続税額の計算は次の手順とする。

(1)　第一段階（通常の税額計算）

　　非上場株式等についての相続税の納税猶予の適用がないものとして通常の税額計算を行う。（経営承継相続人等以外の相続人等の納付税額は確定する。）

(2)　第二段階（経営承継相続人等の猶予税額の計算）

　　経営承継相続人等の対象非上場株式等（発行済株式総数等の３分の２に達するまでの一定の部分。以下同じ。）に係る納税猶予分の相続税額の計算を次のように行う。

| 納税猶予分の相続税額（百円未満切捨） | ＝ | ※ 対象非上場株式等の価額のみを経営承継相続人等に係る相続税の課税価格とみなして計算したその経営承継相続人等の算出相続税額 | － | ※ 対象非上場株式等の価額に20％を乗じて計算した金額を経営承継相続人等に係る相続税の課税価格とみなして計算したその経営承継相続人等の算出相続税額 |

※　対象非上場株式等の価額

　　経営承継相続人等が債務控除の適用を受けている場合には、その債務控除額のうち次の金額を控除した後の金額とする。

経営承継相続人等の債務控除額　－　〔　経営承継相続人等が相続又は遺贈により取得した財産の価額　－　対象非上場株式等の価額　〕(注)

(注)遺贈には相続時精算課税贈与を含み、上記算式により計算した金額が０を下回る場合には０とする。

(3)　第三段階（経営承継相続人等の納付税額の計算）

　　経営承継相続人等の納付税額は、第一段階で求めた経営承継相続人等に係る税額から第二段階で求めた猶予税額を差し引いた金額となる。

《納税猶予分の相続税額の計算（措法70の7の6）》

特例経営承継相続人等の納税猶予額の計算は次により計算する。

納税猶予分 の相続税額 （百円未満切捨）	＝	※ 特例対象非上場株式等の価額 のみを特例経営承継相続人等 に係る相続税の課税価格とみ なして計算したその特例経営 承継相続人等の算出相続税額

※　特例対象非上場株式等の価額

特例経営承継相続人等が債務控除の適用を受けている場合には、その債務控除額のうち次の金額を控除した後の金額とする。

$$
\begin{array}{c}
\text{特例経営承継相続} \\
\text{人等の債務控除額}
\end{array}
-
\left[
\begin{array}{c}
\text{特例経営承継相続人等} \\
\text{が相続又は遺贈により} \\
\text{取得した財産の価額}
\end{array}
-
\begin{array}{c}
\text{特例対象非上場株式} \\
\text{等の価額}
\end{array}
\right]^{(注)}
$$

（注）遺贈には相続時精算課税贈与を含み、上記算式により計算した金額が０を下回る場合には０とする。

問 題 7　山林についての相続税の納税猶予　　　重 要 度　C

次の資料に基づき、長男Ａの納付すべき相続税額及び納税猶予額を計算しなさい。

〔資　料〕

被相続人甲の死亡により、配偶者乙及び長男Ａはそれぞれ被相続人甲の遺産を相続により次のとおり取得した。その内容は次のとおりである。

(1) 長男Ａが取得した財産

① 山林　　　　　　　　時価　57,500千円

② ①の上に生立する立木　時価　50,000千円

③ その他の財産　　　　時価　800,000千円

(2) 配偶者乙が取得した財産

その他の財産　　　　時価　100,000千円

なお、法定相続人は配偶者乙及び長男Ａのみであり、長男Ａは山林の納税猶予の適用を受けるための要件はすべて満たしている。

(1) 各人の課税価格

① 長男A　　57,500千円＋42,500千円＋800,000千円＝900,000千円

　　　　＊　50,000千円×$\frac{85}{100}$＝42,500千円　　　　　　　　　　　　}　計 1,000,000千円

② 配偶者乙　100,000千円

(2) 相続税の総額

① 1,000,000千円－42,000千円（基礎控除額）＝958,000千円

② 958,000千円×$\frac{1}{2}$＝479,000千円

③ 479,000千円×50％－42,000千円＝197,500千円

④ 197,500千円×2＝395,000千円

(3) 各人の算出税額

① 長男A　　395,000千円×$\frac{900,000千円}{1,000,000千円}$＝355,500千円

② 配偶者乙　395,000千円×$\frac{100,000千円}{1,000,000千円}$＝39,500千円

(4) 納税猶予額の計算

① 特例山林のみ取得したものとした場合の長男Aの算出税額

　イ　200,000千円－42,000千円（基礎控除額）＝158,000千円

　　　＊　57,500千円＋42,500千円＋100,000千円＝200,000千円

　ロ　158,000千円×$\frac{1}{2}$＝79,000千円

　ハ　79,000千円×30％－7,000千円＝16,700千円

　ニ　16,700千円×2＝33,400千円

　ホ　33,400千円×$\frac{100,000千円}{200,000千円}$＝16,700千円

② 特例山林の20％部分のみを取得したものとした場合の長男Aの算出税額

　イ　120,000千円－42,000千円（基礎控除額）＝78,000千円

　　　＊　（57,500千円＋42,500千円）×20％＋100,000千円＝120,000千円

　ロ　78,000千円×$\frac{1}{2}$＝39,000千円

　ハ　39,000千円×20％－2,000千円＝5,800千円

　ニ　5,800千円×2＝11,600千円

　ホ　11,600千円×$\frac{20,000千円}{120,000千円}$＝1,933.333千円（円未満切捨）

③　納税猶予額

　　　　①ホ－②ホ＝14,766.6千円（百円未満切捨）

(5)　長男Ａの納付すべき相続税額

　　　　(3)①－(4)③＝340,733.4千円

解答への道

《納税猶予分の相続税額の計算》

　　林業経営相続人がいる場合の納付すべき相続税額の計算、林業経営相続人の納税猶予分の相続税額及び納付すべき相続税額の計算は次の手順とする。

---

(1)　第一段階（通常の税額計算）

　　山林についての相続税の納税猶予の適用がないものとして、通常の税額計算を行う。（林業経営相続人以外の相続人等の納付税額は確定する。）

(2)　第二段階（林業経営相続人の猶予税額の計算）

　　林業経営相続人に係る納税猶予分の相続税額の計算を、次のように行う。

| 納税猶予分の相続税額（百円未満切捨） | ＝ | ※ 特例山林の価額のみを林業経営相続人に係る相続税の課税価格とみなして計算したその林業経営相続人の算出相続税額 | － | ※ 特例山林の価額に20％を乗じて計算した金額を林業経営相続人に係る相続税の課税価格とみなして計算したその林業経営相続人の算出相続税額 |

※　特例山林の価額

　　林業経営相続人が債務控除の適用を受けている場合には、その債務控除額のうち次の金額を控除した金額とする。　　　　　　　　　　　　　　　　　　　　　　　　　（注）

　　林業経営相続人の債務控除額　－　〔林業経営相続人が相続又は遺贈により取得した財産の価額　－　特例山林の価額〕

　(注)遺贈には相続時精算課税贈与を含み、上記算式により計算した金額が０を下回る場合には０とする。

(3)　第三段階（林業経営相続人の納付税額の計算）

　　林業経営相続人の納付税額は、第一段階で求めた林業経営相続人に係る税額から第二段階で求めた猶予税額を差し引いた金額となる。

　特定の美術品の相続税の納税猶予　　　　　重 要 度　C

　　次の資料に基づき、長男Aの納付すべき相続税額及び納税猶予税額を計算しなさい。

〔資　料〕

1　被相続人甲の相続人は、配偶者乙及び長男Aのみであり、相続の放棄をした者はいない。

2　長男Aは下記3(2)①の美術品について特定の美術品についての相続税の納税猶予及び免除の適用を受けるための要件は具備しているものとする。

3　配偶者乙及び長男Aの納付すべき相続税額及び納税猶予税額の計算に必要な事項は、次のとおりである。

　(1)　配偶者乙が取得した財産

　　　現金　　　　　　　　　　　120,000,000円

　(2)　長男Aが取得した財産及び承継した債務

　　　①　美術品　　　　　時価 25,000,000円

　　　②　現金　　　　　　　70,000,000円

　　　③　銀行からの借入金　　10,000,000円

　(3)　長男Aについて税額控除額はないものとする。

解　答

(1)　算出相続税額

　①　各人の課税価格

　　イ　配偶者乙　120,000,000円

　　ロ　長 男 A　25,000,000円＋70,000,000円－10,000,000円＝85,000,000円

　　ハ　イ＋ロ＝205,000,000円

　②　相続税の総額

　　イ　205,000,000円－42,000,000円(遺産に係る基礎控除額)＝163,000,000円

　　ロ　163,000,000円×$\dfrac{1}{2}$＝81,500,000円

　　ハ　81,500,000円×30％－7,000,000円＝17,450,000円

　　ニ　17,450,000円×2＝34,900,000円

　③　長男Aの算出相続税額

　　長男A　　34,900,000円×$\dfrac{85,000,000円}{205,000,000円}$＝14,470,731円　(円未満切捨)

(2)　納税猶予税額

　①　長男Aの課税価格を特定美術品のみとみなした場合の長男Aの算出相続税額

イ　145,000,000円－42,000,000円(遺産に係る基礎控除額)＝103,000,000円

※1

※1　120,000,000円＋25,000,000円＝145,000,000円

※2

※2　25,000,000円－0円＝25,000,000円

※3

※3　10,000,000円－(25,000,000円＋70,000,000円－25,000,000円)＜0　∴　0

ロ　$103,000,000円 \times \dfrac{1}{2} = 51,500,000円$

ハ　51,500,000円×30%－7,000,000円＝8,450,000円

ニ　8,450,000円×2＝16,900,000円

ホ　$16,900,000円 \times \dfrac{25,000,000円}{145,000,000円} = 2,913,793円$　(円未満切捨)

②　長男Aの課税価格を特定美術品の20%部分のみとみなした場合の長男Aの算出相続税額

イ　125,000,000円－42,000,000円(遺産に係る基礎控除額)＝83,000,000円

※1

※1　120,000,000円＋5,000,000円＝125,000,000円

※2

※2　25,000,000円×20%＝5,000,000円

ロ　$83,000,000円 \times \dfrac{1}{2} = 41,500,000円$

ハ　41,500,000円×20%－2,000,000円＝6,300,000円

ニ　6,300,000円×2＝12,600,000円

ホ　$12,600,000円 \times \dfrac{5,000,000円}{125,000,000円} = 504,000円$

③　納税猶予税額

①ホ－②ホ＝2,409,700円　(百円未満切捨)

(3)　期限内納付税額

(1)③　(百円未満切捨)－(2)③＝12,061,000円

解答への道

《納税猶予分の相続税額の計算》

　　寄託相続人がいる場合の納付すべき相続税額の計算、寄託相続人の納税猶予分の相続税額及び納付すべき相続税額の計算は次の手順とする。

(1)　第一段階(通常の税額計算)

　　特定美術品についての相続税の納税猶予の適用がないものとして、通常の税額計算を行う。(寄託相続人以外の相続人等の納付税額は確定する。)

(2)　第二段階(寄託相続人の猶予税額の計算)

　　寄託相続人に係る納税猶予分の相続税額の計算を、次のように行う。

$$
\boxed{\begin{array}{c}\text{納税猶予分}\\\text{の相続税額}\\\text{(百円未満切捨)}\end{array}} = \boxed{\begin{array}{l}※\\\text{特定美術品の価額のみを寄託}\\\text{相続人に係る相続税の課税価}\\\text{格とみなして計算したその寄}\\\text{託相続人の算出相続税額}\end{array}} - \boxed{\begin{array}{l}※\\\text{特定美術品の価額に20\%を乗}\\\text{じて計算した金額を寄託相続}\\\text{人に係る相続税の課税価格と}\\\text{みなして計算したその寄託相}\\\text{続人の算出相続税額}\end{array}}
$$

※ 特定美術品の価額

　寄託相続人が債務控除の適用を受けている場合には、その債務控除額のうち次の金額を控除した金額とする。

$$
\begin{array}{c}\text{寄託相続人の}\\\text{債務控除額}\end{array} - \left[\begin{array}{c}\text{寄託相続人が}\\\text{相続又は遺贈により} - \text{特定美術品の価額}\\\text{取得した財産の価額}\end{array}\right]^{\text{(注)}}
$$

(注) 遺贈には相続時精算課税贈与を含み、上記算式により計算した金額が０を下回る場合には０とする。

(3) 第三段階（寄託相続人の納付税額の計算）

　寄託相続人の納付税額は、第一段階で求めた寄託相続人に係る税額から第二段階で求めた猶予税額を差し引いた金額となる。

問　題　9　　医療法人の持分についての相続税の納税猶予　　重要度　B

　　次の資料に基づき、以下の各パターンにおける長男Ａの納付すべき相続税額を計算しなさい。

〔資　料〕

　　被相続人甲の死亡により、配偶者乙及び長男Ａはそれぞれ被相続人甲の遺産を次のとおり取得した。その内容は次のとおりである。

(1)　長男Ａが取得した財産

　　①　医療法人社団Ｂ会の出資持分　　　時価　180,000千円

　　②　その他の財産　　　　　　　　　　時価　100,000千円

(2)　配偶者乙が取得した財産

　　　　その他の財産　　　　　　　　　　時価　120,000千円

　　なお、法定相続人は配偶者乙及び長男Ａのみであり、長男Ａは医療法人の持分に係る相続税の納税猶予及び税額控除の適用を受けるための要件は全て満たしている。

＜パターン１＞

　　長男Ａが相続税の申告期限までにＢ会の出資持分のすべてを放棄しなかった場合

＜パターン２＞

　　長男Ａが相続税の申告期限までにＢ会の出資持分のすべてを放棄した場合

解　答

(1)　各人の課税価格

　　①　長　男　Ａ　180,000千円＋100,000千円＝280,000千円

　　②　配偶者乙　120,000千円

　　③　①＋②＝400,000千円

(2)　相続税の総額

　　①　400,000千円－42,000千円（基礎控除額）＝358,000千円

　　②　358,000千円×$\frac{1}{2}$＝179,000千円

　　③　179,000千円×40％－17,000千円＝54,600千円

　　④　54,600千円×2＝109,200千円

(3) 各人の算出税額

① 長男A　$109,200千円 \times \dfrac{280,000千円}{400,000千円} = 76,440千円$

② 配偶者乙　$109,200千円 \times \dfrac{120,000千円}{400,000千円} = 32,760千円$

(4) 長男Aの納付すべき相続税額

① 長男Aの取得財産を出資持分のみとした場合の相続税の総額

$180,000千円（長男A）+120,000千円（配偶者乙）=300,000千円$

$\left\{ (300,000千円-42,000千円) \times \dfrac{1}{2} \times 40\% - 17,000千円 \right\} \times 2 = 69,200千円$

② 出資持分にかかる税額

$69,200千円 \times \dfrac{180,000千円}{300,000千円} = 41,520千円$

＜パターン1＞

$76,440千円 - 41,520千円 = 34,920千円$

　※　41,520千円は納税猶予額

＜パターン2＞

$76,440千円 - 41,520千円 = 34,920千円$

　※　41,520千円は税額控除額

次の資料に基づき、以下の各パターンにおける友人丙の納付すべき贈与税額を計算しなさい。

〔資　料〕

　医療法人社団Z会の持分を所有していた甲は、令和7年4月10日にその所有する持分の全て（Z会の出資の総額に占める割合は50％）をすべて放棄した。これにより、残りの出資持分を所有する友人丙はその出資持分の価額が50,000千円増加することとなった。

　なお、友人丙は令和7年中に配偶者丁から上場株式10,000千円の贈与を受けている。また、友人丙は医療法人社団Z会の持分に係る贈与税の納税猶予及び税額控除の適用を受けるための要件は全て満たしている。

＜パターン1＞

　友人丙が贈与税の申告期限までにZ会の出資持分のすべてを放棄しなかった場合

＜パターン2＞

　友人丙が贈与税の申告期限までにZ会の出資持分のすべてを放棄した場合

解　答

(1) 令和7年分の贈与税額

　（50,000千円＋10,000千円－1,100千円）×55％－4,000千円＝28,395千円

(2) 経済的利益（持分の価額増加分）に対応する税額

　（50,000千円－1,100千円）×55％－4,000千円＝22,895千円

(3) 納付すべき贈与税額

　＜パターン1＞

　　28,395千円－22,895千円＝5,500千円

　　※　22,895千円は納税猶予額

　＜パターン2＞

　　28,395千円－22,895千円＝5,500千円

　　※　22,895千円は税額控除額

納税猶予

税理士受験シリーズ

2025年度版　19　相続税法　個別計算問題集

（昭和60年度版　1985年1月10日　初版 第1刷発行）

2024年9月2日　初　版　第1刷発行

編　著　者	Ｔ　Ａ　Ｃ　株　式　会　社	
	（税理士講座）	
発　行　者	多　　田　　敏　　男	
発　行　所	Ｔ　Ａ　Ｃ　株式会社　出版事業部	
	（ＴＡＣ出版）	

〒101-8383
東京都千代田区神田三崎町3-2-18
電話 03 (5276) 9492 (営業)
ＦＡＸ 03 (5276) 9674
https://shuppan.tac-school.co.jp

印　　　刷	株式会社　ワ　コ　ー	
製　　　本	株式会社　常　川　製　本	

© TAC 2024　　Printed in Japan　　　　　ISBN 978-4-300-11319-6
N.D.C. 336

「税理士」の扉を開くカギ

それは、合格できる教育機関を決めること!

あなたが教育機関を決める最大の決め手は何ですか?

通いやすさ、受講料、評判、規模、いろいろと検討事項はありますが、一番の決め手となること、それは「合格できるか」です。

TACは、税理士講座開講以来今日までの40年以上、「受講生を合格に導く」ことを常に考え続けてきました。そして、「最小の努力で最大の効果を発揮する、良質なコンテンツの提供」をもって多数の合格者を輩出し、今も厚い信頼と支持をいただいております。

令和5年度 税理士試験
TAC 合格祝賀パーティー

東京会場　ホテルニューオータニ

合格者から「喜びの声」を多数お寄せいただいています。

https://www.tac-school.co.jp/kouza_zeiri/zeiri_jisseki.html

簿記論

TAC実力完成答練 第2回

●実力完成答練 第2回〔第三問〕【資料2】1
【資料2】決算整理事項等
1 現金に関する事項
　決算整理前残高試算表の現金はすべて少額経費の支払いのために使用している小口現金である。小口現金については設定額を100,000円とする定額資金前渡制度(インプレスト・システム)を採用しており、毎月末日に使用額の報告を受けて、翌月1日に使用額と同額の小切手を振り出して補給している。
　2023年3月のその他の営業費として使用した額が97,460円(税込み)であった旨の報告を受けたが処理は行っていない。なお、現金の実際有高は2,700円であったため、差額については現金過不足として雑収入または雑損失に計上することとする。

2023年度 本試験問題 的中

〔第三問〕【資料2】決算整理事項等
1 小口現金
　甲社は、定額資金前渡法による小口現金制度を採用し、担当部署に100,000円を渡して月末に小切手を振り出して補給することとしている。決算整理前残高試算表の金額は3月末の補給前の金額であり、3月末の補給が既になされているが会計処理は未処理である。
　なお、3月末の補給前の小口現金の実際残高では63,000円であり、帳簿残高との差額を調査した。3月31日の午前と午後に3分の新聞代(その他の費用勘定)4,320円(税込み、軽減税率8%)を誤って二重に支払い、午前と午後にそれぞれ会計処理が行われていた。この二重払いについては4月中に4,320円の返金を受けることになっている。調査では、他に原因が明らかになるものは見つからなかった。

財務諸表論

TAC実力完成答練 第2回

●実力完成答練 第2回〔第三問〕2(3)
(3)　前期末においてC社に対する売掛金15,000千円を貸倒懸念債権に分類していたが、同社は当期に二度目の不渡りを発生させ、銀行取引停止処分を受けた。当該債権について今後1年以内に回収ができないと判断し、破産更生債権等に分類する。なお、当期において同社との取引はなく、取引開始時より有価証券(取引開始時の時価2,500千円、期末時価3,000千円)を担保として入手している。

2023年度 本試験問題 的中

〔第三問〕2(2)
(2)　得意先D社に対する営業債権は、前期において経営状況が悪化していたため貸倒懸念債権に分類していたが、同社はX5年2月に二度目の不渡りを発生させ銀行取引停止処分になった。D社に対する営業債権の期末残高は受取手形6,340千円及び売掛金3,750千円である。なお、D社からは2,000千円相当のゴルフ会員権を担保として受け入れている。

所得税法

TAC実力完成答練 第4回

●実力完成答練 第4回〔第一問〕問2
　問2　所得税法第72条(雑損控除)の規定において除かれている資産について損失が生じた場合の、その損失が生じた年分の各種所得の金額の計算における取扱いを説明しなさい。
　なお、租税特別措置法に規定する取扱いについては、説明を要しない。

2023年度 本試験問題 的中

〔第二問〕問2
　問2　地震等の災害により、居住者が所有している次の(1)〜(3)の不動産に被害を受けた場合、その被害による損失は所得税法上どのような取扱いとなるか、簡潔に説明しなさい。
　なお、説明に当たっては、損失金額の計算方法の概要についても併せて説明しなさい。
　(注)「災害被害者に対する租税の減免、徴収猶予等に関する法律」に規定されている事項については、説明する必要はない。

　(1) 居住している不動産
　(2) 事業の用に供している賃貸用不動産
　(3) 主として保養の目的で所有している不動産

消費税法

TAC理論ドクター

●理論ドクター P203
　10. レストランへの食材の販売
　当社は、食品卸売業を営んでいます。当社の取引先であるレストランに対して、そのレストラン内で提供する食事の食材を販売していますが、この場合は軽減税率の適用対象となりますか。

2023年度 本試験問題 的中

〔第一問〕問2(2)
　(2)　食品卸売業を営む内国法人E社は、飲食店業を営む内国法人F社に対して、F社が経営するレストランで提供する食事の食材(肉類)を販売した。E社がF社に対し行う食材(肉類)の販売に係る消費税の税率について、消費税法令上の適用関係を述べなさい。

2025年合格目標コース

反復学習でインプット強化！ & 豊富な演習量で実践力強化！

対象者：初学者／次の科目の学習に進む方

2024年				2025年							
9月	10月	11月	12月	1月	2月	3月	4月	5月	6月	7月	8月

9月入学 基礎マスター＋上級コース（簿記・財表・相続・消費・酒税・固定・事業・国徴）
3回転学習！年内はインプットを強化、年明けは演習機会を増やして実践力を鍛える！
※簿記・財表は5月・7月・8月・10月入学コースもご用意しています。

9月入学 ベーシックコース（法人・所得）
2回転学習！週2ペース、8ヵ月かけてインプットを鍛える！

9月入学 年内完結＋上級コース（法人・所得）
3回転学習！年内はインプットを強化、年明けは演習機会を増やして実践力を鍛える！

12月・1月入学 速修コース（全11科目）
7ヵ月〜8ヵ月間で合格レベルまで仕上げる！

3月入学 速修コース（消費・酒税・固定・国徴）
短期集中で税法合格を目指す！

税理士試験

対象者：受験経験者（受験した科目を再度学習する場合）

2024年				2025年							
9月	10月	11月	12月	1月	2月	3月	4月	5月	6月	7月	8月

9月入学 年内上級講義＋上級コース（簿記・財表）
年内に基礎・応用項目の再確認を行い、実力を引き上げる！

9月入学 年内上級演習＋上級コース（法人・所得・相続・消費）
年内から問題演習に取り組み、本試験時の実力維持・向上を図る！

12月入学 上級コース（全10科目）
※住民税の開講はございません
講義と演習を交互に実施し、答案作成力を養成！

税理士試験

※2024年7月12日時点の情報です。最新の情報は、TAC税理士講座ホームページをご確認ください。

"入学前サポート"を活用しよう!

無料セミナー ＆個別受講相談

無料セミナーでは、税理士の魅力、試験制度、科目選択の方法や合格のポイントをお伝えしていきます。セミナー終了後は、個別受講相談でみなさんの疑問や不安を解消します。

 TAC 税理士 セミナー 検索

https://www.tac-school.co.jp/kouza_zeiri/zeiri_gd_gd.htm

無料Webセミナー

TAC動画チャンネルでは、校舎で開催しているセミナーのほか、Web限定のセミナーも多数配信しています。受講前にご活用ください。

TAC 税理士 動画 検索

https://www.tac-school.co.jp/kouza_zeiri/tacchannel.html

体 験 入 学

教室講座開講日（初回講義）は、お申込み前でも無料で講義を体験できます。講師の熱意や校舎の雰囲気を是非体感してください。

 TAC 税理士 体験 検索

https://www.tac-school.co.jp/kouza_zeiri/zeiri_gd_gd.htm

税理士11科目 Web体験

「税理士11科目Web体験」では、TAC税理士講座で開講する各科目・コースの初回講義をWeb視聴いただけるサービスです。講義の分かりやすさを確認いただき、学習のイメージを膨らませてください。

 TAC 税理士 検索

https://www.tac-school.co.jp/kouza_zeiri/taiken_form.html

チャレンジコース

受験経験者・独学生待望のコース!

4月上旬開講!

開講科目	簿記・財表・法人 所得・相続・消費

基礎知識の底上げ **徹底した本試験対策**

チャレンジ講義 ＋ チャレンジ演習 ＋ 直前対策講座 ＋ 全国公開模試

受験経験者・独学生向けカリキュラムが一つのコースに!

※チャレンジコースには直前対策講座(全国公開模試含む)が含まれています。

直前対策講座

5月上旬開講!

本試験突破の最終仕上げ!

直前期に必要な対策が
すべて揃っています!

学習 メディア	教室講座・ビデオブース講座 Web通信講座・DVD通信講座・資料通信講座

＼ 全11科目対応 ／

開講科目	簿記・財表・法人・所得・相続・消費 酒税・固定・事業・住民・国徴

- 徹底分析!「試験委員対策」
- 即時対応!「税制改正」
- 毎年的中!「予想答練」

※直前対策講座には全国公開模試が含まれています。

チャレンジコース・直前対策講座ともに詳しくは2月下旬発刊予定の
「チャレンジコース・直前対策講座パンフレット」をご覧ください。

全国公開模試

全11科目実施

TACの模試はここがスゴイ!

6月中旬実施!

① 信頼の母集団
2023年の受験者数は、会場受験・自宅受験
合わせて10,316名!この大きな母集団を分母
とした正確な成績(順位)を把握できます。

信頼できる実力判定

10,316名が受験!
※11科目延べ人数

② 本試験を擬似体験
全国の会場で緊迫した雰囲気の中「真の実力」が
発揮できるかチャレンジ!

③ 個人成績表
現時点での全国順位を確認するとともに「講評」等
を通じて本試験までの学習の方向性が定まります。

④ 充実のアフターフォロー
解説Web講義を無料配信。また、質問電話による
疑問点の解消も可能です。

※TACの受講生はカリキュラム内に全国公開模試の受験料が
含まれています(一部期別申込を除く)。

直前オプション講座

最後まで油断しない!
ここからのプラス5点!

**6月中旬〜
8月上旬実施!**

【重要理論確認ゼミ】
〜理論問題の解答作成力UP!〜

【ファイナルチェック】
〜確実な5点UPを目指す!〜

【最終アシストゼミ】
〜本試験直前の総仕上げ!〜

全国公開模試および直前オプション講座の詳細は4月中旬発刊予定の
「全国公開模試パンフレット」「直前オプション講座パンフレット」をご覧ください。

会計業界への
就職・転職支援サービス

TPB

TACの100％出資子会社であるTACプロフェッションバンク（TPB）は、会計・税務分野に特化した転職エージェントです。勉強された知識とご希望に合ったお仕事を一緒に探しませんか？ 相談だけでも大歓迎です！ どうぞお気軽にご利用ください。

人材コンサルタントが無料でサポート

Step1 相談受付
完全予約制です。HPからご登録いただくか、各オフィスまでお電話ください。

Step2 面談
ご経験やご希望をお聞かせください。あなたの将来について一緒に考えましょう。

Step3 情報提供
ご希望に適うお仕事があれば、その場でご紹介します。強制はいたしませんのでご安心ください。

正社員で働く
- ● 安定した収入を得たい
- ● キャリアプランについて相談したい
- ● 面接日程や入社時期などの調整をしてほしい
- ● 今就職すべきか、勉強を優先すべきか迷っている
- ● 職場の雰囲気など、求人票でわからない情報がほしい

TACキャリアエージェント

https://tacnavi.com/

派遣で働く（関東のみ）
- ● 勉強を優先して働きたい
- ● 将来のために実務経験を積んでおきたい
- ● まずは色々な職場や職種を経験したい
- ● 家庭との両立を第一に考えたい
- ● 就業環境を確認してから正社員で働きたい

TACの経理・会計派遣

https://tacnavi.com/haken/

※ご経験やご希望内容によってはご支援が難しい場合がございます。予めご了承ください。　※面談時間は原則お一人様30分とさせていただきます。

自分のペースでじっくりチョイス

正社員・アルバイトで働く
- ● 自分の好きなタイミングで就職活動をしたい
- ● どんな求人案件があるのか見たい
- ● 企業からのスカウトを待ちたい
- ● WEB上で応募管理をしたい

Webで

▶ **TACキャリアナビ**

https://tacnavi.com/kyujin/

就職・転職・派遣就労の強制は一切いたしません。会計業界への就職・転職を希望される方への無料支援サービスです。どうぞお気軽にお問い合わせください。

 TACプロフェッションバンク

■ 有料職業紹介事業 許可番号13-ユ-010678　■ 一般労働者派遣事業 許可番号（派）13-010932
■ 特定募集情報等提供事業 届出受理番号51-募-000541

東京オフィス
〒101-0051
東京都千代田区神田神保町1-103
東京パークタワー 2F
TEL.03-3518-6775

大阪オフィス
〒530-0013
大阪府大阪市北区茶屋町6-20
吉田茶屋町ビル 5F
TEL.06-6371-5851

名古屋 登録会場
〒453-0014
愛知県名古屋市中村区則武1-1-7
NEWNO 名古屋駅西 8F
TEL.0120-757-655

10860572

TAC出版 書籍のご案内

TAC出版では、資格の学校TAC各講座の定評ある執筆陣による資格試験の参考書をはじめ、資格取得者の開業法や仕事術、実務書、ビジネス書、一般書などを発行しています！

TAC出版の書籍

*一部書籍は、早稲田経営出版のブランドにて刊行しております。

資格・検定試験の受験対策書籍

- ✪日商簿記検定
- ✪建設業経理士
- ✪全経簿記上級
- ✪税　理　士
- ✪公認会計士
- ✪社会保険労務士
- ✪中小企業診断士
- ✪証券アナリスト

- ✪ファイナンシャルプランナー(FP)
- ✪証券外務員
- ✪貸金業務取扱主任者
- ✪不動産鑑定士
- ✪宅地建物取引士
- ✪賃貸不動産経営管理士
- ✪マンション管理士
- ✪管理業務主任者

- ✪司法書士
- ✪行政書士
- ✪司法試験
- ✪弁理士
- ✪公務員試験(大卒程度・高卒者)
- ✪情報処理試験
- ✪介護福祉士
- ✪ケアマネジャー
- ✪電験三種　ほか

実務書・ビジネス書

- ✪会計実務、税法、税務、経理
- ✪総務、労務、人事
- ✪ビジネススキル、マナー、就職、自己啓発
- ✪資格取得者の開業法、仕事術、営業術

一般書・エンタメ書

- ✪ファッション
- ✪エッセイ、レシピ
- ✪スポーツ
- ✪旅行ガイド (おとな旅プレミアム/旅コン)

(2024年2月現在)

書籍のご購入は

1 全国の書店、大学生協、ネット書店で

2 TAC各校の書籍コーナーで

資格の学校TACの校舎は全国に展開!
校舎のご確認はホームページにて

資格の学校TAC ホームページ
https://www.tac-school.co.jp

3 TAC出版書籍販売サイトで

CYBER TAC出版書籍販売サイト
BOOK STORE

24時間
ご注文
受付中

TAC 出版 で 検索

https://bookstore.tac-school.co.jp/

- 新刊情報を
いち早くチェック!
- たっぷり読める
立ち読み機能
- 学習お役立ちの
特設ページも充実!

TAC出版書籍販売サイト「サイバーブックストア」では、TAC出版および早稲田経営出版から刊行されている、すべての最新書籍をお取り扱いしています。
また、会員登録(無料)をしていただくことで、会員様限定キャンペーンのほか、送料無料サービス、メールマガジン配信サービス、マイページのご利用など、うれしい特典がたくさん受けられます。

サイバーブックストア会員は、特典がいっぱい! (一部抜粋)

通常、1万円(税込)未満のご注文につきましては、送料・手数料として500円(全国一律・税込)頂戴しておりますが、1冊から無料となります。

メールマガジンでは、キャンペーンやおすすめ書籍、新刊情報のほか、「電子ブック版 TACNEWS(ダイジェスト版)」をお届けします。

専用の「マイページ」は、「購入履歴・配送状況の確認」のほか、「ほしいものリスト」や「マイフォルダ」など、便利な機能が満載です。

書籍の発売を、販売開始当日にメールにてお知らせします。これなら買い忘れの心配もありません。

2025年度版 税理士試験対策書籍のご案内

TAC出版では、独学用、およびスクール学習の副教材として、各種対策書籍を取り揃えています。学習の各段階に対応していますので、あなたのステップに応じて、合格に向けてご活用ください!

（刊行内容、発行月、装丁等は変更することがあります）

●2025年度版 税理士受験シリーズ

> 税理士試験において長い実績を誇るTAC。このTACが長年培ってきた合格ノウハウを"TAC方式"としてまとめたのがこの「税理士受験シリーズ」です。近年の豊富なデータをもとに傾向を分析、科目ごとに最適な内容としているので、トレーニング演習に欠かせないアイテムです。

消費税法

固定資産税

事業税

住民税

国税徴収法

※暗記音声はダウンロード商品です。TAC出版書籍販売サイト「サイバーブックストア」にてご購入いただけます。

●2025年度版 みんなが欲しかった！税理士 教科書＆問題集シリーズ

[効率的に税理士試験対策の学習ができないか？ これを突き詰めてできあがったのが、「みんなが欲しかった！税理士 教科書＆問題集シリーズ」です。必要十分な内容をわかりやすくまとめたテキスト（教科書）と内容確認のためのトレーニング（問題集）が1冊になっているので、効率的な学習に最適です。]

●解き方学習用問題集

現役講師の解答手順、思考過程、実際の書込みなど、㊙テクニックを完全公開した書籍です。

●その他関連書籍

好評発売中！

TACの書籍はこちらの方法でご購入いただけます

1 全国の書店・大学生協　**2** TAC各校 書籍コーナー

3 CYBER TAC出版書籍販売サイト BOOK STORE アドレス https://bookstore.tac-school.co.jp/

・2024年7月現在　・年度版各巻の価格は、決定しだい上記**3**のサイバーブックストアに掲載されますのでご参照ください

書籍の正誤に関するご確認とお問合せについて

書籍の記載内容に誤りではないかと思われる箇所がございましたら、以下の手順にてご確認とお問合せをしてくださいますよう、お願い申し上げます。

なお、正誤のお問合せ以外の**書籍内容に関する解説および受験指導などは、一切行っておりません。**
そのようなお問合せにつきましては、お答えいたしかねますので、あらかじめご了承ください。

1 「Cyber Book Store」にて正誤表を確認する

TAC出版書籍販売サイト「Cyber Book Store」の
トップページ内「正誤表」コーナーにて、正誤表をご確認ください。

CYBER TAC出版書籍販売サイト
BOOK STORE

URL:https://bookstore.tac-school.co.jp/

2 1の正誤表がない、あるいは正誤表に該当箇所の記載がない ⇒ 下記①、②のどちらかの方法で文書にて問合せをする

★ご注意ください★

お電話でのお問合せは、お受けいたしません。
①、②のどちらの方法でも、お問合せの際には、「お名前」とともに、
「対象の書籍名（○級・第○回対策も含む）およびその版数（第○版・○○年度版など）」
「お問合せ該当箇所の頁数と行数」
「誤りと思われる記載」
「正しいとお考えになる記載とその根拠」
を明記してください。
なお、回答までに1週間前後を要する場合もございます。あらかじめご了承ください。

① ウェブページ「Cyber Book Store」内の「お問合せフォーム」より問合せをする

【お問合せフォームアドレス】

https://bookstore.tac-school.co.jp/inquiry/

② メールにより問合せをする

【メール宛先　TAC出版】

syuppan-h@tac-school.co.jp

※土日祝日はお問合せ対応をおこなっておりません。
※正誤のお問合せ対応は、該当書籍の改訂版刊行月末日までといたします。

乱丁・落丁による交換は、該当書籍の改訂版刊行月末日までといたします。なお、書籍の在庫状況等により、お受けできない場合もございます。
また、各種本試験の実施の延期、中止を理由とした本書の返品はお受けいたしません。返金もいたしかねますので、あらかじめご了承くださいますようお願い申し上げます。

（2022年7月現在）